누구나 알고 있지만 누구도 할 수 없었던
그들만의 이야기

누구나 알고 있지만 누구도 할 수 없었던
그들만의 이야기

影后 그림자 황후

그
림
자
황
후

1판 3쇄 찍음 2014년 11월 14일
1판 3쇄 펴냄 2014년 11월 19일

지은이 | 유리엘리
펴낸이 | 정 필
펴낸곳 | 도서출판 **뿔미디어**

주소 | 경기도 부천시 원미구 상동로 117번길 49(상동) 503호 (우)420-861
전화 | 032)651-6513 / 팩스 032)651-6094
E-mail | bnm2011@hanmail.net
블로그 | http://blog.naver.com/bbulbnm
홈페이지 | http://bbulmedia.com

**값 14,000원**

ISBN 978-89-6775-056-5 04810
ISBN 978-89-6775-055-8 04810(세트)

※파본은 구입하신 서점에서 교환하여 드립니다.

# 影后

上

그림자 황후

유리엘리 감성 소설

# 목 차

序章

　길게 이어진 행렬의 앞에서 끝도 없이 이어진 황궁 복도를
걸어가는 한 사람. 대례복(大禮服) 안으로 붉게 수놓아진 중
의(中衣)와 나부끼는 푸른 옷자락이 신경질적으로 일렁인다.
　몸 전체를 휘감은 듯한 황금 용은 황혼의 붉은 빛에 어우
러져 그를 더욱 눈부시도록 빛나게 해 주었다. 대국(大國) 수
(隋)나라 황가의 순수 혈통만이 가질 수 있는 눈처럼 하얀 비
단실을 엮어 놓은 듯한 머릿결과 붉은 눈.
　감정이라고는 조금도 느껴지지 않는, 마치 눈으로 빚어 놓
은 듯한 외모가 확실히 빛나는 이 사내가 18세의 나이로 수
나라 제20대 황제의 위에 오른, 소건황제(昭乾皇帝)였다.
　아직 어린 나이임에도 그의 모습은 완연한 청년을 보는 듯
했다. 또 그는 이질적인 냉랭함으로 무장하고 있었고, 붉은

7

핏물이 뚝뚝 떨어져 내릴 것 같은 그의 적안은 주인의 성정만큼이나 서늘해 보였다.

고귀한 혈통으로, 태어났을 때부터 '황태자'가 아닌 '황제'로 길러진 존재. 그는 암약이 판치는 궁 안에서 자신의 이빨과 발톱을 적절히 숨겨 오며 철저하고 잔혹한 지배자로서의 면모를 갖춰 왔다.

고작 18세에 불과하지만 이미 오래전에 완성된 황제인 것이다. 다만, 그 시기가 이제야 찾아온 것이고, 그의 잔혹한 성정이 어떤 식으로 드러날지는 아무도 예상하지 못했다. 아니, 그 누구도 상상하지 못할 것이다.

적어도 그의 겉모습은 학처럼 고고했고, 서리 같은 아름다움은 신비함마저 품고 있었으며, 냉소를 품은 미소는 오만함 그 자체일지라도 경외감을 느끼게 함으로 그 누구도 감히 반박할 엄두를 내지 못하게 했기 때문이다.

그런 그가 비로소 권력을 손에 넣었다. 하지만 번거로운 절차를 거두라는 자신의 명에 의해 황제의 즉위식과 황후를 맞이하는 책봉식을 한꺼번에 치른 그는 그렇게도 원하던 권력을 틀어쥐었음에도 결코 행복한 모습은 아니었다.

이제 막 혼례를 치르고 자신의 반려를 맞이한 이라고는 상상도 할 수 없을 만큼 그의 아름다운 얼굴은 만년빙석을 품은 듯 냉막하기 그지없었고, 형형하게 빛나는 적안은 감추지 못한 짜증과 적의를 품고 있었다.

그걸 고스란히 드러내며 거칠게 황후궁으로 향하는 황제의 뒤를, 겹겹이 껴입은 연화도(蓮花圖)와 황금색 봉황(鳳凰)

이 수놓아진 붉은색의 대례복을 입고 금박으로 봉황이 수놓아진 붉은 면사로 발치까지 가린 황후가 조심스럽게 따르고 있었다.

"모두 물러가라."

황후전에 들자마자 싸늘하게 내뱉는 황제의 말에 시중을 들기 위해 대기하던 시종장과 내관들이 조용히 물러났다. 소리 없이 문이 닫히고, 침상에 아무렇게나 걸터앉는 황제의 차가운 시선이 그때까지도 우두커니 서 있는 황후에게로 향했다.

온통 붉은색으로 뒤덮인 황후의 모습을 훑어 내리는 황제의 눈매가 한껏 찌푸려졌다. 무심하게 반듯함이 이지러지듯이. 하얀 머릿결과 대조되는 붉은 눈이 무섭게 타오르며 잔혹하게 빛나고 있었다.

"사내놈이 황후라. 큭, 정말이지 죽여 버리고 싶군."

황후의 몸이 움찔 떨렸다. 오싹함이 등줄기를 타고 흐름에 붉은 면사 안의 얼굴이 창백해졌다. 이미 어느 정도 각오하고 있었음에도 결국 맑은 물이 볼을 타고 흘러내렸다.

낮고 잔잔해서 투명하고 서늘한 느낌이 드는 목소리. 어쩌면 평생을 같이할 반려로서 처음 듣는 말이기에 더 서러웠는지도 모른다. 그러나 그런 황후의 반응에 오히려 황제의 분노와 증오가 끓어오르고 있었다.

원치 않은 혼인이었다. 때문에 뱉은 말 그대로 살기가 동했음을 알려 주듯 붉게 타오르던 눈은 어느새 싸늘하게 가라앉아 비정하고 냉막하게 빛나기 시작했다.

살짝만 건드려도 끊어질 듯한 팽팽하게 날이 선 공기와 압박하는 살기로 인해 힘없이 떨기만 하는 가련한 황후를 보는 황제의 입가가 순간 비틀리듯 올라갔다.

"시험을 해 보고 싶기도 해. 과연 네놈을 죽이면 나 또한 죽게 되는지. 네놈은 궁금하지 않나?"

대답을 듣고자 묻는 말이 아니었다. 그걸 알기에 황후는 떨리는 몸을 필사적으로 추스르고 눈을 질끈 감고 있었다.

"만약, 너를 죽이지는 않더라도 죽음보다 더한 고통을 안긴다면, 예를 들어 손가락부터 차례대로 사지를 잘라 내고 온몸에서 피가 끊임없이 흘러내려도 살아 있을 수 있는지 말이야. 아니면, 모욕을 가한다면, 과연 위대하신 천제(天帝)께서 내게 벌을 내릴지 궁금하군."

느릿하게 흘러나오는 섬뜩한 말에 순간적으로 그 장면들이 떠올라 번쩍 떠진 황후의 눈동자가 불안하게 흔들렸다. 뇌리를 스치고 지나는 환영과 함께 숨 막히도록 덮치는 피비린내가 후각을 마비시키는 것만 같았다.

그와 동시에 사지가 잘려 바닥에 널브러진 채 고통에 떠는 자신의 모습이 선명하게 떠오르고 있었다. 상상할수록 몸서리쳐지는 환영에 황후의 몸이 부들부들 떨리다 못해 당장에라도 쓰러질 듯 휘청거렸다.

그런 황후를 보는 황제의 입가가 점점 가늘어지더니 어느 순간 흡족한 듯한 미소로 변했다. 붉은 면사로 보이는 황제의 미소 띤 얼굴은 눈이 부실 정도로 매력적이었지만, 황후는 그의 표정에서 걷잡을 수 없는 광기만을 느끼고 있었다.

"아아, 그럴 수도 없겠군. 천제의 총애를 받는 황후를 한낱 인간인 내가 죽일 수야 있나. 제아무리 천자인 황제라도 안 되겠지. 큭큭, 안타깝지만 참을 수밖에."

마치 처참하게 죽이지 못해 못내 서운하다는 듯이. 황후를 보는 황제의 눈동자는 시리도록 섬뜩한 빛을 내뿜었다. 그러나 반대로 입가에 걸린 미소는 더욱 짙어졌다.

"흠, 그래서 기분이 더 더럽긴 하지만, 한동안은 안심해도 된다. 지금 당장은 네놈을 죽일 생각이 없으니. 아아, 물론 나를 거슬리는 행동을 하지 않았을 때겠지."

황제의 말이 비수가 되어 심장을 파헤쳤다. 그 고통에 황후는 귀를 막고 싶었다. 더 이상 듣고 싶지 않았다. 아니, 엄습해 오는 두려움과 숨 막히는 고통에 더는 들을 수가 없었다.

피할 수만 있다면 당장에라도 뛰쳐나가고 싶은 마음을 간신히 억누르며, 더는 견디기 힘들다는 듯 힘겹게 억누른 숨을 토해낼 때였다. 침상에서 몸을 일으키는 황제의 기척에 황후는 자신도 모르게 움찔거리며 한 발 물러났다.

두려웠다. 자신의 모든 것을 희생할 반려인 황제는 그보다 더 어린 황후가 감당하기에는 지나치게 거대하고 가혹했다. 아름다운 뒷면에 맹독을 품은 잔혹한 모습이 존재한다는 걸 깨닫고 있는 몸이 두려움에 움츠러들었다.

그런 황후를 내려다보는 황제의 입가에 비틀린 웃음이 떠나지 않았다. 형형함 사이로 날카롭게 빛나는 눈동자는 한 발 가까이 다가갈 때마다 주춤거리며 물러나는 여린 몸을 당장에라도 찢어발길 듯 완벽한 적의를 담고 붉게 타올랐다.

"죽고 싶지 않을 테니 경고하지. 네놈에게는 그 어떤 권리도 없다. 죽은 듯이 살아. 그게 네놈의 목숨을 잠시라도 연명하는 길이다."

더 이상 물러날 곳도 없는 막다른 벽에 몰리고야 칼날처럼 날카롭게 뼛속까지 스며드는 분노를 고스란히 담고 머리 위에서 서늘한 목소리가 떨어져 내렸다. 숨결까지도 고스란히 느낄 수 있는 거리.

순간 언뜻 드러나는 호기심과 함께 황제의 입술이 웃음 비슷한 모습으로 비틀리고, 서두르지 않고 마치 목이라도 조를 듯 뻗어오는 손길에 부들부들 떨리는 여린 몸이 더는 견디지 못하고 주저앉았다.

그 모습에 허공에 뻗었던 손을 멈칫거린 황제의 얼굴이 기묘하게 일그러졌다. 무엇인가 못마땅한 듯. 주저앉을 거라고는 예상하지 못했다는 듯이 찌푸려진 미간이 좀처럼 풀어지지 않았다.

그러나 그것도 잠시, 손마디가 하얗게 불거지도록 주먹을 쥐고 잔뜩 웅크린 채 떨고 있는 황후를 냉막한 적안으로 내려다보고 있었다. 그 눈길 속에 담긴 황제의 분노에 황후는 숨이 막힌 듯 옷자락을 움켜쥐었다.

"츳, 사내놈 얼굴이야 거기서 거기겠지. 앞으로도 얼굴을 드러내는 건 허락하지 않겠다."

아무런 대답조차 하지 못하는 황후를 내려다보며 황제는 더 이상 미련도 없다는 듯이 침전을 나갔다. 그리고 문밖에서 들리는 차가운 황제의 말에 황후는 두 손으로 입가를 틀어막은 채 억눌린 울음을 터트렸다.

"저런 것도 황후라고 지켜야 한다니, 기가 막히는군."

황제의 말 한 마디 한 마디에 황후의 설움은 배가 되어 깊은 상처를 남겼다. 이미 각오에 각오를 더했음에도 그에 대한 두려움과 앞날을 어렵지 않게 예견할 수 있음에 그 지독한 절망감을 느끼고 황후는 소리 없는 비명을 질렀다.

평생의 반려로 처음 마주한 황제는 어린 황후가 감당하기에 벅찼다. 앞으로 더 얼마나 설움을 견뎌야 할지, 앞으로 더 얼마나 처참한 지경에 처할지는 모르나 이름뿐인 그림자 황후로서 할 수 있는 일은 아무것도 없었다.

그저 암담한 현실에 순응하는 것만이 자신이 할 수 있는 전부였다. 아무것도 보지 못하는 것처럼, 아무것도 듣지 못하는 것처럼 눈과 귀를 막고 몸을 한없이 낮춰서라도 오래전에 틀에 맞춰진 운명의 길에 들어선 자신을 위안할 수밖에 없었다.

다만, 아직은 어린 나이이기에 하염없이 흘러내리는 눈물도, 막연한 두려움에 움츠러든 가슴도 뜨거워 와서 황후는 지친 듯 눈을 감았다. 운명도 세상도 자기에게는 모질게만 대하는 것 같아 황후의 뜨거운 눈물은 한동안 멈추지 않고 흘러나왔다.

一章

서문휘연(西門輝姸)

"오늘은 여기까지다. 집에 돌아가서도 책을 보는 것에 게을리해서는 안 된다. 알겠느냐?"

"예……!!"

산과 계곡으로 둘러싸인 궁촌벽지(窮村僻地). 30채도 되지 않는 허름한 가옥들로 이루어진 작은 마을. 초라한 정자에 옹기종기 모여 앉아 눈을 반짝이는 어린아이들에게 기본적인 글부터 기예를 가르치는 앳된 모습의 소년.

과연 소년이 맞는 것인지, 길고 윤기 나는 검은 머리카락은 단정하게 반을 묶어 늘어트렸고, 잡티 하나 없는 깨끗한 피부는 투명하게 보일 정도로 백옥 같다.

반듯한 이마와 넓은 양미간, 가지런하고 깨끗한 눈썹. 음영을 드리울 만큼 숱이 많은 속눈썹 밑으로 흑백이 조화를 이룬 올곧은 눈동자가 한눈에 시선을 사로잡는다.

곧은 콧날을 지나 홍해화(紅滋花)를 머금은 듯 붉은 입술이 탐스럽고 윤택하며, 조심스럽게 열릴 때면 가지런한 하얀 치아가 그 모습을 드러낸다.

목소리는 청량하니 듣는 이로 하여금 마음을 편케 했고, 길게 뻗은 목선을 지나 곧고 여린 허리, 그리고 책장을 넘기는 손가락 하나도 칭찬을 아니할 수 없을 만큼 그 미색이 빼어났다.

마치 소녀라고 칭해도 과하지 않을 모습. 외모뿐만이 아니라 작은 행동거지 하나하나에도 기품이 묻어나는 소년이었지만, 그 몸을 감싸고 있는 의복에는 군데군데 기운 자국이 선명하게 남아 있었다.

"후……."

어린아이들을 보낸 후 해가 산 너머로 기울어져 갈 때야 책을 덮고 자리에서 일어나는 소년의 아름다운 얼굴이 황혼 빛에 물들어 더욱 단아한 빛을 내뿜는다. 그런 소년 앞으로 마을 촌장이 다가왔다.

"공자님, 매번 감사드립니다. 공자님 덕분에 우리 같은 놈들도 글귀나 읽고 살지, 안 그랬음 여전히 촌무지렁이로 살아갈 뻔했습니다."

"도움받은 것에 비하면 이 정도는 아무것도 아닙니다."

"아이고, 무슨 말씀을 그리하십니까? 우리 같은 게 무슨 도움이 된다고. 아! 내 정신 좀 보게! 이거, 가져가셔서 어르신이랑 같이 드십시오. 올해 수확한 옥수수입니다."

"아닙니다. 한두 번도 아니고, 매번 신세를 질 수는 없습니다."

"신세라니요? 아무리 못 배운 놈들이라도 두 분께 받은 은혜를 이렇게라도 갚지 않으면 속이 편치 않아서 그럽니다. 그러니 보잘것없더라도 꼭 좀 받아 주십시오."

한참이나 까마득한 어린 소년을 향해 몇 번이고 머리를 조아리는 촌장의 주름진 손에 들린 작은 바구니 안에는 막 수확한 옥수수 다섯 개가 들어 있었다.

이렇게라도 은혜를 갚고 싶은 촌장의 마음이었으나, 고작 옥수수 다섯 개로 치부하기에는 이곳 생활의 어려움을 누구보다 잘 아는 소년은 쉽사리 받아들일 수가 없었다.

그래서인지 한사코 사양하는 소년의 손에 촌장이 바구니를 강제로 쥐여 주다시피 했다. 그 탓에 잠시 당황하던 소년이 더 이상 거부하는 것도 예의가 아닌지라 마지못해 받아들이며 깊숙이 예를 다해 허리를 숙였다.

"그럼 감사히 먹겠습니다. 대신 다음에 밭일하실 때 불러 주십시오. 미약한 힘이나마 돕겠습니다."

"아이고! 제발 안 그러셔도 된다니까 그러시네. 공자님 부렸다간 우리 마을에서 쫓겨납니다."

"걱정하지 마시고 불러 주세요. 고된 일은 못 하더라도 조금이나마 도움이 될 겁니다."

"이거 참, 고집이 워낙 세시니 자꾸 뭐라 할 수도 없고. 공자님 고집을 제가 어찌 꺾겠습니까요? 다음에 도와주시고 피곤하실 테니 어서 들어가 보십시오."

"예. 그럼, 살펴 가십시오."

청량한 목소리 끝에 부드러운 미소를 짓고 마지막까지 예를 다해 깊숙이 고개를 숙이고 돌아서는 소년의 뒷모습에서 마을 촌장은 멍하니 시선을 떼지 못하고 한탄하듯 중얼거렸다.

"허어, 안타깝구먼. 이런 곳에 계실 분들이 아니신데. 쯧쯧……."

무원촌(無願村). 이름도 없었던 작은 마을이지만, 서문세가(西門勢家)가 이곳에 터를 잡은 후 무원이라는 이름을 갖게 되었다. 말 그대로 아무것도 바라지도, 구하지도 않는다는 뜻.

마을 주민 대부분이 농사를 지을 만큼의 머리도 돌아가지 않을 정도로 무지했다. 그런 사람들에게 농작하는 방법부터 예의를 가르치고, 글을 가르친 사람이 소년의 선조였다.

그때부터 이 마을의 정신적인 지주로 살아오면서 집안의 마지막 가산을 털어 마을의 재난을 바로 잡았고, 소년 또한 아이들에게 학문을 가르치거나 밭일을 도와 끼니를 해결해 온 것이다.

그 생활은 참으로 궁핍하기가 이를 데가 없었지만, 타고난 기품은 사라지지 않았다. 또한, 욕심조차 없어 그들을 업신여기지 않고 덕을 베풂에 소홀히 하지 않았으니, 제아무리 무지한 인간들이라고 해도 진심으로 감복할 수밖에 없었다.

"공자님! 이제 오세요?"

"그래. 아소, 이걸로 저녁 찬을 하자꾸나."

"와! 옥수수네? 예! 곧 준비하겠습니다."

촌장과 헤어지고 소년이 향한 곳은 마을 제일 안쪽에 위치한 세 칸 남짓한 초라한 집. 소년이 나무를 엮어 만든 대문 안으로 들어서자, 소년보다 더 작은 소년이 함박웃음을 지으며 종종걸음으로 달려 나와 반갑게 맞이했다.

제대로 먹지 못해 뼈가 드러날 정도로 여윈 몸이 안쓰러운지 아소라 불리는 소년의 머리를 쓰다듬는 소년의 얼굴에 보기 드물게 그늘이 졌다. 그러다, 옥수수에 반색하며 또다시 종종걸음으로 사라지는 소년을 보며 작게 한숨을 내쉬었다.

지금껏 어려운 처지에도 이렇다 할 내색 한 번 하지 않았던 소년이지만, 절로 새어 나오는 한숨까지는 막지 못하는 듯 한참을 석양빛에 물든 하늘을 올려다보다가 조심스럽게 기척을 고하고 방으로 들어갔다.

"아버님, 들어가겠습니다."

방 안에는 남루한 행색이지만 기품이 넘치는 중년이 서책을 읽고 있었고, 그는 자신 앞에 마주해 앉는 소년을 보며 온화한 미소를 짓는다. 소년의 아버지이자 현 서문세가의 가주였다.

"아버님, 소자 다녀왔습니다."

"어서 오너라."

서문호협, 호는 공진(恭進). 올해 42세로 서문세가의 가주. 일찍이 신동 소리를 들을 만큼 학문이나 약초 효능에 대한 재주가 뛰어났지만, 단 한 번도 그 이름을 떨친 적이 없는 초야의 문인이라고 평할 수 있다.

서문휘연, 호는 공희(供犧). 올해 나이 17세로 서문세가 외동아들로. 학문뿐 아니라 의술, 기예에 능해 다재다예(多才多藝)했고, 올바른 성품이나 효(孝)는 이미 인근에서는 모르는 이가 없을 정도였다.

"오늘은 늦었구나. 요즘 들어 잠도 제대로 들지 못하는 것 같고, 혹여 마음이 심란한 것이냐?"

"아닙니다. 단지 뜻 모를 꿈에 조금 난처하던 중입니다."

"꿈이라. 그런가. 때가 가까워졌음인가."

호협의 시선이 그늘진 휘연의 얼굴에 머무르고, 근심을 담아 묻는 말에 휘연이 화급히 굳힌 얼굴을 풀었다. 하지만 요즘 들어 계속해서 같은 꿈을 꾸고 깊은 잠이 들지 못한 것도 사실이라 휘연은 이만저만 난감한 게 아니었다.

더구나 천문을 비롯해 천기에 대한 지식을 쌓았음에도 왜인지 한낱 꿈이 뜻하는 바가 휘연으로서는 감당하지 못할 일이 생길 것만 같아 섣불리 알려고 들지도 않았었다. 자신으로서는 도저히 풀 수도 없고 풀리지도 않는 의문.

결국, 이대로 묻어 두느니 호협에게라도 말을 해서 그 꿈이 뜻하는 걸 알고 싶은 휘연이 넌지시 꿈 이야기를 꺼냈지만, 그는 꿈이라는 말에 안색을 굳히며 무언가 깊은 생각에라도 빠진 듯 알게 모르게 중얼거릴 뿐 의문을 풀어 주지는 않았다.

"후우, 너에게 비단옷 한 번 입혀 주지 못하고, 배불리 먹여 주지도 못하는 이 아비가 원망스럽지는 않느냐?"

"어찌 그런 말씀을 하시는 것입니까? 아버님답지 않으십니다. 옷이야 몸을 가릴 수만 있다면 족할진대 허름하면 어떻고 누더기면 또 어떻습니까. 하물며 굶어 죽어 가는 사람이 넘쳐나는 세상에서 하루 세 끼를 챙기는 것은 감사해야 할 일입니다."

휘연은 오늘따라 아픈 눈으로 자신을 응시하는 호협을 보고 의문이 들었다. 그동안 단 한 번도 넉넉한 생활을 해 보지는 못해도 이 생활에 굳이 억울하다 생각한 적도 없었다.

그걸 호협도 당연하게 받아들였다. 학문을 닦는 몸으로 마을 일을 돕고 마을 아이들에게 글을 가르친다고 해서 그 대가를 바란 적도 없었다.

그런데 오늘 호협은 여느 때와 확실히 다르다. 무엇인가 긴히 할 말이 있는 듯 망설이면서도 정작 휘연과 눈이 마주치면 작게 한숨만 내쉴 뿐 쉽사리 말을 잇지 못하고 있었다. 그렇게 찰나의 침묵이 흐른 후 호협은 어렵사리 입을 뗐다.

"휘연아, 호를 공희라 정한 연유를 아느냐?"

"깊은 뜻은 모르나 공양하고 희생하라는 것인 줄로 알고 있습니다."

"그래, 우리 선조께서 이곳에 터를 잡고 마을 이름을 무원이라 지은 것도 모든 욕심을 버리고자 함이니라. 무릇 인간이란 탐욕이 강하고, 권세를 틀어쥘수록 그 탐욕 또한 커진다. 그러나 욕심을 부리면 한도, 끝도 없듯이 한 번의 욕심으로 세 번의 재화를 당한다고 했다. 반면 자기 것을 버려 다른 이에게 베풀 줄 안다면, 세 번의 재화를 오히려 복으로 바꿀 수도 있음이다. 그 깊은 뜻을 항시 잊지 말아야 한다."

"예, 명심하겠습니다."

어렵게 말문을 열기에 처음엔 꿈에 대한 말인 줄 알고 내심 긴장했던 휘연은 난데없이 자신의 호를 들먹이는 호협을 보며 찰나의 뜸을 들인 후에야 대답할 수 있었다. 공희, 자신을 희생해 이바지하라는 뜻.

다른 말로는 신에게 바치는 제물로의 희생을 뜻하기도 한다. 무엇 때문에 호협이 아들인 자신의 호를 이렇게 지었는지는 모르나 휘연은 자신이 희생함으로 만인이 편안할 수만 있다면 그보다 더 좋은 일은 없을 거로 생각했었다.

해서 그 속뜻을 알고도 휘연은 자신의 호가 마음에 들었다. 무엇보다 자신은 유서 깊은 서문세가의 후손. 비록 지금은 가세가 기울어 간신히 명맥만 이어 간다고 해도 그 근본인 뿌리까지 잘라 낼 수는 없는 법이기 때문이다.

선조 때부터 이어져 왔듯이 덕을 베풀며 학문을 닦을 수만 있다면 휘연은 그 어떤 희생이라도 치를 준비가 돼 있을 만큼 타고난 천품이 바르고 정대했으며 성격 또한 온순하고 착하기가 따를 자가 없었다.

"후우, 네게 해 줄 말이 있다. 이건 오래전 일로……."

얼마간 또다시 침묵이 흐른 후, 몇 번이고 입술을 달싹거리던 호협이 이윽고 결심을 굳힌 듯 천천히 말문을 열었다. 하지만 미처 서두를 꺼내기도 전에 밖이 소란스러워지며 아소의 비명과도 같은 고함이 두 사람 사이로 파고들었다.

"어르신! 공자님!"

"무슨 일이냐?"

"아소, 왜 이리 소란스러운 것이야?"

살포시 고개를 갸웃거리던 두 사람이 방을 나가자 다소 흥분에 들떠 안절부절못하는 아소와 마당 한가운데 관복을 입고 있는 한 사내가 방을 나오는 두 사람을 멍한 시선으로 응시했다. 그 순간 호협의 얼굴이 보기 드물게 찌푸려지고 있었다.

그리고 찰나에 기묘한 정적이 흐르고 사내는 찌푸려진 미간을 풀지 않는 호협과 그 옆에서 어리둥절한 얼굴로 가만히 서 있는 휘연을 번갈아 바라보며 자신도 모르게 나지막한 감탄을 쏟아 내고 있었다.

서문호협, 서문휘연. 지금껏 황궁에서 아름다운 걸 따지자면 수도 없이 본 사내였다. 그런데도 이 두 사람의 외모는 초라한 행색임에도 불구하고 화려하게 치장한 그 누구보다도 심장을 울릴 만큼 빛이 났다.

여자도 아니고 어찌 사내가 이렇게 단아하고 아름다울 수 있는지, 그 사실에 진충은 쉽사리 말을 잇지 못하고 있었다. 자신의 얼굴이 붉어진 채 굳어진 줄도 모르고 호협이 묻자 그제야 헛기침을 하며 사내는 본연의 임무를 꺼냈다.

"황궁에서 나오신 거요?"

"크흠! 전 황궁태복 진충이라 합니다. 서문세가 가주 되십니까?"

"그렇소."

"흠, 다름이 아니라, 이번 황후 후보로 서문 공자가 선택되셨습니다. 달포 안에 시험장에 도착해야 하니 내일이라도 당장 출발할 수 있게 미리 여장을 준비해 주십시오."

황궁태복(皇宮太僕). 황명을 전달하는 임무를 맡은 관직이자 황궁 종사관(從事官) 소속. 진충이라는 사내의 말뜻을 이해하지 못하는 휘연과는 달리 이미 예상했다는 듯 두 눈을 질끈 감는 호협의 얼굴에 씁쓸함이 스치고 지나갔다.

"이게 다 무슨……."

"결국, 흐르는 운명이라는 것인가."

알 수 없는 중얼거림에 휘연이 의문을 품기도 전에 호협의 몸이 중심을 잃고 휘청였다. 그런 호협을 휘연이 다급하게 부축했다.

"아버님!"

"아, 괜찮다. 아소, 손님께 식사를 대접하고 잠자리를 봐 드려라."

"예, 어르신. 나리, 이쪽으로 오십시오."

평소 서두름이 없고 작은 행동 하나에도 언제나 한 치의 오차도 없이 자연스러운 품위를 지키던 호협이다. 그런 호협이 오늘은 어찌 이리도 흐트러진 모습을 보이는 것인지.

당황한 마음에 평소에는 생각조차 못 할 모습으로 걱정을 담아 언성을 높였지만, 그 순간 휘연은 이상하게 불안하고 거칠게 심장이 뛰는 것을 똑똑히 느낄 수 있었다.

그리고 지난 며칠간 계속해서 꾸었던 이상한 꿈이 불시에 떠올랐다. 알 수 없는 호협의 태도도, 지금 진충이라는 자가 전하는 말이 무엇을 뜻하는지도.

휘연은 이 모든 게 그 꿈과 연관이 있다는 것과 그 끝이 하나로 귀결되는 느낌을 지울 수가 없었다. 그래서인지 더 불안했다.

마치 감당할 수 없는 거대한 힘이 자신을 흔들어 까마득한 어딘가로 떠밀어 버리는 것 같이, 두려움을 넘어서 막연하게 다가오는 듯한 공포가 그랬다.

그게 무엇이든 휘연은 할 수만 있다면 듣지 않기를 바라고 있었고, 그보다 더 깊숙이 묻어두고 싶었다.

"들어가자. 네게 해 줄 말이 있다."

"……예."

휘연은 못내 불안한 마음을 감추고 진충을 향해 고개를 숙이고 내키지 않은 몸을 돌려 호협을 따라 방으로 들어갔다. 그때까지도 진충은 두 사람의 모습에서 시선을 떼지 못하고 있었다.

아직 술시도 채 되지 않은 시간. 평상시 같으면 글을 읽는 휘연의 청량한 목소리가 은은하게 흘러나왔겠지만, 아소만이 저녁 준비로 바쁜 시간을 보낼 뿐 쉽사리 말을 잇지 못하고 기묘한 침묵만이 무겁게 맴돌고 있었다.

"나리, 저녁상입니다."

"이건…… 죽이 아니냐?"

"예, 오늘 공자님께서 옥수수를 가져오셔서 다행히 죽을 끓일 수 있었습니다."

"허! 죽이라니. 거참, 행색을 보고 짐작은 했지만, 명색이 유서 깊은 서문세가에서 죽으로 끼니를 때운다? 이거 놀랄 일이구먼."

"예? 하지만 다른 날은 약초 뿌리로 근근이 연명했는걸요. 어르신도, 공자님도 이만하면 호강에 겨운 것이라 하셨는데."

"쩝, 그런가. 알았다. 그만 나가 보거라."

아소가 자랑스럽게 작은 상 위에 올려놓은 옥수수 죽을 보고 진충은 딱 벌어진 입을 다물지 못했다. 자신의 직책이 아무리 하급 전령이라고 해도 명색이 황궁에서 나온 이상 일반 관료보다 오히려 더 높은 계급에 속해 있었다.

그런 데다 다른 세도가를 맡은 이들처럼 호위까지 대동한 것도 아니고, 단신으로 떠밀리다시피 찾아올 때만 해도 아무리 잊힌 가문이지만 유서 깊은 서문세가다 보니 어느 정도는 기대하고 있었던 것도 사실이다.

더구나 마차도 들어오지 못하는 산간벽지(山間僻地)를 찾아오느라, 물어물어 줄곧 열흘간이나 걸어온 자신이다. 그런데 그런 자신이 진수성찬을 대접받지는 못할망정 옥수수 죽 하나가 전부인 상차림을 받을 거라고는 진충은 상상도 못 했다.

그래서인지 진충의 찌푸려진 눈살이 마음에 안 든다는 걸 역력히 보여 주고 있었지만, 곧 진충의 혼잣말을 이해 못 하겠다는 듯 흘러나오는 아소의 말에 짐짓 멋쩍은 듯 굳어진 인상을 풀 수밖에 없었다.

아소의 말이 전부 진실이라면, 자신은 지금 최고의 대접을 받는 것이나 마찬가지다. 더구나 두 사람의 행색이 떠오르자 진충은 더 이상 의심조차 할 수가 없었다. 설마하니 유서 깊은 서문세가가 이렇게 살아갈 줄이야.

아무리 오래전에 쫓겨나다시피 낙향했다지만, 지금도 서문세가라는 이름만 나와도 언제 또다시 그 좋은 머리를 내세워 역심을 품을지 모른다며 간신배들 사이에서는 성토(聲討)의 목소리가 끊이지 않았기 때문이다.

"그런데 이런 삶을 살고 있다니. 허어, 참으로 알 수 없는 게 세상이구나."

이렇게 살아가는 줄도 모르고 틈만 나면 물어뜯으려는 무리를 떠올리고 진충은 고개를 설레설레 흔들었다. 이미 황제에게 버림받고 잊힌 가문. 한낱 태복 따위가 이러쿵저러쿵할 수도 없는 게 정치다.

하지만 이번 황후 간택으로 인해 어쩌면 황궁은 또 한 번 소란스러워질지도 모른다. 더구나 저런 미색이라니. 생각할수록 심장이 쿵쿵거리는 느낌에 진충은 마치 역심이라도 품은 듯 진저리를 치며 고개를 흔들었다.

굳이 황후 후보라서가 아니라, 아무리 버림받은 가문이라 해도 자신은 감히 고개도 들지 못하는 신분이다. 더 이상 생각하지 않으려는 듯 씁쓸하게 혼잣말처럼 중얼거리던 진충이 수저를 들어 멀건 국물뿐인 옥수수 죽을 떠먹었다.

그러면서 갸웃거리는 진충의 얼굴에 옅은 실소가 흘러나오고 있었다. 아무리 오랜 여정으로 인해 허기진 상태였다지만, 시장이 반찬이라고 황궁에서 먹던 성찬보다 오히려 더 맛나게 느껴지는 것은 왜인지 진충은 알 수가 없었다.

그리고 도저히 잊히지 않는 휘연의 얼굴이 떠올라 진충의 얼굴이 순식간에 붉게 물들고 있었다. 마치 달빛이 단 한 사람만을 비추는 것 같았다.

또다시 떠오르는 얼굴에 작게 한숨을 내쉬었다. 아무래도 쉽게 잠들지 못할 것 같았다.

❖

이제나저제나 호협이 말을 꺼내기를 초조하게 기다리는 와중에도 얼마나 긴장했는지 손바닥 안에는 축축한 식은땀이 배어 나오고, 자신도 모르게 꿀꺽 침을 삼키는 목이 칼칼하게 아파져 오고 있었다.

왜 이렇게까지 긴장을 하는지, 왜 이렇게 불안한 마음이 드는 것인지, 정작 휘연 자신도 그 이유를 몰랐다. 단지 한동안 말없이 자신을 보는 호협의 시선에 휘연은 자꾸만 입안이 바싹 말라 가는 걸 느끼고 있었다.

"휘연아, 너는 우리 서문세가에 대해 얼마나 알고 있느냐?"

"상세히는 모르나 우리 가문은 수나라가 건국 당시부터 총군사로 황제 폐하를 보필하였고, 그 이후로는 정성의 반열에 오르신 분들이 계시며 대학사로 학문의 근원(根源)이 됐다고 알고 있습니다."

"후우, 그 모든 게 허명자루(虛名自累)이거늘."

"헛된 이름을 구하자고 스스로 재난을 초래했다고 생각하십니까?"

"글쎄, 그저 생각할수록 쓸쓸해지는구나."

수나라 건국 당시부터 대대로 학문을 닦아 온 서문세가는 그 머리가 뛰어남에 황제의 군사로 그 역할을 톡톡히 했고, 그 이후부터는 대학사로 위로는 제자인 황제를 가르쳤으며 아래로는 문인들의 선두가 되었다.

그러나 성공지하불가구처(成功之下不可久處)라는 말이 있듯이, 성공한 곳에서 오래 머물러 있으면 자연히 시기하거나 미워하는 사람이 많아 화를 당하게 된다고 했듯이 오랜 세월 위세를 떨치던 서문세가 또한 예외는 아니었다.

대대손손 그 어떤 핍박과 모략에도 굳건히 권세를 누려 왔으나 제13대 소정황제(昭政皇帝)에 이르면서부터 그 강도가 심해져 결국 역모에까지 휘말린 것이다.

그나마 다행이라면 참화를 당하는 대신 모든 권세를 놓고 황도를 떠나 낙향할 수밖에 없었다. 하지만 낙향하고도 서문세가라는 이름이 가진 위세는 수그러들지 않았다.

백성뿐만이 아니라 수많은 학자가 앞다투어 찾아와 서문세가의 억울함을 토로하며 황제에게 서문세가의 황도 입성을 구했지만, 그 간청은 황제에게 전해지지 않았다.

오히려 서문세가를 위하는 학자들의 목소리가 높아질수록 서문세가의 몰락은 가속화되었다. 제16대 소장황제(昭章皇帝)에 의해 서문세가의 줄기라 할 수 있는 방계가족이 모조리 참수를 당하며 재산까지 몰수당하는 참변이 벌어진 것이다.

살아남은 이는 직계인 당대 가주 한 명. 그조차도 서문세가의 명맥이라도 잇게 해야 한다는 조정 신료들의 반발로 겨우 연명한 것이며, 제19대 소무황제(昭武皇帝)에 이르기까지 단 한 명의 후손으로 이름만 전해지고 있었다.

"전문거호후문진랑(前門拒虎後門進狼)이란 말을 아느냐?"

"앞문에서 호랑이를 막으니 뒷문에서 이리가 닥쳐온다는 뜻으로, 어려움이 지나자 또 다른 어려움이 닥침을 뜻합니다. 속된 말로 재화나 재앙이 빈번하다는 뜻이 아니겠습니까."

"그래, 권력이란 탐하면 탐할수록 재화 또한 뒤따른다고 했다. 비록 지금은 하루 세 끼 연명하는 걸로 살아가고 있지만, 이 아비는 차라리 심신이 편하다면 어리석다 하겠느냐?"

"소자, 아직 제대로 깨우치지는 못하였으나 배움이 권세에 따라 높고 낮음을 결정하는 건 아니라고 알고 있습니다. 하물며 길가의 잡초 하나에도 배움이 있다고 했는데, 제가 어찌 권력을 좇으라 하겠습니까."

서문세가의 비사를 아는 호협은 권세를 좇는 것에 염증을 느끼는 것 같았지만, 호협과 달리 휘연은 자신의 선조 이야기임에도 별다른 감정이 없었다. 좀 더 명확하게 말하자면 욕심이 전혀 없는 휘연으로서는 이해를 못 하는 것이다.

더구나 학문을 닦는 이가 권세가 있고 없고를 따져 스스로의 가치를 높일 이유 또한 없는 이상, 호협이 앞으로의 일을 걱정하는 것도, 스스로 나가지 않고 초야에 묻히기를 원한다는 것도 휘연이 탓할 수 있는 문제가 아니었다.

"네가 비록 바깥세상은 나가 보지 않았다 하나 천기를 읽을 수 있음을 알고 있다. 그런 네가 판단하기에 이 나라의 운명이 어찌 될 것 같으냐?"

"아버님? 어찌 제게 감당하지 못할 질문을 하시는 것입니까?"

"괜찮다. 네가 생각하는 바를 말해 보아라."

휘연은 뜻밖의 질문에 적잖이 놀란 듯 호협의 의도를 파악하고자 한참을 미동도 없이 응시하고 있었다. 자신으로서는 감당할 수 없는 질문이다.

게다가 제아무리 천기를 읽는다고 해도 이제 고작 17세 어린 나이이다. 그런 자신에게 나라의 운명을 점칠 천기를 말해 보라니.

휘연은 질문을 던져 놓고 지나치게 평온한 모습으로 자신을 응시해 오는 호협을 막연히 바라볼 수밖에 없었다. 호협은 지금 휘연의 대답을 기다리는 것이다.

"말하기가 힘이 드는 것이냐?"

"아버님, 소자 차마 입에 담지 못하겠습니다."

부드럽게 자신을 채근하는 호협을 보며 휘연은 주먹을 살짝 끌어 쥐고 넙죽 고개를 숙였다. 지금껏 단 한 번도 호협의 질문에 답하지 않은 적이 없었지만, 여러모로 부족한 자신으로서는 도저히 입에 담을 말이 아니었다.

아니, 입에 담는 것 자체가 두려웠다. 자신이 읽은 천기는 수나라의 암울한 앞날을 예고하고 있었기 때문이다. 더 정확히는 처참할 지경이라 제발 자신이 잘못 본 것이라 치부하고 싶을 정도였다.

생각만으로도 등줄기로 섬뜩한 한기가 들고, 마치 현실처럼 눈앞에 생생하게 떠오르는 광경에 숨이 막히는 것만 같아 휘연은 눈을 질끈 감아야 했다. 숨길 수만 있다면 숨기고 싶은 심정인 것을.

어찌 함부로 천기를 입에 담으라 하는 것인지. 그 의도가 무엇이든 휘연은 절대 입 밖에 꺼낼 수가 없었다.

작게 한숨을 내쉬며 내심 책망의 말이 떨어지길 기다리고 있던 휘연은 뜻밖에 호협의 웃음소리가 들려오자 번쩍 고개를 들어 올렸다.

의문을 담고 마주친 시선. 안타까움을 담고 부드럽게 미소 짓는 호협을 보며 휘연은 그제야 호협이 자신을 시험한 것이라는 걸 알 수 있었다.

"후훗, 잘하였다. 앞으로도 네가 천기를 읽더라도 절대 입 밖에 내서는 아니 된다. 약조하겠느냐?"

"예. 약조하겠습니다."

"너도 이 나라에 외척이 득세하는 건 알고 있을 것이다. 그 연유가 황후부터 황비, 후궁에 이르기까지 그 권세를 등에 업고 이 나라 정치를 좌지우지하려 하기 때문이다. 너는 그 사실을 항시 명심하고 주위에 휘둘리는 일이 없어야 할 것이다."

"아버님, 아직 제가 마지막까지 올라간다는 보장도 없지 않습니까. 헌데 어찌 걱정부터 하십니까."

"너는⋯⋯. 아니다. 때가 되면 모두 알게 되는 것을."

호협이 무언가 할 말이 있는 듯했지만, 이내 말을 멈추고 고개를 흔들며 자조하듯 중얼거리는 모습에 휘연은 더 이상 묻지 않았다. 하지만 호협의 말을 되새길수록 떠오르는 의문까지 떨칠 수는 없었다.

외척이 득세하는 조정. 누가 황후의 자리에 오르게 되든지 황후의 친정 세력이 막강한 권력을 행사할 것은 자명한 일이지 않은가. 그 사실을 휘연 또한 알고 있었지만, 자신과는 조금의 연관성도 없는 것 같았다.

어쩌면 옥죄어 오는 불안감의 정체 때문이라도 그렇게 생각하고 싶었는지도 모르지만, 현실적으로 생각해 봐도 권세를 휘두르는 세도가라면 몰라도 황제에게 버림받고 아무것도 없는 서문세가에서 황후가 나올 리가 없었기 때문이다.

그런데 호협은 마치 자신이 이미 황후의 자리에 내정된 것처럼 말하지 않는가. 더구나 황후의 간택은 대국의 황제도 못 하는 일. 오직 천지(天地)를 주관하는 천제만이 선택할 수 있는 일이다.

지금껏 그러한 규율이 지켜져 왔고, 천자인 황제 또한 따라야만 했다. 그 사실을 호협도 알고 있음에 왜 이런 말을 하는 것인지 의문이 꼬리에 꼬리를 물고 이어졌지만, 호협의 단호한 얼굴을 보고 강제로라도 의문을 지워야 했다.

"앞으로 이 나라는 참으로 많은 피를 뿌리게 될 것이야."

제19대 소무황제 재위 11년에 정통 황후 소생인 황태자가 목숨을 잃고, 이황자가 황태위에 올랐다. 그때 이미 그의 나이 불혹을 넘어선 43세였다. 그리고 얼마 후 그는 황제가 되었다.

현 황제에게는 정통 황후인 소회황후(昭懷皇后) 소생인 황태자 환백(紈帛)을 비롯해, 세 명의 황비 중 첫째 황비인 자효황비(慈孝皇妃)의 소생인 효헌(曉獻). 두 번째 황비인 현인황비(顯仁皇妃) 소생인 장(章), 경(景).

세 번째 황비인 성목황비(成穆皇妃) 소생인 성(聖), 곽(郭). 이렇게 다섯 명의 황자가 있었다. 그리고 열두 명의 후궁 소생인 일곱 공주와 열여섯의 황자를 슬하에 두고 있었고, 그중 황태자보다도 나이가 많은 황자가 일곱이 넘었다.

역대 어느 황제보다 슬하에 자식이 많았지만, 타고난 성품이 나약했고, 주변국들이 강해져 가는 와중에도 하루가 멀다고 향락에 빠져 정세에는 관심을 두지 않았다.

그로 인해 간언을 고하는 어진 신하는 내침을 당하고, 자신의 주머니를 채우는 데에만 급급한 간신만이 황제의 눈과 귀를 막아 나라 안팎으로 간신적자(奸臣賊子)만 넘쳐나는 실태로 치달았다.

관료들의 사리사욕에 백성들은 초근목피로 연명하고 있었으며, 사상 최대의 대국인 수나라가 소무황제에 의해 점차 쇠락의 길로 접어들고 있었다.

"현 황제는 역사 속에서 가장 어리석은 황제로 기억될 것이다. 그 이유를 아느냐?"

"불씨를…… 불러들인 것 때문입니다."

정세를 멀리하고 주색을 탐하고 향락에만 빠져 있는 가장 어리석은 황제. 하지만 호협의 말은 그것 때문이 아니다. 휘연은 그 정확한 진위를 온전히 파악하지는 못했지만, 지금 황궁 안에서 거대한 불씨가 자라나는 걸 알기 때문이다.

차마 인간의 힘으로는 막을 수도 없는 거대하고도 맹렬하게 타오르는 급화(急火). 하루가 다르게 성장하는 그것이 누구에게서 나오는 것인지 알 수는 없으나, 그로 인해 이 나라 전체가 흔들릴 거라는 건 불을 보듯 자명한 일이었다.

"그 불씨는 인간이 제압할 수도 없고, 설사 인간을 모두 태워 죽이더라도 막아서는 아니 된다."

"아니 된다니요? 막을 수 있으면 막아야 하지 않습니까?"

"후, 하늘이 내린 벌을 그 누가 막을 수 있겠느냐. 막으려는 시도 자체가 크나큰 누를 범하는 것이다."

하늘이 내리는 벌이라는 말에 휘연은 견딜 수가 없다는 듯 입술을 사리물고 눈을 감아 버렸다. 하늘이 내리는 벌이라면 자신의 미약한 힘으로는 아무것도 할 수 없다. 그런데도 다가오는 고통에 휘연은 괴로웠다.

차라리 천기를 읽지 못했다면 눈과 귀를 막으면 될 것을. 눈앞에서 산천초목이 붉은 피에 젖어 울부짖는 모습이 선명하게 보여 휘연은 어느 순간 눈가를 촉촉하게 적시고 거칠어진 숨을 조절해야만 했다.

"괴로워하지 마라. 때론 썩은 부위를 잘라 내기 위해서는 무력 또한 필요한 법이다."

"하지만…… 그 무엇보다 생명은 귀한 것입니다. 그 또한 천제께서 주신 것이 아닙니까? 헌데 어찌……."

"후, 먼저 네가 꾸었다는 꿈 이야기를 해 보겠느냐?"

"꿈 말입니까? 그것이…… 아무것도 없는 암흑 같은 공간에 제가 서 있었고, 갑자기 하나둘 하늘에 성좌가 생기며 제 안으로 쏟아지는 꿈입니다."

지난 며칠간 계속해서 반복되어 온 꿈. 그곳이 어딘지 왜 자신이 그곳에 서 있는 것인지, 아무것도 떠오르지 않고 생각하는 것 자체를 할 수가 없었다.

단지 눈을 감으면 어느 순간 암흑으로 뒤덮인 공간 한가운데 서 있었다. 아무것도 없고 그 무엇도 느낄 수 없는 공허한 공간에서 의문도 없이 한동안 묵묵히 어둠을 바라봤었다.

마지막 성좌들이 자신에게 쏟아지며 꿈에서 깨어나기 전까지 칠흑보다 더 새까만 공간에 홀로 서 있음에도 전혀 두려움이나 공포는 없었다.

오히려 한 치 앞도 구분하지 못하는 그 암흑을 응시할수록 휘연은 가슴이 에일 듯 아련하고 슬펐다.

그래서인지 꿈에서 깨어날 때면 휘연은 얼굴이 흥건하게 젖어 있을 만큼 눈물을 흘리고 있었다. 쉽사리 가시지 않는 슬픔, 아픔, 고통, 망각.

차례로 스치고 지나가고 휘연은 한동안 호흡하는 것도 잊어야 했다. 그리고 그 꿈이 하늘이 내린 벌이라는 것과 막연한 연관이 있을 거라는 걸 비로소 깨달을 수 있었다.

"후, 그래. 이젠 말해 줘야겠지. 그러니까 네가 태어나기도 전의 일이다. 그날도 천기를 읽고자 하늘을 올려다보는데, 어느 순간 주변이 새까맣게 빛 한 점 없이 사라지더구나. 놀란 내 눈에 네 개의 성좌가 나타났다. 그중 하나가 세 개의 성좌의 보호를 받으며 내 손바닥 위로 떨어졌지. 나는 놀라 화급히 성좌를 품에 안았고, 그 순간 똑똑히 들을 수 있었다."

『인간의 추악한 탐욕이 괘씸해 내 흉성을 보냈으나 멸할 생각은 없음이다. 허니 내 가련한 아들의 희생으로 흉성을 제압하리라.』

호협의 말에 휘연은 아연실색할 수밖에 없었다. 지금 호협이 하는 말은 역심에 가까운 말이었기 때문이다. 휘연은 거칠게 뛰는 심장을 움켜잡고 거부하려고 해도 호협이 말하는 바가 무엇을 뜻하는지 모를 수가 없었다.

세 개의 성좌, 즉 삼태성의 보호를 받는 성좌는 오직 자미성(紫微星). 그것은 천자의 자리를 뜻했다. 즉, 입에 담는 것만으로도 참수를 면치 못하는 것이었다. 헌데 지금 호협은 휘연이 그 자리의 주인이라고 한 것이다.

게다가 호협의 말을 빌리자면, 흉성을 보낸 이는 다른 누구도 아닌 천제. 왜 천제가 자신을 가련한 아들로 칭한 것인지, 자신이 흉성을 어떻게 누른다는 것인지.

휘연은 생각할수록 머릿속이 복잡하게 얽혀 가고 있었다. 하지만 이 순간 휘연은 알지 못했다. 호협이 목구멍까지 올라왔다가 차마 휘연을 아프게 할 수 없어 멈춰진 말이 있었다는 걸.

그 말이 호협 자신의 운명과 서문세가 또한 연관돼 있다는 걸 휘연은 전혀 눈치조차 채지 못하고 있었다.

"너도 대충은 알겠지만, 조만간 흉성이 제 모습을 갖출 것이다. 그로 인해 너 또한 많은 고통을 당할 것이고. 후, 그것이 천기를 읽는 자의 고통인 것을 어쩌겠느냐. 그러니 참고 인내해야만 한다. 정히 힘들면 눈을 감고 입을 닫고 귀를 막아라. 추호도 거스르지 말고 항상 한자리에 같은 모습으로 존재하기만 하면 된다."

"혹…… 천살입니까."

"휘연아, 너는 내 아들이기 전에 천제께서 생명을 주신 아들이다. 비록 이 나라가 타락해 가는 걸 보시고 인간에 대한 화를 품고 계시지만, 본시 천제께서는 인간을 사랑하시는 분이시다. 너를 보내신 이유도 너로 인해 피로 물든 흉성을 올바르게 잡기 위함이시겠지. 그러니 때가 오면 모든 것을 알게 될 것이다. 너무 조급하게 생각하지는 마라."

생각지도 못한 난제가 눈앞에 펼쳐졌다. 그것도 눈에 보이는 피로 얼룩진 난제가.

앞으로 자신의 운명이 어떤 식으로 펼쳐질지는 모르나, 굳이 호협의 말이 아니더라도 이미 그 운명의 흐름에 자신이 동승한 것을 휘연은 느낄 수 있었다.

그리고 그 운명으로 인해 자신이 고통받으리라는 것 또한 능히 짐작할 수 있었다. 다만, 휘연은 부디 천살만은 아니기를 빌며 물었지만, 호협은 부정도, 긍정도 하지 않았다.

그 말은 곧 천제가 보낸 흉성이 피를 부르는 천살성이라는 걸 뜻하는 것이리라. 휘연은 눈앞이 까마득해졌다. 자미성을 타고난 자신이 천살성의 곁에서 어찌 견딜 수 있단 말인가. 자신의 존재 자체가 역심인 것을.

그 슬픔을 어떻게 감당할 수 있단 말인가. 이미 천기를 읽는 것만으로도 숨이 막히는 것보다 더한 고통이 뼛속 깊이 스며드는데, 그걸 지켜보고 거스르지도 못한다는 건 휘연으로서는 감당하지 못할 고통으로 다가오고 있었다.

"휘연아, 한 가지만 기억해라. 길흉화복이 모두 자기 자신에게서 나온다는 말을 늘 가슴에 품고 살아라."

"아버님, 제가…… 견딜 수 있다고 보십니까?"

"너는 강한 아이다. 그분의 생명을 받고 태어난 너는 누구보다 자애롭고, 자애로움은 흉함도 바로잡을 수 있을 것이야."

모르겠습니다. 아버님께서는 자애로움이 흉함을 바로잡는다 하셨지만, 유약하기만 한 저는 생각하는 것만으로도 숨을 쉬기 힘들어집니다.

이런 제가 강하다 하십니까. 이런 못나디못난 아들이 그래도 강하다 하십니까. 이 아들은 그 길을 갈 자신이 없습니다.

피로 물든 이 대지를 어떻게 볼 것이며, 가족을 잃은 슬픔에 한 맺힌 소리를 어떻게 들을 것이며, 그 처절함에 통곡하는 이 나라를 어찌 인내하며 지켜볼 수가 있겠습니까.

"흑…… 어찌 제게 이리도 무거운 짐을 지우십니까."

"미안하구나. 미안하다, 아들아."

❖

누구도 잠들지 못한 채 각자의 상념으로 지새운 밤이 지나가고, 여명이 밝아 오기도 전에 휘연은 집 떠날 채비를 갖추고 호협의 방을 찾았다.

이미 정좌를 하고 기다리고 있는 호협을 향해 휘연이 예를 갖춰 큰절을 올리며 시큰해지는 눈가를 가렸다. 밤사이 자신의 운명을 점쳐 보았지만 이상하게 뚜렷한 점괘가 나오지 않았다.

마치 눈앞에 보일 듯 말 듯 흐릿한 안개가 끼어 있는 느낌이라 오히려 혼란만 더해진 것 같아 휘연의 마음은 무겁게 가라앉을 수밖에 없었다.

그러나 휘연의 마음을 짓누르는 것은 비단 자신의 처지도, 불안하기만 한 자신의 앞날도 아니었다. 오늘 이곳을 떠나는 순간 서문세가와의 인연도 끝이 난다는 걸 휘연은 어렴풋이 짐작할 수 있었기 때문이다.

그래서일까. 만세무강(萬世無疆)을 기원하는 휘연의 눈가도, 그 모습을 바라보는 호협의 눈가도 촉촉이 젖어 갔지만, 두 사람은 애써 먹먹해지는 가슴을 무시해야만 했다.

그렇게 두 사람 사이로 찰나의 침묵이 흐르고 호협이 휘연의 앞에 작은 보자기를 내밀었다.

"이게 무엇입니까?"

"얼마 안 되는 노잣돈과 의복이다. 많이 낡았겠지만 그래도 쓸 만할 것이야."

"아버님."

이미 이런 날을 예고하고 마련한 의복과 노잣돈이 들은 작은 주머니 하나였다. 비록 화려한 비단이 아닌 남루한 천에 불과하지만, 호협은 두 번 다시 볼 수 없는 험로를 떠나는 자식에게 누더기를 입히고 싶지는 않았으리라.

"휘연아, 당황스럽고 많은 고초를 겪겠지만 도리에 맞게 행동하고, 부디 마음을 굳건히 하여라. 너라면 능히 이겨 낼 수 있을 것이다."

"예. 마음을 비우고 어떤 상황이 온다고 해도 감내하겠습니다."

"그래. 너를 믿는다. 아소, 휘연 곁을 한시도 떠나서는 아니 된다."

"예. 걱정하지 마십시오. 공자님은 제가 편히 모시겠습니다."

밖으로 나오자 끝내 참아내지 못한 눈물을 보이는 휘연의 눈가를 호협의 손이 부드럽게 훔쳐 주며 품으로 끌어당겼다.

비록 울음소리는 들리지 않았지만, 두 사람의 눈에서는 쉼 없이 눈물이 흘러내리고 있었다.

그렇게 시간이 얼마나 지났을까. 호협이 눈물을 훔치고 애써 담담하게 표정을 갈무리하며 휘연의 손을 잡고 대문 밖으로 이끌었다.

본시 이별은 길수록 더 아련하고 힘들다고는 하지만, 휘연으로서는 호협 혼자 두고 가는 게 마음에 걸려 차마 발길이 떨어지지 않았다.

그렇다고 자신이 가야 할 길을 이제 와서 거부할 수도 없는 노릇이라, 휘연은 호협을 향해 다시 한 번 깊숙이 고개를 숙이고 천천히 발길을 돌려 집을 떠나갔다.

그런 휘연의 뒷모습이 보이지 않았을 때야 호협은 간신히 억제해 놓은 슬픔이 불거져 나와 힘없이 비틀거렸다.

『너희 서문세가는 사리사욕을 위해 많은 살생을 하였다. 그 죄를 물어 이미 끝을 냈어야 하나, 후손들의 정성이 하늘에 뻗쳐 그 기회를 줬음이다. 그러나 그 기회마저 끝을 맺어야 함이니, 하늘의 아들을 품은 걸로 그 마지막을 장식할 것이다.』

미처 휘연에게는 말하지 못했던 마지막을 떠올리며 호협은 휘연의 뒷모습이 온전히 사라질 때까지 같은 자리에서 굳은 듯 머무르고 있었다.

과거 선조가 지었던 무거운 업보와도 같은 죄과를 이제야 고스란히 받는 것이다. 비록 창칼을 들어 직접적인 살생을 하지는 않았지만, 그보다 더 냉담한 한마디 말로도 수십만을 죽인 죄업(罪業).

날로 높아지는 위세를 등에 업고 사리사욕에 눈이 멀어 학문을 게을리했던 업보가 그랬다. 하늘이 노하시는 것도 당연하리라.

이제야 그 무거운 죄업의 탈을 벗을 수 있음에 호협은 천천히 시선을 올려 하늘을 올려다보며 작게 중얼거렸다. 그런 호협의 눈에서는 눈물이 마르지 않았지만, 입가에는 시름을 놓은 듯 편안한 미소가 드러나고 있었다.

"천제시여, 제 할 도리는 모두 마쳤나이다. 이제 이 천한 목숨을 거두어 가소서."

휘연은 자꾸만 뒷덜미가 서늘해지는 느낌에 몇 번이고 뒤를 돌아보다가도 나직하게 한숨을 내쉬고 다시 길을 걷기를 반복했다.

채 해가 뜨지 않은 시간이라 마을은 쥐 죽은 듯 고요한 덕분에 휘연이 마을을 떠나는 걸 아무도 알지 못했다. 그렇게 마을을 떠나 굽이굽이 산길을 따라 도읍지로 향하는 일행.

조금은 들뜬 아소와 연방 힐끔거리며 휘연의 모습만을 살피는 진충, 말 한 마디 없이 조용히 걸으며 산천초목을 돌아보는 휘연의 눈가는 길을 떠나는 내내 마르지 않았다.

하루 종일 몇 번 쉬어 가다가 준비해 온 마른 약초와 진충이 준비한 마른 건량을 씹는 게 전부이고, 마땅히 잠잘 곳 하나 없는 산길에 작은 동굴을 찾아 그곳에서 노숙하기를 열흘이 지나서야 작은 도읍지에 도착할 수 있었다.

"후, 겨우 도착했군."

"와아! 공자님, 사람들이 많습니다."

"그렇구나."

황궁에서 근 열흘 거리인 작은 도읍지. 진충은 자신이 타고 왔던 말과 마차를 맡겨 놓은 작은 숙관으로 향하며 휘연을 힐끔 돌아본 후 자신이 삯을 치르고 방을 두 개를 잡았다. 아마도 휘연의 형편을 생각해 진충 나름의 배려일 것이다.

하지만 휘연으로서는 진충의 배려를 몰랐다. 그도 그럴 것이 생전 처음 무원촌을 떠나 나온 도읍지는 휘연의 눈에는 소란스럽고 신기하게만 보일 뿐, 숙관이 무엇인지 무엇을 먹든 삯을 치러야 한다는 것 자체를 모르고 있었기 때문이다.

"이곳에서 하루 머무르시고, 여기부터는 마차로 모시겠습니다. 아, 출출하실 것 같아 국수와 만두를 주문했습니다. 내일 새벽에 출발해야 하니 드시고 일찍 쉬십시오."

"이런 곳에서 식사도 할 수 있습니까?"

"에? 아, 예. 공자께서는 그곳을 떠나신 게 처음이라 모르시겠지만, 여기는 작은 도읍지라 잠만 자는 숙관이 대부분이고, 큰 도읍지에 들어서면 이보다 더 큰 객점이 많이 있습니다."

자신의 말에 눈을 동그랗게 뜨고 신기하다는 듯 주변을 두리번거리는 휘연을 보고 진충의 얼굴에 언뜻 쑥스러운 웃음이 어렸다. 그런데 그도 잠시, 주변의 시선이 휘연에게로 홀린 듯 쏠리고 저마다 얼굴을 붉히는 모습에 저절로 눈살이 찌푸려졌다.

"이곳에서야 문제가 없겠지만, 황궁에 도착하기 전에는 얼굴을 면사로 가려 주십시오."

"가리라니요?"

"후보에 오르신 이상 얼굴을 보이시면 안 됩니다."

"아, 알겠습니다."

진충의 말은 빈말이 아니었다. 황궁 법도에도 명시돼 있듯이 황후의 얼굴은 일반 백성에게 모습을 보일 수 없었기 때문이다. 그리고 지금 후보로 올라 있는 휘연 또한 마찬가지였다. 비단 그뿐만이 아니었다.

황후 후보로 최종 관문까지 올라가 신관이 된다고 해도 천제의 신탁을 받고 황후로 내정돼 책봉식을 치르기 전까지는 면사로 얼굴을 가려야 했으며, 황제가 허락해야지만 본 얼굴을 내보일 수 있을 만큼 법도는 엄격했다.

"저, 삼간택(三揀擇)이라고 들었습니다. 혹 그 절차를 아십니까?"

"저도 상세히는 모릅니다만, 처음에는 세도가나 유서 깊은 명문가에서 후보를 뽑고, 일차 서류 심사를 끝마치면 두 번째는 외모, 지식, 격식, 예와 도를 따지는 시험을 본다고 들었습니다. 그런 연후에 신관이나 신녀가 되어 황궁으로 들어가 보름간 제를 올린다고 들었습니다. 물론, 마지막 선택은 천제께서 내리시는 신탁이 되겠지요."

"그렇군요."

과연 휘연이 최종 관문을 뚫고 황궁 안까지 들어갈지는 자신으로서도 반신반의하고 있었지만, 진충은 자신이 아는 한도 내에서 조용히 설명을 해 주었다.

솔직히 외모와 품성으로만 따지자면 휘연은 황후에 오르

는 게 당연하게만 보였다. 하지만 세상사가 그렇듯 나라의 국모를 뽑는 자리에도 알게 모르게 비리가 판을 쳤다.

더구나 지금 나라 정계는 간신적자만 넘쳐나는 실태로, 황후나 황비의 자리를 꿰차기 위해서 권모술수가 넘쳐나는 것 또한 충분히 예상할 수 있는 일이기 때문이다.

이름이 있고 권세가 있다는 세도가들은 앞다투어 아들이나 딸을 후보로 올리며, 황궁에 들일 수만 있다면 평소에는 거들떠도 보지 않던 검시관(檢視官)들에게 재물을 가져다 바치는 것도 마다치 않았다.

그 모든 게 후일 조정에서 실권을 잡아 사사로운 이익을 도모하기 위함이지만, 정작 문제는 다른 곳에 있었다. 제아무리 황제의 자리에 내정돼 있다고 해도 자신의 반려를 직접 정할 수 없다는 점이 그러했다.

그것 하나만은 건국 초기부터 율법처럼 내려왔는데, 이 나라가 지금껏 대국으로 존재할 수 있었던 이유는 천지를 주관하는 천제의 비호를 받아 온 덕분이라고 할 수 있었기 때문이다.

그리고 황태자가 18세 성인식을 앞두게 되면 그의 반려인 황후 후보를 뽑는 간택도 동시에 치러지는데, 그 시험이 삼간택이었다.

그렇게 두 번의 관문을 거쳐 황궁에 있는 신궁에 들어가게 되면 보름간 천례제(天禮祭)를 올려 천제가 정한 황후를 황제의 반려로 받아들였다.

물론, 지금껏 신탁에 의존한 율법이 고스란히 지켜져 내려

오게 된 이유 또한 있었다. 본시 인간이라는 건 이기적이고 황제의 위에 오를 인물이라면 더할 것은 자명한 일.

타고난 우월감과 오만에 천제에게 반기를 들어 신탁을 받은 황후를 내치고 다른 황후를 받아들인 황제도 있기 마련인 것이다.

그러나 천제의 신탁을 거스르는 오만의 결과는 채 한 해도 버티지 못하고 원인 모를 돌연사로 이어지는 결과만 낳았다. 이유는 고사하고 하다못해 사소한 고뿔 같은 증상으로도 죽음에까지 이르는 말도 안 되는 일이 벌어졌기 때문이다.

그런 일이 도합 다섯 번이 넘어서자 황제는 더욱 율법을 강화해 중시했고, 지금에까지 신탁을 받은 황후가 마음에 차지 않는다고 해서 내치는 일은 없어졌다. 다만 황제에게 인정받지 못하는 황후는 평생을 그림자로 살아갈 수밖에 없었다. 특히 사내의 몸으로 황후로 올라간 이들은 더 했다.

자식을 낳지 못하고, 정세에 전혀 관련치 못한 채 황후궁에서 평생을 나오지도 못하고 보내야 했던 것이다. 황제에게 사랑받지 못하고 오히려 멸시받고 천대받는 황후.

그것이 사내의 몸으로 황후의 자리에 오른 이들의 숙명이나 마찬가지였고, 세 명의 정비인 황비에게서 황태자가 나오거나 후궁들에게서 후손이 나올 때마다 황후는 점점 고립무원(孤立無援)이 될 수밖에 없는 것이 현실이었다.

"만약 황궁에 들어가시게 되면 미리 마음의 준비를 하시는 게 좋을 겁니다."

"후, 그래야겠지요. 혹 몇 명이나 들어가는지 아십니까?"

"글쎄요. 최소 스무 명은 넘는 걸로 알고 있습니다. 그중에서 신탁을 받는 건 황후마마시고, 그 외에 세 명의 정비이신 황비마마, 후궁마마는 황태자 전하께서 직접 간택하십니다. 다만, 아실지 모르겠지만, 대부분이 여자들입니다. 사내들은 거의 신관으로 남아 천제께 제를 지내며 신궁 밖으로는 나오지 못하는 걸로 알고 있습니다. 특히 전하 성품으로는…… 아, 아닙니다."

진충은 어린 휘연이 자꾸만 눈에 밟혔다. 다른 세도가들이야 힘이 있으니 사내라도 외탁의 권세까지는 무시하지 못하겠지만, 휘연은 다르다.

유서 깊은 서문세가라는 이름만 남아 있을 뿐, 말 그대로 아무것도 없었다. 그런 휘연이 만약 황궁으로 들어간다면 그 삶이 어떠할지는 충분히 예상할 수 있는 일이었다.

그렇다고 자신같이 하급 말단 관리가 무엇을 할 수 있겠는가. 알면서도 무슨 이유인지 보면 볼수록 휘연의 고귀한 기품이 예사롭지가 않았다.

그래서인지 못내 마음이 쓰여 조심스럽게 상황을 설명하면서도 속으로는 차라리 두 번째 시험에서 떨어지기를 바라고 있었다.

게다가 끝내 말을 잇지 못하고 입을 다문 이유도 황태자의 위험한 성정을 황궁 사람이라면 모두 알기 때문이다.

향락에만 빠진 나약한 황제와는 달리 무예에 뛰어나고 작은 실수도 용납하지 않는 잔인한 성정은 폭군의 기질을 그대로 드러내고 있었고, 무엇보다 평소 사내라면 거들떠도 보지 않는 황태자다.

그런데 만약 황후에 자리에 휘연이 오른다면 어찌 되겠는가. 어리석은 자들은 또다시 서문세가라는 그 이름 하나만으로 경계하려 들 것이고, 황비나 후궁의 시기를 받는 것뿐만이 아니라, 가장 위험한 황제를 적으로 삼을 수도 있었다.

설사 죽임을 당하지는 않는다고 해도 외척 세력 하나 없는, 의지할 곳 하나 없는 희연으로서는 어쩌면 그보다 더한 고초를 겪을지도 모르는 것이다.

그도 아니라면 평생을 황후궁 안에만 갇혀 있는, 조금의 희망도 없는 삶이 전부이다. 그걸 어찌 삶이라 할 수 있겠는가. 그러나 문제는 그뿐만이 아니다.

황궁으로 들어간 그 순간부터 사내인 휘연의 운명은 바람 앞의 등불 같은 신세가 되는 것이다. 특히 휘연의 아름다운 외모라면 천제와 황태자의 선택이 아니더라도 누가 탐을 내도 낼 것이 뻔했기 때문이다.

그게 신관으로 들어가는 이들의 운명이라, 이래저래 진충은 자기 일이 아닌데도 여간 신경이 쓰이는 게 아니었다. 할 수만 있다면 지금이라도 말리고 싶은 게 솔직한 심정이었지만 그조차도 안 되는 것을.

결국, 자신이 할 수 있는 건 아무것도 없다는 생각에 진충은 쓸쓸한 한숨 끝에 고개를 설레설레 흔들고, 투박한 그릇에 나온 국수로 허기진 배를 채웠다.

"이놈의 새끼가! 또 도둑질을 해?!"

"아악! 나리! 살려 주십시오! 배가 고파서……. 흐윽! 악!

나리!!"

"이놈이 한두 번도 아니고, 당장 가서 손목을 잘라 내지 않으면 내 사람이 아니다! 당장 관아로 가자!"

진충을 따라 휘연과 아소도 배를 채우려고 할 때였다. 밖이 소란스러워지며 주인장의 목소리가 쩌렁쩌렁 울리고, 그에 따라 어린아이의 비명까지 들려오자 휘연은 젓가락을 내려놓고 자리에서 일어났다.

살포시 얼굴을 굳히던 휘연이 문밖의 상황에 할 말을 잃고 눈을 크게 떴다. 만두를 훔치려고 했던 듯 바닥에 떨어져 짓밟힌 만두와 주인장의 무지막지한 발길질을 고스란히 당하며 발목에 매달려 있는 어린아이.

못 먹어서인지 가죽만 남은 애처로운 모습이었다. 게다가 여기저기 터지고 치료하지 못해 곪은 상처들이 아이의 몸 구석구석에 남아 있는 처참함에 휘연은 다급하게 달려가 주인장의 다리에 매달린 아이를 떼어 내 안아 들었다.

"이게 무슨 짓입니까? 아이가 아무리 잘못을 저질렀다 하나 배고픔을 참지 못해서 그런 것이거늘 이리도 험하게 다루시다니요."

"아이고! 공자님! 속 편한 소리 좀 하지 마시오! 공자님은 모르겠지만, 이놈이 한두 번 그 짓을 한 줄 아시오? 그저 이런 놈은 관아에 넘겨 손목을 잘라 내야지, 아니면 두고두고 버릇을 고칠 수가 없습니다!"

"후, 어린아이라 잘잘못을 알지 못해서일 겁니다. 그러니 주인장께서 한 번은 더 선처를 해 주시오."

"아, 글쎄! 이놈은 안 된다니까 그러시네!"

지금 나라 전체가 뒤숭숭한 데다 백성은 헐벗고 초근목피로 연명한다는 걸 알고 있었지만, 천기가 아닌 실체를 보자 휘연은 더욱 마음이 견딜 수 없이 아파져 왔다.

아무리 어린아이라도 도둑질이 나쁘다는 것을 왜 모를까. 알고 있을 것이다. 알면서도 허기진 배를 참지 못해 이런 짓을 벌이는 것이다.

있는 자는 여유롭게 살고, 없는 자는 굶어 죽어 가는 세상. 다른 이에게는 다반사 같은 일이지만, 실체를 처음 접한 휘연에게는 충격이 이만저만이 아니었다.

자고로 민이식위천(民以食爲天)이라. 백성이란 먹는 것을 하늘처럼 섬긴다는 뜻이었다. 즉, 한 나라의 황제는, 백성을 어떻게 먹이느냐에 따라 칭송 또한 달라지는 만큼, 백성의 배를 채우고 굶기지 말아야만 한다.

그만큼 제대로 배우지 못하고 자기 앞가림에만 전전긍긍하는 백성에게는 적어도 먹게만 해 주면 세상이 태평성대라 복을 누릴 수 있다고 믿었다. 그런데 지금 정세는 그 간단한 진리조차 따르지 않는다.

도처에서 굶어 죽어 가는 사람이 수백이요, 아파도 치료 한 번 받지 못하고 병사하는 사람 또한 수백에 이른다. 그럼에도 황제는 눈과 귀를 막고 조정 신료는 사리사욕에만 물들었다.

그들이 죄를 지었는데, 그 고통은 고스란히 힘없는 백성이 받아야만 한다는 사실에 나지막이 침음성을 뱉다가도 앞으로는 더 심해질 것을 알기에 휘연은 참담함을 금할 수가 없었다.

"쯧, 그놈이 오늘 훔친 건 내가 계산하지."

"예? 아이고, 나리께서 그리 말씀하신다면야 저도 더 이상 군말하지 않겠습니다."

휘연과 주인장이 옥신각신하는 모습에 결국 진충이 나서 마무리를 짓자, 잠시의 소란이 끝이 났다.

"계산? 아! 아소, 주머니를 가져오너라."

"예? 아, 예!"

휘연은 진충의 말에 그제야 호협이 들려준 노잣돈이 들은 주머니가 떠올랐다. 은자도 아닌 철전(鐵錢) 서른 개가 전부 인 주머니.

철전 하나면 만두를 두 개는 살 수 있었고, 돈의 가치를 몰 랐던 휘연은 돈으로 음식을 살 수 있다는 것에만 정신이 팔 려 주머니를 통째로 주인장에게 내밀며 안도하는 얼굴 가득 부드러운 미소를 짓고 있었다.

"주인장, 이 돈으로 만두를 주시오."

"예? 이, 이걸 다 만두로 말입니까? 하이고! 예! 금방 준비 하겠습니다. 조금만 기다리십시오!"

"공자, 어찌하시려고 그러십니까?"

"아, 송구합니다. 제가 세속 사정을 몰라 나리께 민폐를 끼 쳤습니다. 저야 황궁에 들어가면 돈을 쓸 일도 없고, 이곳 헐 벗은 사람들에게 조금이라도 나눠 줘야겠습니다. 아마 아버 님도 이런 일을 예상하고 어렵게 마련해 주신 듯합니다."

진충의 물음에 휘연이 얼굴을 붉히며 화급히 고개를 숙였다. 그동안은 노숙했다지만, 도읍지로 움직이는 이상 앞으로는 노숙을 할 수도 없었다.

그런데도 태연히 자신이 가진 것을 전부 내놓아 헐벗은 이를 돌본다는 휘연을 진충으로서는 이해를 하지 못했고, 세상물정을 모르는 휘연이 답답하기만 했다. 휘연 자신 또한 왜 모를까. 하지만 휘연의 표정은 지극히 평온하기만 했다.

무릇 자기 배만 채우려는 자는 욕심이 과한 사람이고, 작은 것에나마 가진 것을 베풀 줄 아는 사람은 근심 걱정이 없다는 걸 그대로 보여 주는 것이다. 무엇보다 휘연의 성품이 그냥 지나치기에는 무리가 따랐다.

"어서 먹어라."

"저, 정말…… 제가 먹어도 돼요?"

"그래, 다 먹어도 되니 천천히 먹어라. 다 먹고 나면 너와 같이 상처를 입거나 배를 곯는 이들에게 나를 안내해 주겠느냐?"

"예!"

상처 입어 절뚝거리는 아이를 안아 들고 자신의 자리에 돌아와 아이 앞에 국수 그릇을 내밀자, 아이의 얼굴에서 차마 믿지 못하겠다는 듯 놀라움이 가시지 않는다. 처음으로 받아 보는 보살핌과 선행이 믿기지 않는 것이리라.

그런 아이의 머리를 부드럽게 쓰다듬으며 청량한 목소리로 조용조용히 말을 이어 가는 휘연의 얼굴이 온화함에 더욱 빛을 발하고 있었다. 그 모습에 혀를 차던 이들은 왠지 모를 부끄러움에 고개를 돌려야만 했다.

二章

과화존신(過化存神)

　도읍지에서 고작 오 리도 떨어지지 않은 빈민촌. 아이를
따라 이곳으로 오는 도중에도 길가 구석구석에 널브러진 채
구걸을 하는 걸인의 모습에서 마음 편하게 하루를 보내야 할
백성의 모습은 어디에도 찾아볼 수가 없었다.

　온통 병들고 피로에 찌든 처참한 모습. 나라가 황폐해지면
제일 고통받는 게 백성이고, 그에 따라 하루하루 연명하는
것조차 힘들어지면 결국은 살기 위한 몸부림으로 구걸하며
가진 자들의 발밑에 엎드리게 되는 것이다.

　그로 인해 당연히 그들의 삶은 피폐했으며, 크고 작은 병
을 달고 사는 것이 보통이었다. 차라리 산으로, 들로 향하면
약초라도 캐서 끼니를 해결할 수 있었겠지만, 일반 백성은
그조차도 알지 못하기에 막연히 구걸로 하루하루 연명해 가

는 것이다.

강성하기만 했던 나라가 어쩌다 이런 파탄 지경까지 이르렀는지. 휘연은 못내 가슴이 아파 눈시울이 붉어지는 걸 애써 무시하고 조금 널찍한 공터에 도착할 때까지 옥죄어 오는 심장을 몇 번이고 쓸어내려야만 했다.

그렇게 휘연이 빈민촌에 도착해서 제일 처음 한 일은 심각한 얼굴로 공터 구석구석을 세심하게 둘러보는 것이었다. 그 뒤를 말 한 마디 없이 따르는 아소 또한 작은 나무부터 담벼락 사이라든지 바위틈을 세심히 살피고 있었다.

두 사람의 이상한 행동에 진충을 비롯해 도움을 받을 수 있다는 희망으로 하나둘 뒤따라오던 많은 무리 또한 멍한 표정이 되기는 마찬가지였다. 그러다 모두의 시선이 일순 황당하다는 빛을 띤 건 그 순간이었다.

"후, 다행이다. 아소, 자루를 준비하거라."

"예!"

난데없이 자루라는 말에 놀란 것도 잠시, 일제히 기가 막힌 표정으로 두 사람을 바라봤다. 그런 사람들을 아는지 모르는지 두 사람은 개의치 않고 큰 자루가 가득 채워질 만큼 구석구석을 돌아보며 잡초를 캐는 데에만 정신이 팔려 있었다.

거기다 나무껍질, 진액, 돌 사이에 낀 이끼, 다 무너져 가는 아궁이에서 나온 숯을 비롯해 작은 들꽃까지 얼마나 정신없이 캐고 또 캐는지, 그 모습이 또 기가 막히게도 경건하게 보여 지켜보는 사람은 황당하면서도 그 연유조차 알려고 하지 못했다.

그렇게 수많은 사람이 모인 가운데서도 묘한 정적만이 흐르고, 얼마 지나지 않아 자루가 한가득 채워졌을 때야 두 사람은 바쁘게 움직이던 손을 멈추고 공터 한가운데로 들어섰다. 그제야 결국 참지 못하고 진충이 의문을 물었다.

"공자, 지금 무엇을 하시는 중이십니까?"

"식용으로 쓰일 약재를 찾아온 것입니다."

"식용이요? 저기…… 제가 보기에는 단순히 잡초인 걸로 보입니다만."

"보기에는 아무렇게나 자란 잡초가 확실하지만, 자연의 정기를 받은 약의 효능을 갖춘 풀입니다. 이왕이면 깊은 산이 아니라도 들이나 산에서 캔 약초면 그 효험이 뛰어나겠지만, 우선 화급하니 이곳에서 채취한 것입니다."

진충으로서는 휘연의 경건하게 느껴지는 표정이나 아름다운 미소에 거짓이 아님을 어렵지 않게 짐작할 수 있었지만, 귀로 들으면서도 도저히 이해가 되지 않아 난감하기만 했다.

세상에 이걸 누가 믿는단 말인가. 생각하면 할수록 더 더욱 난감하게 변하는 진충의 표정에 휘연은 말없이 빙그레 웃을 뿐이었다.

이게 모두 병들고 아파도 변변한 약방 하나 찾지 못하는 무원촌 사람들을 위해 호협이 의술에 매진해 어릴 때부터 휘연을 가르친 결과였다.

대대로 내려오는 수많은 서책 중에는 의서 또한 많았고, 호협은 거기에 그치지 않고 가난에 찌든 백성이 가장 가까이에서 쉽게 구할 수 있는 약초들을 찾아 그 효능을 직접 시험하고, 또 구분했으며 책으로도 편찬했었다.

그런 호협을 따라 휘연과 아소 또한 약초의 효능에 대해 공부했고, 침술과 뜸, 기의 흐름에 따른 행공 등을 공부할 수 있었다. 아마도 호협은 이런 날을 예상했으리라는 생각에 휘연의 마음은 또다시 착잡해지고 있었다.

"아소, 큰 솥을 준비하고, 만두는 으깨고 약초를 넣고 탕을 끓여서 몸을 보해야겠다."

"예! 금방 준비하겠습니다."

처음에는 단순히 기가 막힌 표정이던 사람들이 곧 탕을 끓인다는 휘연의 말에 마치 생명수라도 발견한 듯 반색을 하며 하나둘 휘연 곁으로 모여들었다. 그중에는 병환이 깊은 노인부터 앙상하게 말라비틀어진 모습의 젖먹이까지 있었다.

그나마 움직일 기력이 있는 사람은 아소를 돕고 나섰고, 여인네들은 그릇을 준비하고 불을 피우기에 정신이 없었다. 조금 전까지 기력이 하나도 없던 사람들이 한 끼 식사를 해결할 수 있다는 생각에 필사적으로 힘을 내는 것이다.

그 모습을 가만히 지켜보던 진충이 자신 혼자만 관복을 입고 멀뚱히 서 있는 것에 심히 부끄러움을 느낄 수밖에 없었다. 그리고 지저분한 사람들을 향해 거리낌 없이 환한 미소를 보내는 휘연을 다시 한 번 경탄한 표정으로 보고 있었다.

"정말 이 잡초들이 약이 되는 것입니까?"

"예."

진충은 거짓이 아니라는 걸 확신하면서도 겉으로 드는 의

문까지 도저히 떨칠 수 없는지 다시 한 번 그렇게 물었다. 하지만 휘연은 빙그레 웃으며 짧게 대답했을 뿐, 자루에서 쏟아진 잡초들을 일일이 분리하는 데만 여념이 없었다.

어떻게 보면 휘연의 행동은 지나치게 경건해 보였다. 다만, 순식간에 흙투성이 손끝으로 잡초를 뜯어 분리하고 이끼의 냄새를 맡는 전혀 어울리지 않는 모습에 진충은 목구멍까지 의문이 올라왔지만, 결국 입을 다물어야 했다.

"아! 나리께서는 일찍 들어가 쉬십시오. 새벽에 돌아가겠습니다."

"괜찮다면 저도 뭐 도울 게 없겠습니까?"

휘연이 한참 움직이던 손을 딱 멈추고 그제야 생각났다는 듯이 미안한 얼굴로 진충을 올려다본다. 자신 때문에 진충까지 잠을 자지 못한다는 생각에서겠지만, 진충으로서는 이런 상황에서 자신만 편히 쉴 수는 없는 노릇이었다.

더구나 자신이 맡은 임무는 황궁에 도착할 때까지 휘연을 무사히 보필하는 것이다. 그렇게 생각하자 진충은 한결 마음이 편해졌고, 반색하는 휘연을 보며 자신 또한 어색한 미소나마 지을 수 있었다.

"그래 주시겠습니까? 그럼, 저녁이 준비될 동안 병자들을 데려와 주십시오."

"병자요? 의술도 하실 줄 아십니까?"

"아버님께 조금은 배웠습니다."

본격적으로 주위에 몇 개의 횃불을 밝히자 어둠이 깔린 공터도 어느새 환하게 밝아지고, 여인네 하나가 눈치를 살피며 더러운 홑이불을 하나 바닥에 깔아 주자 휘연은 망설임 없이 그 위로 올라앉으며 봇짐에서 침통을 꺼내 가지런히 놓았다.

약초를 캐는 사람, 힘들게 물을 떠 나르는 사람, 기대에 찬 아이들의 재잘거림, 거동도 하지 못한 채 탕 한 그릇을 먹자고 기다리는 사람까지. 일대 혼란이 일 만큼 소란스러워졌지만, 누구도 침울한 표정을 짓는 이는 없었다.

단순히 한 끼를 해결하는 것만으로도 그들은 이미 무엇과도 비교할 수 없는 희망을 품은 것이다. 소란스러움도 잠시, 진충이 하나둘 병자들을 데려와 휘연 앞에 눕혀 주자 찬찬히 안색부터 맥을 짚거나 복진법(腹診法)을 활용해 병자를 살폈다.

몇몇 외상 병자를 제외하고는 그들 대부분은 모두 굶주림에서 나온 병환으로, 못 먹어 몸이 상하고 제때 치료를 받지 못해 더 큰 병을 만든 것이나 마찬가지였다. 그에 가장 시급한 건 병을 이겨 내고 몸을 보할 음식이었다.

"대충 준비는 끝났습니다. 후우, 주변에 넘쳐나는데 왜 다들 그대로 뒀는지 모르겠습니다."

"식용과 아닌 것을 구분하지 못해서이다. 우선 뿌리를 떼어 내는 건 구분해서 넣도록 하고, 나중 설명을 곁들일 수 있게 따로 준비도 해 놓는 게 좋겠구나."

"예."

낮은 산에만 올라가도 자연의 정기를 받은 약초는 지천으로 깔렸다. 또한, 굳이 산까지 가지 않더라도 마을이나 들판에서 흔히 볼 수 있는 흔하디흔한 잡초만으로도 작은 종기부터 큰 병에 이르기까지 그 쓰임새는 다양하다.

그 밖에도 여러 가지 나무, 나무에서 나오는 진액, 묘목 뿌리, 잎사귀, 꽃, 나무에 기생하는 벌레에도 각자 특성에 맞는 효능이 있었고, 거기에는 검은 머리를 돋게 하고 장기간 복용하면 젊음을 되돌리는 희귀한 약재도 있었다.

"공자님! 우리 아들부터 봐 주십시오! 며칠 전부터 온몸이 불덩이 같습니다."

"독성으로 말미암은 열성병입니다. 일일이 이름을 기억하지 못하시니 모양을 기억하십시오. 이것은 집 주변이나 들에 나는 풀이지만, 식용으로 쓰이며 열을 내리고 독을 해독시키는 약재로도 쓰입니다. 단, 약재로 쓰일 때는 녹갈색 잎만 떼어 햇빛에 말린 후 가루를 물에 타서 사흘간만 먹이면 됩니다. 그리고 이왕이면 들에 나는 깨끗한 걸로 사용하십시오."

"세상에나 이런 풀도 약이 된답니까?"

"예. 몰라서 그렇지, 주변에는 많은 약재가 있습니다."

처음에는 믿기지 않는 눈으로 반신반의했던 사람들이 휘연의 간단한 침술로도 통증이 낫거나 너무도 진지한 모습으로 알아듣기 쉽게 설명하는 모습을 보고 어느새 자신들을 구제해 줄 선인이라 믿고 있었다.

더구나 씻지도 않아 시커먼 땟국물이 흐르는 지저분한 몰골인 자신들로서는 한 번 볼까 말까 한 아름다운 미색에 청량한 목소리까지. 어쩌면 무지한 그들로서는 얻는 것 없이 선행을 베푸는 휘연이 그렇게 보이는 건 당연할 것이다.

그런 사람들의 시선에 휘연이 여전히 익숙지 않은지 난감함에 얼굴을 붉히고 헛기침을 연발했지만, 시간이 지날수록 더욱 경탄에 마지않는 시선을 멈추게 할 도리는 없었다. 결국, 포기했는지 작게 한숨을 내쉬는 휘연이다.

"혹 기력이 떨어진 거 외에도 아랫배가 더부룩하고 입안도 마르며, 소피를 보실 때 핏물이 섞여 나오지 않습니까?"

"아이고, 용하십니다! 참말로 신선인가 보오! 죽을병이라 생각했는데 이리 신선을 만나서 살게 되다니. 으흑…… 감사합니다. 나 같은 늙은이도 살려 주시고, 이 은혜를 어찌 갚아야 할지."

"아, 아닙니다. 어르신, 이러지 마십시오. 제발, 일어나십시오."

"이렇게라도 안 하면 마음이 편치 않아서 그러니, 이 늙은이 절이라도 받아 주십시오. 우리 같은 늙은이들은 나라에서도 거들떠도 안 보는데, 공자님 같은 선인이 보살펴 주시니 어찌 감사를 안 드릴 수 있겠습니까."

단순히 혓바닥을 보거나 맥과 복진법을 짚어 본 게 전부인데도 정확하게 증상을 말하는 휘연을 본 노파는 눈을 휘둥그레 뜨고 비틀비틀 일어나 바닥에 넙죽 엎드렸다. 그런 노파를 보고 휘연은 경악할 수밖에 없었다.

자신보다 수 곱절은 더 세상 풍파를 겪은 노파의 절을 어떻게 감당한단 말인가. 휘연이 다급하게 노파를 일으켜 세웠지만, 노파의 한 번 터진 눈물까지는 좀처럼 멈출 수가 없었다.

왜 이렇게까지 미흡한 자신에게 눈물과 경탄을 쏟아 내는지, 휘연 또한 모를 리가 없다. 아무도 거들떠보지 않는 척박하고 각박하기만 한 삶에 지치고 병든 이들. 그들은 백성의 하늘인 황제에게서 버림받았다 생각한 것이리라.

자고로 황제도 백성이 있어야 존재하는 것을, 왜 그 간단한 진리조차 알지 못하는 것인지. 결국, 이들을 구석까지 몰아붙인 건 어리석은 황제와 권세에 눈이 먼 조정 신료라는 사실에 휘연은 통탄을 감추지 못했다.

"후우, 어르신. 고비라는 게 있지 않습니까. 참고 견디시면 반드시 좋은 날이 올 것입니다. 그러니 심신을 편하게 가지십시오."

"공자님 말씀이야 백 번 천 번 믿고 싶은데. 후우, 내가 죽기 전에 그런 세상이 올지 모르겠습니다."

약조라도 속 시원히 해 주고 싶었지만, 휘연은 입안에서 맴도는 말을 끝내 뱉어 내지 못했다. 차마 거짓으로라도 뱉어 내기에는 앞으로 닥칠 환란이 휘연을 두렵게 만들었다. 굶주리고 병든 건 처참한 축에도 끼지 못하는 대혼란.

산천초목이 피에 잠기고, 나라 전체가 술렁이며 가족을 잃은 이들은 하늘을 원망하며 울부짖을 것이다. 시체가 산을 이루고 어린아이가 부모를 잃고, 짐승들이 눈을 번뜩이는 그날이 벌써 코앞에 닥쳐왔음을 어찌 입에 담을 수 있단 말인가.

하루하루 죽지 못해 연명해 가는 백성들의 고통이 보이는 것 같아 휘연은 가빠 오는 숨을 필사적으로 갈무리하고, 머릿속으로 호협의 말을 되새기고 또 되새겼다. 한낱 나약한 인간의 힘으로 막을 수 없는 천벌.

'아버님은 내가 할 수 있다고 하셨다. 무엇을 보고 그런 말씀을 하셨는지는 모르나, 나약한 내게 강하다, 믿는다 하셨다. 그러니 나 또한 나 자신을 믿어야겠지. 제아무리 힘에 부치고 고통스러워도 참고 견뎌야겠지.'

과연 자신이 무엇을 하고 무엇을 이룰지는 몰라도 휘연은 대혼란이 지나가는 그때를 막연히 기다릴 수밖에 없었다. 비록 아무 힘이 돼 주지는 못해도, 아파하면 같이 아파하고, 통곡하면 같이 통곡하는 게 전부라고 해도 휘연은 견뎌 내야만 했다.

그럼에도 다가올 환란이 못내 고통스러운지 휘연의 하얀 얼굴이 더 하얗게 질리고, 잇새로 낮은 침음성이 흘렀다. 본시 여린 휘연의 성정으로 감당하기에는 현실은 지나치게 막막하고 위태롭기만 한 것이다.

"공자님? 안색이 나쁘신데, 어디 편찮으십니까?"

"아! 죄송합니다. 어르신, 이건 저이초(猪耳草)라는 풀로, 달여서 차처럼 마시면 몸이 가벼워지고 병도 치료될 것입니다."

"요런 풀 하나로 치료가 됩니까요?"

"예, 걱정하지 마시고, 매일 복용하십시오."

흔한 잡초 하나에 병이 치료된다는 게 신기하다는 듯이 묻는 노파를 향해 휘연은 굳은 얼굴을 풀고 잔잔한 미소를 짓는다. 지금은 감상에 젖어 있을 시간이 없었다. 앞으로 황궁에 도착하기 전까지 채 이십 일도 남지 않았다.

분발한다고 해도 얼마 되지 않는 시간이지만, 그전에라도 최대한 많은 병자를 돌보고 자신이 할 수 있는 일을 해야만 했다. 휘연은 자꾸만 나약해지려는 정신을 바로 하고 다시 병자에게 온정신을 집중했다. 그렇게 얼마의 시간이 흘렀을까.

문득 이마를 닦아 내는 손길에 고개를 든 휘연의 옆에서
작고 앙상하게 마른 어린아이가 자신의 소맷자락으로 흘러내
리는 땀방울을 닦다가 눈이 마주치자 더러운 소매를 후다닥
감추는 모습에 눈가를 휘며 아이를 품 안에 안았다.

"마저 닦아 주면 좋겠구나."

"하, 하지만…… 더러운데……."

눈을 동그랗게 뜨는 아이의 모습에 휘연은 사랑스러운 듯
환하게 웃고 있었다. 그 맑고 깨끗한 웃음에 여기저기 헛숨을
삼키는 소리가 들려왔지만, 정작 휘연은 신경도 안 쓰는지 온
통 오물을 묻힌 어린아이의 순수한 마음에 빠져 있었다.

순수하게 빛나는 때 묻지 않은 눈동자. 휘연이 입가에 웃
음을 멈추지 않고 묻는 말에 아이의 얼굴이 붉게 물들고 자
꾸만 몸을 말리려는 행동을 보여 이상했지만, 곧 그 이유를 알
자 말로 할 수 없는 답답함에 아이를 더욱 끌어안을 수밖에
없었다.

"더럽지 않다. 손이나 옷에 묻은 건 씻어 내면 그만이다.
그러니 전혀 더럽지 않아."

"더럽지…… 않아요?"

"그래. 이 세상에 더러운 건 아무것도 없단다."

휘연이 더 이상 꼼지락거리지 않는 아이의 머리를 부드럽
게 쓰다듬으며 청량한 목소리로 조용조용히 말해 주었다. 그
제야 고개를 빼꼼히 들어 올리고 머뭇머뭇 기어들어 가는 목
소리로 묻는 아이를 보며 휘연은 다시 한 번 환하게 미소 지

었다.

그런 휘연을 보며 답하듯 어눌하게 웃는 아이. 어린아이의 웃음이라기보다는 마치 삶에 찌든 노파의 웃음 같은 느낌에 휘연은 눈가가 시큰거렸지만, 눈물을 보일 수는 없는 노릇이라 다정하게 대답하고 아이의 이마에 부드럽게 입을 맞춘다.

"공자님, 식사 준비가 끝났습니다."

"그래? 우린 그동안 약재 좀 분리해야겠다."

"저, 저기, 공자님도 드셔야지요?"

"저는 괜찮습니다. 개의치 마시고 드십시오."

아소의 말에 품 안에 아이를 보내고, 잠시 약재로 쓰일 것과 섞어서 사용할 것, 말려서 사용할 것을 따로 분리하는 두 사람 앞에 여인네 하나가 머뭇머뭇 다가와 조용히 권했다. 하지만 휘연은 부드럽게 웃으며 답하고 행동을 멈추지 않았다.

그 모습에 무언가 더 말을 하려다 입을 다무는 여인. 솔직히 모인 인원에 비해 거의 국물이나 다름없는 음식은 턱없이 적었다. 그나마 조금씩이라도 먹기 위해서는 양을 줄이는 방법밖에는 없었다.

하지만 해시가 다 되어 갈 동안 잠시도 쉴 틈 없이 자신들을 돌봐 주는 휘연에게 고마움도 표시할 수 없다는 사실이 여인은 못내 가슴이 먹먹해지는지 눈물을 떨구며 고개를 숙였다. 미안함과 고마움, 존경이 한데 섞인 복잡한 마음 때문이었다.

실상 여인네뿐만 아니라 다른 이들도 마찬가지였지만, 일단은 자신들이 살고 봐야 했다. 그리고 휘연 또한 그 사정을 충분히 짐작하고 있었기에 여인을 향해 단아한 미소를 지을 뿐 다른 감정은 조금도 드러내지 않았다.

"공자님, 언젠가는 꼭 은혜를 갚겠습니다."

"그러자면 건강하셔야지요. 어서 가서 드십시오."

여인은 몇 번이고 고개를 숙이고야 겨우 떨어지지 않는 발길을 돌렸다. 말이야 막연히 은혜를 갚는다고 했지만, 여인도 이미 불가능하다는 걸 알고 있을 것이다. 그럼에도 지금으로서는 달리 고마움을 표할 방법이 그것밖에는 없었다.

하지만 인사치레든 아니든 여인의 말에 휘연은 마음이 따뜻해짐을 느낄 수 있었다. 애초에 보답을 바라고 시작한 일도 아닌 것을, 말 한 마디라도 진심을 다해 건네는 이들이 휘연으로서는 감사하고 또 감사할 일이었다.

그렇게 시작된 잠시의 여유. 적게는 사흘을 굶은 이도 있었고, 길게는 물로 배를 채우며 열흘을 넘게 굶은 이도 있었지만, 그들은 고작 으깬 만두와 풀뿌리가 전부인 탕을 세상에서 가장 진귀한 성찬이라도 받은 듯 달게 먹었다.

"아소, 새벽에 떠나기 전 몸을 보할 약재를 한 번 더 끓이는 게 좋겠다."

"걱정하지 마십시오. 그럴 줄 알고 미리 준비해 놨습니다. 그보다 피곤하시지 않습니까?"

"괜찮다. 그런데 앞으로가 문제구나. 다른 곳도 여기같이 깨끗하지는 않을 텐데, 아무래도 산에 들어가 봐야겠다."

"환단을 만드실 생각이십니까?"

"그래야겠지. 가다 보면 유독 정기가 맑은 산이 있을 것이야."

병자 대부분이 굶주림에서 오는 병이고, 그 병을 치료하기 위해서는 온전히는 되돌리지 못하더라도 어느 정도는 몸을 보할 바탕이 있어야 했다. 즉, 가장 시급한 것 또한 끼니를 해결할 음식이다.

무엇보다 짧은 시간에 최대한 많은 곳을 돌기 위해서는 약초로 환단을 만드는 것밖에는 달리 도리가 없다. 그다음에는 가르쳐 준 방식대로만 한다면 적어도 굶지는 않을 것이다.

그러자면 새벽같이 올라가 하루를 꼬박 보내야 한다. 약초를 말리는 게 반나절 이상이 걸리고, 그걸 빻고 환단으로 만드는 것도 반나절.

짐짓 빠듯할지도 모른다는 생각에 휘연은 한숨이 흘러나왔지만, 그것도 잠시 식사를 마쳤는지 하나둘 모여드는 이들을 보고 어느새 평온을 유지하고 있었다.

그나마 탕 한 그릇을 먹은 게 도움이 된 듯 저마다 한결 편안해진 안색인 것에 휘연이 부드럽게 미소를 짓고 다시 병자를 보고 알아듣기 쉽게 약초들을 설명해 나간다. 그렇게 시작된 진료는 새벽까지 한시도 쉬지 않고 이어졌다.

그사이에도 몇 번이나 쉬기를 권유했지만, 어차피 새벽이면 떠나야 할 길이기에 휘연은 온통 땀투성이를 하고도 쉴 생각조차 하지 않았다.

"여러분도 드셔서 아시겠지만, 적은 양이라도 몸 안에 흐르는 따뜻한 기로 허기짐을 느끼지 못하실 겁니다. 그건 몸을 보하는 약재를 사용했기 때문이고, 그 약재들은 모두 집 주변이나 들에서 흔히 볼 수 있습니다. 무엇보다 같이 넣고 탕을 끓여도 무방한 것들이니 허기가 진다거나 근력이 달리고, 각종 병에도 효능이 있으니 모양을 제대로 기억하셨다가 장기간 복용하시는 게 좋습니다."

"입이 한두 개도 아니고, 그것마저도 다 없어지면 어찌합니까?"

"무조건 욕심을 낸다고 좋은 게 아닙니다. 오늘같이 서로 도와 몸을 움직일 여력이 남으신 분들이 약초를 캐시고, 다른 분들은 병자와 어린아이, 노인분들을 보살펴 주십시오. 다 같이 합심하면 어떤 고난이 닥쳐도 이겨 낼 수 있다고 했습니다. 그리고 낮은 산에만 올라가도 약초의 종류는 많습니다."

말끝에 모두를 돌아보며 부드럽게 미소 지은 휘연은 약초를 하나하나 들어 설명하기 시작했다.

"이 중에 있는 건 모양을 기억하시고, 그중 이름을 알 만한 건 솔잎, 진액, 황국화, 현초, 차화, 채화, 과동청, 현포리, 선화를 들 수 있고, 지금 말한 것들은 꽃부터 잎, 줄기, 열매, 뿌리까지 모두 약재로 쓰입니다. 그 밖에도 회화목, 초혈갈, 접골목, 보음, 보정에 뛰어난 효능이 있는 묵초, 아이들의 전염병에 널리 쓰이는 자초, 뱃속에 딱딱한 덩어리가 만져질 때 쓰이는 투골초, 화농에는 다엽화, 장명채가 좋습니다."

휘연은 천천히 서두르지 않고 설명해 갔다. 어차피 귀하거나 이름을 모르는 것은 설명할 수도 없는 노릇이고, 함부로 섞어서는 안 되는 것은 모두 제하고 같이 사용할 수 있으며 장기간 복용해도 이상이 없는 것들이다.

그렇게 흔히 알려진 이름의 약재를 설명하는데도 한참이

걸렸다. 그나마 다행히 알 만한 이름이 나와서인지 일제히 고개를 끄덕이며 놀라운 사실에 감탄하고 있었다.

이제 이들은 산천을 크게 훼손하지 않는 이상은 언제까지고 더 이상 굶지 않아도 될 것이다. 그 사실에 휘연은 순수하게 기뻐했다.

그래서인지 휘연의 입가에는 부드러운 미소가 떠나지 않았고, 자리를 털고 일어나는 휘연을 보며 거동이 불편한 노인까지 일제히 일어나 공손히 바닥에 머리를 조아리고 엎드렸다.

그들의 갑작스러운 행동에 휘연은 크게 당황했다. 휘연이 황망한 마음에 손사래를 치며 다급하게 말렸지만, 아무도 고개를 드는 이가 없었다.

황제에게 버림받고, 구걸로 간신히 연명해 오던 자신들을 휘연은 거리낌 없이 대해 주었고, 자신들의 앞날 또한 열어 주었다. 고작 하룻밤의 인연이 전부이지만, 그들로서는 진심으로 감복한 것이다.

결국, 말리다 포기한 휘연이 짧은 인연을 뒤로하고 그들의 만세무강을 기원하며 자리를 떠날 때까지 어느 누구도 머리를 들지 않았다.

❖

"후, 오늘도인가. 저러다 몸져눕기라도 하실까 걱정이군."

처음 병자를 치료한 작은 도읍지에서 황궁까지 족히 열흘이면 도착할 수 있는 거리였지만, 일주일을 허비하고도 아직 채 반도 움직이지 못했을 정도로 휘연은 가는 곳곳에서 발길을 멈추고 병자들을 돌보기를 소홀히 하지 않았다.

해가 지기 시작하면 새벽 동이 떠오를 때까지 병자들을 돌보고, 해가 뜨면 마차 안에서 잠시 잠깐 선잠이 드는 걸로 피로를 풀었다. 그럼에도 끼니도 제대로 채우지 못한 채 종일을 달린 끝에야 이 정도까지 올 수 있었던 것이다.

그럼에도 정작 늦어진 이유는 따로 있었다. 마차로 달리다가도 정기가 맑은 산이 보이면 휘연은 무작정 멈춘 채 그때부터 산으로 들어가 약초를 캐고, 그걸 반나절 동안 햇빛에 말리고, 또 그 일이 끝나면 말린 약초로 빻아 환단을 만들었다.

그러다 보니 사흘을 꼬박 지새우는 건 일도 아니었고, 오늘도 마찬가지로 마차는 멈춰 있다. 두 사람은 약재를 모으는 데만 정신이 팔려 있었지만, 아마 오늘이 지나면 또 하루가 뒤처지게 될 것임에 진충은 막연히 한숨만 내쉬고 있었다.

"손에 약초 물이 들었습니다."

"아, 이건 색을 빼는 약초를 쓰면 곧 빠질 겁니다. 그보다 나리께서는 조금이라도 주무십시오."

"아직은 견딜 만합니다."

뼈마디 하나 불거진 곳 없이 하얗고 곧게 뻗은 작은 손이 이젠 손끝부터 손바닥 전체가 푸른 약초 물이 배어 있었다. 그래서 진충은 안타까움에 넌지시 말문을 열었지만, 휘연은 대수롭지 않다는 듯 대답했다.

그런 휘연의 대답에 안도하는 걸 아는지 모르는지, 휘연은 오히려 진충을 보며 미안함을 감추지 못했다. 자신 때문에 진충 또한 잠을 설치는 건 예사고, 병자를 돌보고 약초를 캤다. 그런데도 그는 불평불만 한 마디 없어 휘연은 감사했다.

타고난 심성이 착함에 휘연은 요행히 좋은 사람을 만났다는 사실에 안도할 수 있었다. 하지만 그것도 잠시, 사시가 가까워지자 휘연은 깊게 숨을 들이마시고 눈을 빛내며 주변을 빠르게 훑고 내려가기 시작했다.

그 옆으로 두 사람도 자루를 하나씩 허리에 두른 채로 이미 숙달된 솜씨로 약초를 캤다. 세 사람이 지나간 자리에는 이제 막 새순이 돋은 잡초와 씨를 뿌리는 것 외에는 말끔하게 정리돼 있었다.

"후우, 이 정도면 되었다."

세 개의 자루가 가득 채워지고 바쁘게 움직이던 휘연이 굽힌 허리를 곧게 폈다. 그제야 덩달아 구부정한 허리를 두드리며 일어나는 두 사람의 얼굴에 피곤함이 서려 있었지만, 다행히 고된 일이 일단락되었다는 사실에 한숨을 내쉬었다.

하지만 정작 중요한 일은 지금부터다. 점차 열기를 더해 가는 햇빛에 약초를 빈틈없이 넓게 펴 말리고, 그사이에 전날 말려 두었던 약초를 빻고 또다시 여인네들처럼 주저앉은 채 약초가 마를 동안 환단을 만들어야만 한다.

여기서 약초를 부드럽게 가루를 내며 빻는 것에도 온 정성을 쏟아야 할 만큼 보통 힘든 일이 아니다. 벌써 이틀째 눈 한 번 제대로 붙여 보지 못한 상태에서 종일을 묵묵히 같은 일을 반복한다는 것 또한 여간 지겨운 일이 아니었다.

그런데도 휘연의 정성이 깃든 행동이 경이로울 만큼 경건해 차마 불평 한 마디를 건네지 못했다. 불평을 건네기에는 휘연이 일으키는 기적이 놀라움을 넘어선 것으로, 흔한 잡초 따위로 단순히 허기진 배만 채우는 것이 아니기 때문이다.

떨어진 기력을 보하고 장기간 복용하면 값비싼 약재가 들어간 것보다 오히려 더 많은 효능을 준다는 것이고, 가장 신비로운 건 단순히 탕을 끓여 먹는 게 전부인데도 병자들의 혈색이 천양지차(天壤之差)로 달라지는 걸 확인할 수 있었다.

무엇보다 두 사람 또한 황도가 가까워질수록 오히려 더 처참하고 피폐한 광경을 똑똑히 지켜보며 착잡함과는 또 다른 절망을 느꼈기에 혼란스러운 마음은 몹시 복잡하게 흐트러져 있었다.

그냥 지나치기에는 무리가 따른 것이다. 다만 제아무리 좋은 일이라도 며칠째 계속하다 보니 한편으로는 지루했고, 한편으로는 몸이 지쳤으며 혹여나 차질이 생길까 근심 또한 넘쳐나는 건 어쩔 수 없는 일이었다.

그렇다고 모든 걸 내팽개치고 갈 길을 재촉할 수도 없는 노릇. 이래저래 앞으로도 고단한 일이 펼쳐질 것임에 두 사람의 얼굴이 잠시 잠깐 창백하게 가라앉았다.

하지만 일행의 중심인 휘연의 결정에 두 사람으로서는 묵묵히 따를 수밖에 없었다. 이런 두 사람을 아는지 모르는지 휘연은 약재에만 온 정성을 쏟고 있었다.

"좀 씻어야겠다. 다녀오겠습니다."

진충이 일어서는 두 사람을 보며 살짝 고개를 숙였다. 한시가 바쁜 와중에 단순히 씻기 위해서 산속 깊은 곳으로 들어가는 휘연을 처음에는 이해하지 못했다. 하지만 씻는 것 하나에도 이유가 있다는 걸 알고부터는 진충은 의문을 묻어야 했다.

첫 번째로 약초를 캐기 전에 차가운 계곡물에 정성스럽게 몸을 씻는 이유는 몸과 마음을 정갈히 하기 위함이었다. 두 번째로 환단을 만들기 위함이었다.

약초를 캐기 위해 본의 아니게 산천을 훼손한 것에 대한 정성이 사라져 약초에 스며들 기가 소멸하는 걸 막기 위해 또다시 몸을 정갈히 함으로 그 정성이 약초 하나하나에 스며들게 하는 것이다. 게다가 씻을 곳을 찾는 이유도 이상하다.

낮에 캐는 약초하고 밤에 캐는 약초가 다르다는 점이다. 낮에 캐는 약초에는 양기가 넘치고, 밤에 캐는 약초에는 음기가 지나친 것이 그 이유다. 그것을 조화시키기 위해 음기를 찾는다고 했지만, 진충으로서는 그 난해함에 혀를 내둘렀다.

지금껏 휘연이 펼친 기적 같은 놀라움을 보면서도 마음 한편으로는 여전히 약초가 아닌 잡초에 불과한 것이다. 다만, 단순히 잡초가 아닌 먹을 수 있는 잡초로 바뀌었다는 게 그 변화였지만, 아무리 생각해도 의심까지 지울 수는 없었다.

하지만 그 모든 걸 처음부터 지켜본 진충으로서는 도저히 안 믿을 수도 없는 노릇이다. 단순히 몸을 씻는 것도 아니고 음기가 강한 곳의 계곡을 찾아 몸을 씻고, 잡초를 캐고 또 그것을 하나하나 꺼내서 말리고 환단을 만들기까지.

그때의 휘연은 지켜보는 이로 하여금 경이롭고, 심지어 엄숙함마저 느끼게 한다. 거기다 뛰어난 의술과 불안감을 불시에 사라지게 만드는 청량한 목소리에, 그보다 더 눈에 띄는 미색 때문이라도 사람을 절로 따르고 믿게 만드는 것이다.

그러니 마음 한편의 의심이 늘 도사리고 있으면서도 진충으로서는 지켜보는 수밖에 달리 도리가 없었다. 그렇게 매번 고민하고 결국은 같은 결론을 내리자, 어느새 진충의 입가에 허허로운 웃음만이 맴돌았다.

"공자님, 이러다 일정이 늦어지는 거 아닐까요?"

"아직은 괜찮다. 전날 밤까지만 황도에 들어가면 될 것이야. 그보다 황도는 이보다 더 심할 터인데. 후우, 답답하구나."

"어차피 다 돌기에는 무리고, 다음에 기회가 있을 테니 너무 마음 쓰지 마십시오. 또 아직 황궁으로 들어간다는 보장도 없지 않습니까."

"글쎄."

아소는 휘연이 황후가 될 것이라는 사실에 한 치도 의심하지 않았다. 단지 그동안 진충에게 들은 바로는 사람의 성품과 자질이 아닌 그 집안이 가진 세력을 더 중시한다는 것에 은근히 헛된 고생을 하는 게 아닌지 걱정이 된 것이다.

하지만 휘연으로서는 이미 정해진 길을 가고 있었기에 단순히 근심을 떨쳐 낼 수 없었다. 두 번째 간택이 끝나면 신관으로 신궁에 들어가는 동시에 자신이 할 일을 끝마치기 전에는 두 번 다시 황궁을 나오지 못한다는 걸 알기 때문이다.

더구나 이 나라의 앞날이 어떻게 될 거라는 것 또한 알기에 휘연은 황도가 가까워질수록 그 마음의 무게가 점차 그 부피를 더해 가고 있었다. 그래서인지 휘연은 이 벗어날 수 없는 천형이 점점 견딜 수 없이 옥죄어 옴에 나직한 한숨이 멈추지 않았다.

'대체 내가 무엇을 할 수 있단 말인가. 지금 행하는 것도 고작 임시방편에 지나지 않는 것을. 내가 무슨 힘이 있어 강하다 하셨단 말인가?'

휘연은 문득 호협이 그리워졌다. 자신을 믿고, 또한 자신이 강하다 생각하는 호협을 만난다면 마음속의 불안감마저 모두 씻겨 나갈 것 같아 이 순간 더더욱 호협이 간절히 그리워졌다.

인연의 실이 끊어졌다는 걸 알기에 더할 것이다. 무엇보다 못내 밝히는 마지막 모습은 무겁게 마음을 짓누르는 것 같아 좀처럼 떨쳐지지가 않았다.

마치 뚜렷한 존재감이 사라지기라도 할 듯 그 모습이 한순간 흐릿하게 보였었다. 그때 휘연은 마음을 다스리기에도 바빠 미처 깊게 생각하지 않았지만, 그 모습은 내내 마음에 걸렸었다.

무언인가 자신이 모르는 일이 있을지도 모른다는 불안감이 그랬고, 그 일이 무엇이든 필시 좋은 일이 아닐 것이라는 사실이 휘연을 더욱 답답하게 만들고 있었다.

하지만 마냥 답답하다 하여 한숨만 내쉬고 있을 수도 없다. 순리에 따라 이미 정해진 길을 떠나 온 이상, 그 길이 얼마나 험난한 여정이 될지는 몰라도 자신이 할 수 있는 건 순응하는 것뿐이었다.

그렇게 애써 몰려드는 불안감을 떨쳐 버리고, 하나둘 천천히 옷가지를 벗어 나갔다. 곧 벗겨진 옷이 차곡차곡 한편에 치워지고 숲의 청량한 기운을 받은 하얀 나신이 드러났다.

비록 같은 나이 또래에 비해 여리고 작은 몸이었지만, 그 하얗고 깨끗한 피부는 무엇과도 비교할 수 없이 투명한 빛을 발하고 있었다.

"윽!"

휘연을 따라 옷을 벗고 물속으로 들어간 아소의 입에서 억눌린 신음이 터져 나왔지만, 더 이상의 말은 없었다. 계곡 중에서도 유독 음기가 강한 이곳은 뼛속 깊이 냉기가 침범할 정도라 마치 물이 날카로운 칼날처럼 살을 파고들었다.

그럼에도 필사적으로 이를 악물고 고통을 참는 아소의 얼굴이 일각도 채 지나기 전에 편안하게 펴지고 있었다. 적어도 반 시진이 지날 동안은 계곡 안에 휘도는 음기를 다스려, 입을 벌려 그 기운을 깨트리지 말아야 하기 때문이다.

그 이유는 약초를 캐는 것과 관련이 있다. 낮에 캐는 약초는 양기가 넘쳐나 활동적인 반면, 자칫 양기가 과하거나 음양이 제대로 조화를 이루지 못하는 병자에게 사용할 경우 몸을 보하는 게 아니라 반대로 몸을 상하게 만든다.

그 양기를 다스리기 위해 휘연이 음기가 강한 곳을 찾아 온몸으로 그 기를 받아들이고, 그 기를 이용해 양기가 넘치는 약초로 환단을 만드는 것이다. 그 바람에 아무리 손이 부족해도 환단을 만드는 일은 두 사람이 직접 했고, 진충도 손을 대지 못했다.

그렇게 반 시진이 꼬박 흘러갈 동안 두 사람은 감은 눈을 뜨지 않은 채 조금의 미동도 없이 가부좌를 틀고 앉아 있었다. 그런 두 사람의 얼굴은 처음과는 달리 냉기도 느껴지지 않을 만큼 편안해 보였다. 불안하고 복잡한 상념에서 이 순간만은 온전히 벗어난 것이다.

"시간이 많이 지체됐다. 조금만 더 서두르자꾸나."

"예."

두 사람이 산에서 내려갔을 때는 이미 진충이 환단을 만들 준비를 하고 있었다. 가볍게 고개를 끄덕인 두 사람은 지그시 눈을 감았다가 심호흡을 몇 번에 걸쳐 내뱉고야 일정한 속도로 빠르게 환단을 만들어 갔다.

그렇게 약초를 말리고, 또 그것을 환단으로 만드는 과정이 몇 시진째 계속되었다. 그동안 앉은 자리에서 무서울 정도로 집중력을 보이는 두 사람과는 달리 진충은 그제야 자신이 할 일을 다 했다는 생각에 쌓인 피로를 느끼며 정신없이 곯아떨어졌다.

비록 짧은 시간이겠지만, 지금 이 순간이 아니면 잠을 잘 기회조차 없다는 걸 알기에 간혹 진충의 코 고는 소리가 들리는 것에 휘연은 차마 말할 수 없는 미안함을 느끼고 있었다.

하지만 시일은 촉박하고 한 사람의 손도 부족한 실정이다. 더구나 황도가 가까워질수록 인원은 급격하게 늘어난 덕분에 그 많은 인원을 돌보려면 최대한 많은 양의 환단이 필요했다.

환단 하나에 열흘의 공복을 느끼지 못한다고 해도 어차피 그 기간이 지나면 또다시 배고픔에 허덕일 건 뻔한 사실. 무엇보다 휘연이 직접 그 효능을 보여 주지 않으면 무지한 백성은 그 사실을 믿으려 하지 않을 것이 자명했다.

그러다 보니 자꾸만 조급해져 휘연은 행여 연단에 불경한 기가 낄까 신경이 이만저만 쓰이는 게 아니었다. 그래서인지 휘연의 얼굴은 온통 땀투성이였다.

자꾸만 흐트러지는 정신에 집중을 못 하는 자신을 한탄하며 일순 행동을 멈추고 다시 몇 차례에 걸쳐 심호흡한 휘연이 머릿속으로 빠르게 호협의 가르침을 떠올렸다.

호협은 어떤 약을 연단하더라도 조화를 이루지 못하면 제아무리 좋은 약도 소용이 없으며, 그 조화를 이루기 위해서는 정성을 들여야 효능을 발휘할 수 있다는 말을 늘 입버릇처럼 했었다.

거기에 휘연은 단 한 번도 거스른 적이 없었다. 사소한 말한 마디에도 다른 이에게 미치는 영향이 크다고 했던 만큼호협은 말 한 마디를 허투루 내뱉는 사람이 아니었다.

그걸 알기에 휘연은 호협의 말은 항상 옳다고 생각했고, 따르는 만큼 얻는 것 또한 많았다. 그 사실을 한순간이라도 잊었다는 사실에 휘연은 스스로를 자책하며 마음을 가라앉혔다.

그렇게 찰나가 지나고 다시 일정한 속도를 유지해 환단을 만드는 일에 집중했다. 어차피 집중하지 못하고 흐트러지는 것도 정성이 모자라고 배움이 일천(日淺)해서일 것.

이것 또한 앞날을 대비해 경험을 쌓고 수양을 닦는 일이 될 것임에 어느새 휘연의 얼굴은 평온을 유지했고, 그 손놀림은 훨씬 빨라졌다. 그런 두 사람 옆의 하얀 천 위에는 은은한 빛을 발하는 환단이 수백 개로 늘어나 있었다.

"약초가 다 말랐습니다."

"그래. 약초를 담고, 단을 담을 함도 가지고 오너라."

"예."

신시가 되고, 아소가 자리를 털고 일어나며 조용히 숨을 고르고 천천히 몸을 풀었다. 한 자세로만 너무 오랫동안 앉아 있었더니 온몸이 삐걱거렸지만, 휘연은 여전히 환단을 만드느라 자세를 유지하고 있었기에 차마 내색조차 할 수 없었다.

그래도 피곤한 건 어쩔 수 없는지 자루와 함을 가지러 가는 아소의 발걸음이 위태롭게 휘청거렸다. 그 여린 뒷모습에 나지막이 흘러나오는 한숨 소리와 함께 휘연의 얼굴에 안쓰러움이 묻어나고 있었다. 자신 또한 왜 피곤하고 지치지 않겠는가.

조금이라도 정신이 무너지면 그대로 눈을 감는다고 해도 전혀 이상하지 않을 만큼 지금 휘연의 정신은 팽팽하게 당겨져 극도로 예민해져 있었기 때문이다. 하물며 자신보다 어리고 나약한 아소야 더 했으면 더 했지, 덜하지는 않을 것이다.

그렇다고 해서 여기서 멈출 수도 없다. 설사 몸살앓이를 한다고 해도 황궁에 들어가기 전까지는 조금이라도 더 병자를 돌보고 그들과 함께할 기회를 갖고 싶었다. 그리고 그 길이 호협이 원하는 길이라는 걸 휘연은 어렴풋이 깨닫고 있었다.

"이런, 아소! 취우(驟雨)가 올 것이야. 약재를 거둬 마차에 실어라. 서둘러!"

"예? 아!"

바쁘게 움직이던 손길을 멈칫거리고 하늘을 올려다보던 휘연이 일순 눈살을 찌푸리며 자리에서 일어난다. 햇빛은 여전했고 하늘 또한 청명하게 맑았지만, 휘연은 공기 중에 퍼지는 물기를 고스란히 느낀 것이다.

약초의 효능은 낮과 밤의 차이도 있지만, 기후의 변화에 따라 많이 달랐고, 특히 산은 그 기후 차가 극심했다. 호협 또한 약초를 배우기 전에 이십사 기(氣)와 칠십이 후(候)를 살피고 그 변화를 읽을 수 있게 가르친 것이다.

아소야 이미 수도 없이 체험한 덕분에 서두르면서도 약재 하나하나를 정성스럽게 담아 마차로 옮기는 일에 열중했지만, 막 잠에서 깨어난 진충은 하늘 한 번 올려다보고 다시 두 사람을 번갈아 보면서도 이해하지 못했다.

그도 그럴 것이, 비가 온다고 하기에는 지나치게 쾌청하다. 진충이 알 수가 없다는 듯 의문을 담고 고개를 갸웃거렸다. 그것도 잠시, 두 사람을 도와 약재와 환단을 마차에 온전히 실었을 때 그 의문을 풀 수 있었다.

한두 방울 떨어지던 비가 순식간에 한 치 앞도 구분하지 못할 정도로 쏟아지기 시작한 것이다. 그제야 입을 떡하니 벌리고 눈앞에 휘연을 놀란 눈으로 쳐다봤지만, 휘연은 부드럽게 웃을 뿐 다시 함을 열어 환단을 만드는 일에 여념이 없었다.

"이제 가시죠."

"예? 아, 예. 곧 출발하겠습니다."

찰나간 충분히 땅을 적실 만큼 내리던 비가 그치고 진충이 마차에서 내려 마부석으로 옮겨 탄다. 그때 이미 유시를 넘어서고 있었다. 그렇게 한참을 달려 일행이 향한 곳은 안성(安城)이라는 제법 큰 도읍지 뒤쪽에 자리한 빈민촌이었다.

여느 때처럼 휘연이 아직 환단을 만들고 있는 사이, 진충은 걸음을 빨리해 만두를 사러 가고, 아소는 그 자리에 불을 피우고 휘연이 앉을 자리를 손보기에 정신이 없었다. 그 모습에 누가 부른 것도 아닌데 사람들이 이끌리듯 모여들었다.

하나같이 못 먹어 피골상접(皮骨相接)한 모습으로 입고 있는 옷은 누더기보다 더 추한 행색을 하고 있었지만, 그 얼굴에 떠오르는 감정은 모두 한 가지를 담고 있었다. 어쩌면 허기진 배를 채울 수 있을지도 모른다는 작은 기대.

굶주림에 지치고 이미 비참한 바닥을 경험하고 있는 이들에게도 삶의 끈을 놓지 못하는 이상은 한 끼로 허기짐을 채울 수만 있다면 그보다 더 큰 은혜는 없을 것이기에 죽어 버린 그들의 눈에 간절함이 묻어 나오는 것도 그래서일 것이다.

"공자님, 만두를 사 왔습니다."

"매번 감사합니다."

"아, 아닙니다."

진충은 마차에서 내려서며 공손히 고개를 숙이는 휘연의 모습에 얼굴을 붉히며 후다닥 그 자리를 피한다. 그동안 남을 돕는다는 건 생각도 안 하고 살았지만, 휘연과 같이 다니며 자신도 모르게 변하고 말았다.

왜 지친 몸을 이끌고 자신의 주머니까지 털어 가며 보답받지도 못하는 선행을 해야 하는지, 스스로도 이해를 못 하면서도 진충은 왠지 모르게 마음 한편에 따뜻함이 스며드는 것같아 절로 웃음이 떠오르고 있었다.

내심 아깝지 않다면 거짓말이겠지만, 냉정히 발길을 돌리기에는 이미 늦었다는 걸 알기에 나름대로 마음을 추스르는데는 충분했다. 무엇보다 이대로 목적지에 휘연을 내려 주고 헤어진다는 게 진충으로서는 이만저만 아쉬운 일이 아니었다.

"그럼 시작할까요?"

휘연의 말을 시작으로 아소는 약초를 구분하며 여인들과 탕을 끓이고, 진충은 움직일 여력이 남은 사람들을 이끌고 약초를 캐기 위해 바삐 움직인다. 그사이 휘연은 병자 하나하나를 진심으로 대하며 보살핌에 소홀히 하지 않았다.

장소는 각기 달라도 또 다른 인연들을 만나고 병자를 돌보며 하룻밤을 꼬박 지새우는 세 사람의 얼굴에는 피곤함이 떠나지 않았지만, 시간이 흐를수록 알게 모르게 불안했던 마음은 서서히 안정을 찾아가고 있었다.

"음? 어디가 아픈 것이냐?"

몇 시진이 흘러갈 동안 꼼짝도 않고 병자를 돌보는 휘연이 아소가 약초를 설명하는 틈에 잠시 심호흡을 고르며 땀을 닦아 내고 있을 때였다. 무언가 할 말이라도 있는 듯 아소와 비슷한 또래의 소년이 쭈뼛쭈뼛 휘연의 곁으로 다가왔다.

고개를 들어 올리며 부드럽게 웃는 휘연을 향해 머뭇거리다 이내 작심이라도 한 듯 넙죽 바닥에 엎드리는 모습에 휘연이 당황해 소년을 일으키자, 조금 전의 당황한 기색은 온데간데없이 똑바로 마주쳐 오는 소년의 눈은 총명함으로 빛나고 있었다.

"전 사무영입니다. 지금은 집도 절도 없는 거지 신세이나 한 해 전만 해도 이곳 안성에서는 꽤 이름 높은 무가의 아들이었습니다."

"그래? 헌데 내게 그걸 설명하는 연유가 무엇이냐?"

"저를 데려가 주십시오."

휘연은 적잖이 당황할 수밖에 없었다. 이제 고작 열세 살 남짓 보이는 사무영이라는 소년은 확실히 예(禮)와 총기(聰氣)가 넘쳐났고, 비록 행색은 초라했지만 조금의 흐트러짐도 없는 모습은 절도와 기품이 있었다.

아직 다듬어지지 않는 것에 불과했지만, 같은 나이 또래에 비해 확실한 차이를 내보일 만큼 놀라운 것이었다. 그런 소년이 다짜고짜 자신을 데려가 달라고 하니 휘연은 당황스러웠지만, 소년을 살피는 얼굴에는 호기심이 뚜렷했다.

소년과 자신의 연이 깊게 얽혀 있다는 걸 휘연은 어렴풋이 느낀 것이다. 그 인연의 굴레가 어떻게 이어질지는 모르나, 이미 휘연은 그 인연을 받아들이는 방향으로 결정짓고 있었다.

"목적지가 어디인 줄 아느냐?"

"모릅니다. 하지만 이대로 거지로 세상을 살아갈 생각은 없습니다. 그러기 위해서는 공자님을 반드시 따라갈 것입니다."

"지금껏 느끼고 겪은 상황보다 더 힘이 들 것이다. 어쩌면 네가 이루고자 하는 게 무엇이든 아무것도 이루지 못할지도 모른다. 그래도 따를 생각이냐?"

"예. 언제 죽을지도 모르는 짐승만도 못한 삶을 사느니 부딪히겠습니다."

조용조용히, 그리고 또박또박 자기 생각을 밝히는 소년의 결심은 대단했다. 주먹을 불끈 쥐고 절대 흔들림이 없이 단호한 소년의 말이 끝나고도 한참이나 가만히 응시하는 휘연의 눈가가 어느 순간 부드럽게 휘어졌다.

긍정을 의미한다는 것이다. 이에 내심 잔뜩 긴장했던 소년이 안도의 한숨을 토해 낸 건 당연한 일이다. 휘연은 살짝 고개만 끄덕일 뿐 더 이상 말이 없었고, 마치 아무 일도 없었다는 듯 다시 병자를 돌보기 시작했다.

단지 달라진 게 있다면 그런 휘연 옆에 소년이 묵묵히 앉아 있는 것뿐이었다. 본래 황후 후보로 선택된 이들은 사가에서 세 명의 시종이나 시비를 데려갈 수 있었고, 그건 황궁으로 들어갔을 때도 유효하다.

황궁으로 들어가면 신궁에서 생활하는 동안 그들의 시중을 드는 일을 했고, 나중 자신의 주인이 간택될 경우를 대비해 황궁 법도를 익힌다. 그 이후에는 간택된 주인이 이들을 각자의 궁으로 데려가는 것이다.

한마디로 최측근이자 외척 세력의 연결 고리 역할을 하는 것으로, 다른 세가에서는 시중을 드는 것뿐만 아니라 주인의 신변 보호를 위해 무인을 선출하는 게 대부분이었다. 그렇게 보자면 휘연은 소년을 포함해 이제 겨우 두 명만을 데려가는 것이다.

그것도 무인이 아닌 아직은 어린 소년에 불과했지만, 휘연은 자신의 운명을 알기에 걱정하는 일은 없었다. 오히려 힘은 없으나 어릴 때부터 함께한 아소나 어린 사무영의 총명함까지 얻었다 생각해 내심 만족감까지 느끼고 있었다.

그렇게 새로운 인연을 새긴 휘연은 하룻밤을 꼬박 지새우고도 그 얼굴에는 웃음이 떠나지 않았다. 아침이면 종일을 마차 안에서 약을 빻고, 또 그것으로 환단을 만들게 되겠지만, 지금 이들의 마음에 날이 갈수록 따뜻함이 퍼져 가고 있었다.

"공자님, 이 은혜는 결코 잊지 않겠습니다."

감히 갚겠다는 말은 엄두가 나지 않았지만, 자리를 털고 일어나는 휘연을 대하는 사람들은 한결같이 휘연에게 감사를 표하며 바닥에 엎드렸다. 평생을 노력해도 이 빚을 갚을 수가 없다는 걸 그들도 스스로 알고 있는 것이다.

그리고 삶보다 죽음이 더 가까웠던 그들에게 다시 살아갈 발판을 마련해 준 것이 휘연이고, 꺼져 가는 희망을 일깨워 준 것도 휘연이었다. 고작 하룻밤이 전부라 하나 헤아릴 수 없을 정도의 은혜를 어찌 갚을 수 있겠는가.

자신들이 할 수 있는 일은 그저 이렇게 머리를 조아리고 진심을 전하는 것이 전부였다. 휘연 또한 그 마음을 왜 모르겠는가. 그럼에도 휘연은 그들의 진심이 가슴에 와 닿아 오히려 어찌할 줄 모르며 매번 얼굴을 붉혀야 했다.

지금까지 어디를 가나 똑같은 반응이었지만, 휘연은 그때마다 크게 당황했다. 그리고 한참 만에 무겁게 고개를 끄덕이며 돌아서 떠나는 휘연의 눈가가 다시 한 번 촉촉하게 젖어 가고 있었다.

그렇게 휘연 일행은 쉴 틈도 없이 마차로 이동하며 틈틈이 눈을 붙이고, 또 약초를 캐고, 환단을 만들어 병자를 돌보며 약속한 기한 안에 황궁 가까이 다가가고 있었다.

그렇게 휘연 일행이 강행군을 계속하면서 점차 더 마음이 불편했던 것은 좀 더 큰 도읍지로 움직일 때마다 더 많은 백성이 굶주림에 시달리고 있었다는 것이었다. 그 와중에 휘연을 가장 난처하게 만든 것은 정작 따로 있었다.

일행이 약속한 기한을 하루 앞두고 황도에 도착했을 때는 이미 일행에 대한 소문이 파다하게 퍼진 것이다. 그 소문의 실체는 돈 한 푼 없이 희귀한 영약을 나눠 준다는 약선이 첫 번째고, 신묘(神妙)한 의술과 선행을 펼친다는 의선이 그러했다.

또한, 그 미색은 하늘이 내린 절색이라 평했고, 절색이라는 말 한마디 때문에 휘연이 사내가 아니라는 소문까지 퍼져 있었지만, 황도가 가까워질수록 휘연은 면사로 얼굴을 가렸기에 휘연뿐만 아니라 일행 모두가 당황했다.

말이야 바른말로, 얼굴이야 두말할 것도 없는 진실이라 치고, 의술은 풍이나 전염병을 고치는 휘연을 봤기에 충분히 인정하고도 오히려 남지만, 희귀한 영약이라고 하기에는 그 재료가 기가 막힌다는 것이다.

그것도 가장 흔해 빠진 잡초가 아닌가. 아무리 소문이라는 게 한 번 옮겨질 때마다 배로 부풀려진다지만, 이건 정도가

심해도 너무 심했다. 더구나 지금에 와서 그 희귀한 약초가 잡초라고 설명해 봐야 믿을 사람도 없을 것이다.

오히려 그들을 업신여긴다 생각할 건 뻔했기 때문이다. 그래서인지 당황을 숨기지도 못하는 일행을 보며 휘연은 작게 한숨을 내쉬고, 면사를 쓴 채 마치 아무 말도 듣지 못했다는 듯 공터에 자리를 잡고 병자들을 돌보기 시작했다.

그리고 그 결과는 다른 때와 같았다. 처음엔 잡초를 펼쳐 놓고 설명을 곁들이는 일행을 보고 자신들을 놀린다고 여겨 불같이 화를 내는 사람도 있었고, 못마땅해 발길을 돌리는 사람들도 있었지만, 그들은 결국 다시 모여들 수밖에 없었다.

몇 날 며칠을 굶은 그들로서는 한낱 잡초라도 약초라 믿고 싶고, 또한 한 그릇이라도 끼니를 해결해야 했기 때문이었다. 하지만 실상은 무슨 말에도 흔들림 없이 묵묵히 병자를 치료하고 보살피는 일행을 보고야 마음이 움직인 것이다.

무엇보다 탕 한 그릇이 고작이지만, 먹고 난 후 몸의 변화를 여실히 경험했기에 한순간 태도는 돌변하고 있었다. 그렇게 마지막 하룻밤을 꼬박 지새우면서 다른 때보다 더한 존경을 받은 휘연과 일행이었다.

떠나 가는 일행을 향해 빈민촌의 수많은 사람들은 진심을 다해 머리를 숙였다. 아마도 하루도 지나지 않아 지금껏 퍼진 소문보다 더한 소문이 퍼질 것은 자명한 일이었지만, 휘연은 마지막 인연을 되새길 뿐 더 이상 신경 쓰지 않았다.

三章

재간택(再揀擇)

밤을 꼬박 지새우고 휘연 일행이 향한 곳은 연환궁(緣歡宮). 제9대 소현황제가 암행을 나와 만난 인연을 위해 지었다는 연환궁은, 황궁의 작은 별궁을 모방했지만 그 넓이와 화려함은 모자람이 없었다.

이곳에서는 행동을 각별히 조심해야 하며 황궁에 들어가기 전에 일주간 머무르며 인(仁), 의(義), 예(禮), 지(智)에 근원을 둔다는 정(情)을 시험하고, 그 외에도 기예, 서풍, 혼전 신체를 검사받는다.

그 시험을 담당한 인물들은 사단을 맡은 문사들로 이루어진 시험관을 비롯해 혼전 신체검사를 맡을 검시관이 있었고, 사시를 알림과 동시에 일주일에 걸쳐 그 시험이 시작될 것이다.

그렇게 일주일이 지나면 최종 합격자만이 황궁으로 들어

가고, 엄연히 황궁 안에 존재하면서도 황제의 통치를 받지 않는 동쪽 송화림(松和林)에 위치한 신궁에 머무르며 천례제를 통해 신탁을 받게 되는 것이다.

또한, 혼전에 있을 불미스러운 일을 미연에 방지하기 위해 신녀와 신관은 엄격히 구분해 동관과 서관에서 생활하며, 신탁이 끝나고 황후 책봉식이 있을 때까지 그곳을 벗어나지 못하게 된다.

마지막으로 신탁을 받은 황후는 동관과 서관과도 떨어진 송화림 가장 안쪽에 위치한 북관에서 보필할 시종들만을 데리고 생활하며, 그 기한이 짧게는 한 해에서 길게는 몇 해까지 이어지는 예도 있었다.

"무슨 일이오?"

"이곳은 아무나 접근할 수 없소."

한 시진을 앞두고 나타난 휘연 일행을 보는 연환궁 경비대의 얼굴이 살포시 일그러지고, 제대로 된 경어조차 사용하지 않고 묻는 물음에는 못마땅한 기색이 역력했다.

다가오는 일행의 모습에서 이미 나름대로 사태 파악을 끝낸 것이다. 이에 그들이 앞길을 막으리라고는 전혀 생각하지 못한 휘연 일행은 적잖이 당황했지만, 경비대의 처지에서는 당연한 절차나 마찬가지였다.

그도 그럴 것이 황후 간택이 이루어진다는 말에 한동안 구경꾼이 쉴 틈도 없이 몰려든 것이다. 그중 아부와 뇌물을 바치는 이도 있었고, 반대로 충언을 하는 이도 있었으며, 또 자비를 바라고 구걸을 하는 이들도 있었다.

그렇게 몇 날 며칠을 시달리다 보니 그나마 반말이 튀어 나가지 않은 것이 이들로서는 나름대로 최선의 예의를 차린 것이다.

더구나 다른 후보들과는 달리 화려함이라고는 전혀 없이 여기저기 먼지를 덮어쓴 모습에서 그들이 판단하기에는 공경의 자세를 취할 이유는 어디에도 없었다.

그런 그들을 이해한다는 듯이 휘연은 말이 없었지만, 진충은 심사가 뒤틀렸다. 이곳 연환궁은 황족과 나라의 대소사를 처리하는 일이 아니면 절대 발을 들여놓을 수 없는 금지구역이다.

헌데 거기에 버젓이 들어간다는 건 이미 그만한 자격이 있다는 걸 의미했기에 사람을 외모로만 판단하는 그들이 곱게 보일 리가 없는 것이다.

"황명을 받든 황궁태복 진충이오! 당장 비켜서시오!"

"에? 태복이시라면. 저, 저기 위패를 보여 주실 수 있습니까?"

진충이 눈살을 찌푸리며 신분을 밝히자 그제야 확연히 달라진 모습을 보였지만, 다시 한 번 일행의 모습을 훑어 내리는 눈길에서 의구심을 떨치지 못했다.

결국, 진충이 낮게 혀를 차며 위패를 보여 주고야 실랑이 끝에 궁 안으로 들어갈 수 있었다. 하지만 궁문을 통과하고도 일행은 또 한 번 얼굴을 붉혀야 했다.

연환궁을 관리 담당하는 내총관의 눈에도 일행이 정문을 통과했다는 게 도저히 믿기지 않는 것이다. 그나마 눈치는 있는지 존대를 해 오는 내총관이었지만, 찌푸려진 얼굴은 좀처럼 풀리지 않았다.

"어디서 오셨습니까?"

"이분은 서문세가에서 오신 서문휘연 공자님이시오."

"서문세가라면……. 아, 우선 처소로 안내하겠습니다. 따르시지요."

서문세가라는 말에 그제야 명부책을 들여다보며 벌떡 일어나 고개를 숙이는 내총관의 얼굴이 기묘하게 일그러졌지만, 그것도 잠시 잰걸음으로 앞서 가며 일행을 휘연의 처소인 해운각(該韻閣)으로 안내했다.

이곳 해운각은 마치 산 한가운데 자리 잡은 것 같은 느낌으로 풍광이 수려해 보는 이들로 하여금 감탄을 자아냈지만, 실상은 연환궁 내에서도 가장 외진 곳으로 다른 전각에 비해 그 화려함이 현저히 떨어졌다.

후보들의 처소는 가문의 명성과 인망에 따라 정해져 있었고, 서문세가 또한 다른 세도가에 비할 바가 아니었지만, 이미 열흘 전부터 입성한 후보들의 물밑 작업으로 처소가 바뀐 것이다.

그 정도야 진충도 예상했다는 듯 괜스레 미안한 마음에 휘연의 안색을 살폈지만, 정작 휘연은 해운각이 마음에 들었다. 그동안 산간벽지에 살며 하루하루 끼니를 걱정해야 했던 일행으로서는 난생처음 접하는 화려함이 감지덕지한 것이다.

"이곳입니다. 시험을 치를 때 외에는 처소에서 벗어나실 수 없고, 시종들 외에는 다른 분들도 왕래하거나 대화를 나눌 수는 없습니다. 그럼, 사시부터 시험이 시작되니 준비해 주십시오."

"시험은 어디서 치러지는 것입니까?"

"예? 아, 시험은 남녀를 구분하여 두 곳에서 치러지고, 검시는 처소에서 개인적으로 이루어집니다. 그, 그럼 소인은 이만……."

내총관이 간단한 설명을 마치고 돌아서려고 할 때 휘연의 청량한 목소리가 조용히 흘러나온다. 이에 눈에 띄게 움찔한 내총관의 얼굴이 적잖이 놀란 듯했다.

내심 초라한 의복에 먼지투성이 몰골을 보며 보나 마나 시험에서 떨어질 거라 예상한 것이다. 그런데 청량하면서도 묘한 울림까지 느껴지는 목소리라니.

도저히 외관하고 목소리가 어울리지 않는다 생각했는지 돌아서면서도 몇 번이나 힐끔거리며 다시 돌아보는 통에 발을 헛디뎌 넘어질 뻔한 내총관의 얼굴에서 의문은 좀처럼 떨어지지 않았다.

그 모습에 혀를 차며 중얼거리는 진충을 보며 휘연을 비롯해 두 사람도 작게 어깨를 들썩이며 웃었다. 그동안 꼬박 달포나 같이 생활하면서 휘연은 진충이 베푼 은혜를 잊지 않았다.

그래서인지 더 아쉬운 마음을 떨칠 수도 없었지만, 입가에는 웃음이 떠나지 않았다. 만남이 있으면 이별이 있는 것은 당연하지 않은가.

휘연은 진충과의 인연이 이것으로 끝나는 게 아니라는 걸 알기에 그나마 아쉬움을 뒤로하고 웃을 수 있는 것이다. 그 사실을 모르는 진충만이 못내 감정이 복받치는지 눈시울이 붉어졌다.

"나리, 그동안 노고가 많으셨습니다. 아소."

"예. 나리, 이건 공자님께서 특별히 제조한 환단입니다. 피로를 풀어 줄 뿐만 아니라, 몸 안의 탁기를 태우고 정기를 맑게 해 주는 약효가 있습니다."

처소에 같이 들어갈 수도 없는 노릇이라 휘연이 아쉬운 마음을 접고 진충을 향해 깊숙이 고개를 숙였다. 그때 아소가 품에서 작고 낡은 갑(匣)을 꺼내 진충에게 내밀었다. 갑 안에서는 손가락 한 마디만 한 환단이 들어 있었다.

그동안의 노고를 어찌 갚을지 고민했지만, 자신으로서는 해 줄 만한 게 없다는 사실에 처음으로 난감한 마음마저 들었었다. 그래도 어떻게든 은혜를 갚고 싶었던 휘연이 틈틈이 계곡을 찾아 산에 오를 때마다 채집한 약초로 환단을 만든 것이다.

"아! 이건…… 향이…… 지금껏 향은 안 난 걸로 아는데."

"예. 그래서 특별하다 말씀드린 겁니다."

지금껏 하루 만에 다급하게 만들어 낸 환단과는 달리 윤기나는 하얀색의 빛을 발하고 은은한 약 향까지 풍기는 환단이었다. 진충이 놀란 눈을 들어 휘연을 봤지만, 휘연은 여전히 미소를 지우지 않은 채 고개를 끄덕였다.

적어도 환단에 들어가는 재료가 무엇인지 누구보다 잘 아는 진충이었지만, 지금은 절대 그 환단을 폄하하지는 않았다. 환단을 만들 때 휘연의 정성 어린 노력이 얼마나 대단한지 너무도 잘 알기에 폄하할 수 없는 것이다.

더구나 지금 받은 환단은 다른 환단과는 확연히 달라 청아한 향뿐만 아니라 그 기운 또한 범상치 않아 보였다. 그렇다는 건 자신을 위해 휘연이 특별히 만들었다는 것이 된다. 그 사실에 진충은 가슴 밑바닥까지 차오르는 감동을 느낄 수 있었다.

"이 귀한 걸 받아도 될지······."

"그동안 나리께서 베풀어 주신 은혜에 비하면 오히려 부족합니다. 그러니 부담 갖지 마시고 받아 주십시오."

"그동안 감사했습니다. 살펴 가십시오."

아쉬운 얼굴로 떨어지지 않는 발걸음을 옮기는 진충의 모습이 보이지 않고서야 안으로 들어간 세 사람의 얼굴에 놀라움이 떠오른다. 다른 전각이 어떤 모습인지 모르겠지만, 적어도 이들이 보기에 실내는 지나치게 화려했다.

기둥과 가구는 모두 자단목으로 곳곳에 황금으로 장식돼 있고, 바닥은 말로만 듣던 운남의 대리석이 깔려 있었다. 그뿐인가. 벽에는 명인의 작품인 듯 여겨지는 서화가 걸려 있고, 각종 보석으로 치장된 용도도 불분명한 물품들이 즐비했다.

기품 있는 관상용 자기도 여러 개로, 천장에 박힌 오색으로 빛나는 야광주 또한 그 값어치를 매길 수조차 없었다. 그런 화려한 실내에 놀라 입을 다물지 못하는 세 사람이다.

"후, 아소, 먼저 씻어야겠다."

"아! 예, 바로 준비하겠습니다. 무영아, 너는 짐 정리를 마치고 공자님 옷을 준비해라."

"예!"

보석 하나만으로도 빈민촌 수많은 사람의 끼니를 해결할 수 있을 거라는 생각에 휘연은 가슴이 답답해져 왔다. 본시 나라에 환란이 다가올수록 빈부의 격차 또한 심해지는 걸 휘연도 모르는 바는 아니다.

권불십년(權不十年) 화무십일홍(花無十日紅)이라 했으니, 영원할 것 같은 대륙을 지배하는 황제도 노환만큼 막을 수 없듯이 세월이 흘러 기력이 쇠하면 젊음을 한쪽에 놓아 버리고 조용히 생을 마감할 준비를 할 수밖에 없는 것이다.

하물며 세상을 떨어 울리는 권력이라고 오래가겠는가. 달도 차면 기우는 법이고, 길도 끝은 있기 마련이듯이, 세월이 지나면 영락이 쇠하는 것은 당연한 이치다.

왜 그 간단한 이치를 깨닫지 못하고 파벌을 만들고 탐욕에 물들어 살인을 일삼아 앞다투어 영달을 꾀하는 것인지, 휘연은 씁쓸함을 감출 수가 없었다. 결국, 그 모든 끝은 백성의 고난이고 끝내는 나라의 환란이 되는 것이다.

감히 천제가 내린 벌을 한낱 나약한 인간의 몸으로 막을 수 없다는 것이 순리라는 이름으로 운명 지어졌다면 너무 가혹한 일일지도 모르나, 그 역시 인간인 이상 감내할 수밖에 없다. 왜 그 이치를 모를까.

그런데도 고작 황궁도 아닌 황족의 별궁이 이 정도로 사치스럽다는 사실에 휘연은 답답함을 떨칠 수가 없었다. 그래서인지 휘연은 얼굴 가득 수심으로 그늘져 있었지만, 작게 한숨만을 내쉴 뿐 내색하지는 않았다.

아소가 방 한편에 따로 마련된 욕실로 들어가고 목욕물을 받으며 욕실 한편에 마련된 마른 꽃잎과 은은한 사향을 욕조에 넣는 사이, 무영은 몇 벌 없는 옷 중에서 가장 깨끗한 걸로 준비하고 휘연과 함께 욕실 안으로 들어간다.

따뜻한 온기가 피어오르는 가운데 천천히 옷가지를 벗어 나가는 휘연. 얼마 지나지 않아 조그마한 잡티 하나 없이 하얗고 투명한 피부가 드러나고, 면사까지 벗자 아소도, 무영도 멍하니 그 모습에 눈을 떼지 못하고 있었다.

그동안 수도 없이 봐 온 모습이지만, 어찌 된 일인지 볼 때마다 새로워진 느낌을 지울 수가 없어 매번 감탄을 연발하는 것이다. 그런 두 사람의 시선에 휘연이 갸웃거리다가 이내 욕조 안으로 발을 들여놓으며 가만히 눈을 감는다.

휘연의 머리 위로 조심스럽게 물을 끼얹어 머리부터 정성을 들여 몸을 씻겨 나가는 두 사람의 얼굴에는 형용할 수 없는 뿌듯함이 드러났다. 아무래도 황후 자리에는 자신들의 주인인 휘연이 가장 유력하게 보이는 것이리라.

"그만 됐다."

"예."

몸을 닦고 욕실을 나온 휘연이 초라하지만 깨끗한 의복을 입고 거울 앞에 앉자, 아소가 휘연의 머릿결을 조심스럽게 빗겨 내린다. 그런 휘연의 몸에서 꽃잎 향과 사향이 어우러진 은은한 향기가 퍼져 나오고 있었다.

휘연이 모든 준비를 마치고 사시가 되기를 기다리는 사이, 두 사람도 몸을 씻고 그나마 깨끗한 의복으로 갈아입었다.

그렇게 얼마간 기다렸을까. 밖에서 들리는 인기척에 옷매무새를 다시 한 번 단정히 살피고 세 사람이 방을 나갔다.

시종의 안내에 따라 휘연이 향한 곳은 혜우정(慧優庭)으로, 담 하나를 사이에 두고 여자들만 모인 서정원(抒情院)하고는 달리 남자들만 따로 시험을 보는 곳이었다. 넓은 전각 안, 배정된 자리 사이로 길게 칸막이가 쳐져 있었다.

각자의 자리에는 지필연묵(紙筆硯墨)이 놓여 있었고, 이미 먼저 온 이들은 먹을 갈며 정좌해 있었다. 뒤늦게 들어온 휘연을 의미심장하게 보는 이들이 많았지만, 휘연은 말없이 자신의 이름이 있는 곳에 자리해 앉는다.

그렇게 침묵이 흐른 것도 잠시, 사시를 알리는 소리와 함께 세 명의 문사들의 손에서 주제가 펼쳐지자 여기저기 깊은 한숨 소리가 흘러나왔다. 휘연 또한 간단하게 의복을 정리하고 깊게 심호흡을 하며 가만히 눈을 감는다.

주제는 예절과 의리에 관한 시문(詩文)을 적는 것이고, 다음 날은 이치나 도리를 알아보는 지혜를 시험하게 될 것이다. 또한 그 답안으로 서풍을 채점하고, 다음으로 기예를, 평가하고, 마지막으로 검시를 한다. 그러면 모든 일정이 끝난다.

이미 다른 이들은 바쁘게 손을 놀리고 있었지만, 휘연은 자세를 바로 한 채 울려 퍼지는 조용한 풍경 소리에 귀 기울이며 생각에라도 잠긴 듯 눈을 뜨지 않았다. 그렇게 얼마 후 눈을 뜬 휘연이 차분히 마음을 가라앉히며 천천히 붓을 들어 올렸다.

머릿속에 떠오르는 글귀들을 정리하고 써 내려가기 시작한 지 얼마 지나지 않아 휘연의 붓이 거침없이 종이 위를 질주했다. 마치 막혔던 봇물이 터지듯 붓을 놀리다 보니 어느새 십여 장에 이르는 장문이 펼쳐지고 있었다.

"후우……."

빠르게 움직이던 붓이 한순간 멈추고 휘연은 숨을 길게 내쉬며 붓을 내려놓았다. 하얀 종이 위에는 채 마르지 않은 유려한 서체가 날아갈 듯 멋스러우면서도 안정되어 있고 힘이 넘치는 것이 예사롭지 않음을 드러내고 있었다.

휘연은 흐트러진 게 없는지 주변을 돌아보고 다시 의복을 정리하고야 천천히 정독하기 시작했다. 그런 휘연을 내려다보며 언제 다가왔는지, 시험관인 문사의 얼굴에 놀라움을 넘어선 이채가 떠오르고 있었다.

아직 제대로 판단을 내리기에는 성급한 감이 없진 않았지만, 얼마 써 내려가지 못한 다른 이들과는 달리 휘연의 장문은 서풍을 비롯해 탄식이 절로 새어 나올 정도로 대단하면서도 막힘이 없이 명쾌하고 뚜렷한 문장이었다.

"흠, 서문 공자가 생각하는 군자란 무엇이오?"

"군자는 말 한 마디에도 반드시 충성과 믿음이 있어 남을 원망하지 않으며, 어짊과 의리가 있어 남에게 자랑하는 빛이 없으며, 생각하고 염려하는 것이 이치에 통달하고 밝아 말을 함부로 하지 않으며, 행동을 정성껏 하고 자기를 강하게 만드는 데에 부지런한 사람을 군자라 합니다."

한동안 가만히 휘연을 내려다보던 문사의 입에서 뜻밖의

질문이 나옴에도 휘연은 긴장하지 않고 망설임 없이 답했다. 휘연의 청량한 목소리가 조용히 혜우정에 울려 퍼지고 일제히 놀라움을 담은 시선이 몰렸다.

그럼에도 휘연의 눈동자는 차분히 가라앉아 있었고 목소리 또한 지극히 담담했다. 답하는 휘연을 보며 문사는 고개를 크게 끄덕였다. 그리고 질문이 이어질수록 막힘이 없는 모습에 과연 서문세가라는 이름을 떠올리며 감탄하고 있었다.

"현인(賢人)은 무엇이오?"

"어진 사람은 덕이 법을 넘어서지 않고, 행동을 척도에 맞게 하며, 말을 천하의 법이 되게 하므로 몸에 손상을 입지 않으며, 백성들에게 덕행으로 감화시킵니다. 또한, 부에 대해서는 천하에 재물을 쌓아 놓는 일이 없고, 남에게 재물을 줌에 이르러서는 천하에 가난함을 걱정하는 일이 없으니 이러한 사람을 어진 현인이라 합니다."

"그럼, 성인(聖人)은 어떤 사람이오?"

"성인이란 덕이 천지 사이에 합하고, 변하고 통달함의 방향이 없으며, 만 가지 일의 처음과 끝을 깊이 연구하며, 큰 도를 펴서 개인의 정성을 이루어 줍니다. 밝기는 해와 달 같고 교화는 신인 듯하며, 백성은 그의 덕을 알지 못하고 대해서 보는 사람도 그가 이웃에 있는 줄 모르니, 이런 사람을 일러 성인이라고 합니다."

그렇게 시작된 질문은 마치 서로의 학문을 논하는 것같이 끝이 없었다. 그 바람에 다른 이들까지 자리를 뜰 수가 없었고, 경쟁자인 휘연을 보는 시선에 냉기가 흘렀지만 문사들도, 휘연도 딱히 내색하지는 않았다.

결국, 오시를 훌쩍 넘어 자리를 파하고 문사들이 돌아가자 그제야 자리를 정리하고 일어나는 휘연을 향해 좀 전보다 더 한 살기 어린 시선들이 살갗을 뚫을 듯 쏟아지고 있었지만, 대놓고 시비를 거는 이들은 없었다.

그나마 다행인지 불행인지 후보들끼리 말을 섞거나 왕래를 해서는 안 된다는 엄격한 규율 때문이었지만, 내심 긴장했는지 알게 모르게 안도하는 자신의 모습에 휘연은 쓴웃음을 흘렸다.

"공자님! 끝난 것입니까?"

"그래. 그만 처소로 가자."

휘연이 혜우정을 나오자 두 사람이 반색을 하며 가까이 다가왔다. 그런 두 사람의 모습에 휘연이 비로소 미소를 떠올렸지만, 그것도 잠시 곧 따가울 만큼 따라붙는 시선을 느끼고 얼굴을 굳힐 수밖에 없었다.

문득 돌아본 휘연의 눈에 열댓 명의 소년들이 보였다. 지나치게 화려함을 뽐내고 있었지만, 두 눈에는 확연한 경멸을 담고 비웃음이 역력한 웃음소리가 흘러나옴에 결국 한숨을 내쉬고 발길을 돌려야 했다.

그들이 보기에는 휘연도, 시종이라고 데리고 있는 두 사람도 초라하게 보이기는 매한가지로 그런 존재가 자신들보다 더 월등히 뛰어나다는 사실에 자존심이 상한 것이다. 무엇보다 서문세가라는 이름 자체가 그들로서는 거슬릴 수밖에 없었다.

"안에서 무슨 일이 있었습니까?"

"보나 마나 뻔하잖아요. 우리를 무시하는 겁니다."

"괜한 데 신경 쓰지 마라."

처소로 돌아오는 길에 한동안 무거운 침묵이 흘렀지만, 그들의 차가운 시선을 두 사람이 알아차리지 못할 정도로 어리숙하지는 않았다. 그럼에도 휘연은 굳이 내색하지 않고 부드러운 미소를 지우지도 않았다.

어린 나이이지만 외관 때문에 업신여김을 당한다는 사실에 자존심도 상할 것이기에 걱정스럽게 넌지시 묻는 아소나 분한 듯 투덜거리는 무영을 보는 휘연의 얼굴에도 어느덧 웃음 대신 착잡한 그늘이 지고 있었다.

❖

연환궁은 조용하면서도 묘한 흥분이 가시지 않은 가운데 시험이 시작된 지 닷새째 접어들면서 사단을 비롯해 기예와 서풍을 알아보는 시험까지 끝이 나고, 혼전 신체검사만 앞두고 있었다.

혼전 신체검사 또한 황후부터 황비, 후궁를 모시는 내관과 황제부터 황태자, 황자들을 모시는 시관으로 구분한다. 다만, 황후와 정식 황비만은 성별을 구분해 내관과 시관 소속으로 포함되지만, 엄연히 따지면 개인 시종이라 할 수 있었다.

제일 먼저 검사 항목으로는 배꼽의 깊이를 검시하고, 골격과 어깨의 넓이와 두께, 허리둘레와 엉덩이의 탄력성, 피부색, 키와 열 손가락의 길이, 발바닥이 평발인지 아닌지와 발가락의 색깔, 마지막으로 처녀인지 아닌지를 검사한다.

또한 상술과목(詳述課目)에 이상 없음을 확인한 후 오관을 보고, 머리카락의 밀도와 색깔, 귀, 치아, 혀, 눈, 눈썹을 조사한 후 마지막으로 목소리를 낸 음성과 발음이 어떤지 판단한다. 이것이 황후 후보자 혼전 신체검사이다.

그리고 그 모든 것에는 성별 구분이 없었다. 황후 후보자는 반드시 검시관 앞에서 실오라기 하나 걸치지 않은 몸이어야 했다.

그 후에야 검시관이 자신의 코로 신체 곳곳의 냄새를 맡아 악취나 비염이 있는지 없는지를 검사하는 것이다.

다만 여자들은 가슴을 검사하며 유방 속에 종기가 있는지 없는지, 음부의 모양, 음모의 부드러움과 뻣뻣함을 관찰하고, 남자들은 항문의 청결과 성기의 크기와 색, 길이, 역시 음모의 부드러움과 뻣뻣함을 관찰한다.

또한, 미색을 빼놓을 수 없었으니 머리카락은 까마귀처럼 검고 윤기가 흘러야 하며, 눈썹은 가늘고 길되 짙고 푸른빛을 띠어야 하며 눈동자는 맑고 또렷한 색감이 돌아야 한다.

이외에도 입술은 붉어 윤택함이 흘러야 하고, 치아는 가지런하고 희어야 하며, 목은 가늘고 길되 주름이 없어야 하고, 손가락은 옥처럼 깨끗하고 길어 붉어진 마디가 없어야 한다.

그뿐만 아니라 허리는 가늘어야 하고, 피부는 깨끗하며 희어야 하되 피부에서 발산되는 향기를 기향패훈(肌香佩薰) 등으로 구분하였다. 하지만 대부분 향낭을 사용함으로 피부 고유의 향기를 알기란 쉬운 일이 아니었다.

말 그대로 미인의 조건이란 신체가 건강한 것뿐만 아니라 붉은 입술에 이가 가지런하고 희어야 하며, 옥 같은 손가락에 허리가 잘록하고 피부가 눈처럼 희어야 하며 피부에 은은한 향기가 서려야 한다는 말이다.

그 모든 조건을 갖춘 미인을 찾아내기란 어려운 일이나 이곳 연환궁에 있는 황후 후보자들은 이러한 기준에 가장 가까이 근접하고 있었다. 현재 연환궁 내에 있는 남자 후보들이 열여섯 명, 여자 후보들이 스물네 명이다.

하나같이 미색이 뛰어나고 어릴 때부터 철저한 교육 아래 기예와 격식, 기품을 고루 갖춘 재자, 재녀로 아직 채 꽃을 피우지 않은 어린 소년과 소녀인 만큼 앞으로의 무한한 가능성 또한 갖춘 것이다.

무엇보다 모두 나라의 녹을 받는 고관대작이나 명망 높은 문관, 무관의 자녀나 일가친척이 대부분이고, 그 외에도 비록 신분은 미천하나 세력 판도를 좌지우지하는 세력가의 집안이 주를 이루었다.

하나같이 황후로 간택되기를 바라는 마음이지만, 굳이 황후가 아니어도 황비나 후궁으로만 선택되어도 그 집안의 앞날은 풀리는 것이다.

거기다 황태자나 황자를 보게 되면 금상첨화라 할 수 있었다. 그러니 신탁이야 인간의 의지로 할 수 없는 일이니 젖혀두더라도, 초간택과 재간택에서 상당한 어려움이 따른다.

일단 재간택까지 올라온 후보는 상당한 힘을 갖추었다는 걸 의미함으로 선택되고 아니고에 따라 뒤탈 또한 있기 마련이기 때문이다.

"그럼, 이 정도로 하고, 서문 공자가 남았군. 자네들이 판단하기에는 어떤가?"

"판단하고 말고 있겠습니까? 이미 보셨다시피 서문 공자의 총명함을 따를 사람이 없었습니다."

"어디 그뿐입니까? 서풍을 보십시오. 기개가 넘치고 타고난 성품이 정대하며 어짊과 덕을 고루 갖추었습니다."

"그렇습니다. 비록 어린 나이지만, 오히려 우리가 배울 것이 많았습니다."

시험이 모두 끝나고 문사들의 수장인 태사(太史) 부장환을 비롯해 여섯 명의 문사가 빙 둘러앉은 채 논의를 벌인 지 세 시진이 넘어섰다. 그동안 시험을 본 결과를 놓고 후보들을 평가하고, 각자 거기에 맞게 채점을 마친 것이다.

다만 재간택에 따른 뒤탈이 걱정돼 섣불리 판단하지 못하는 것이다. 그나마 오늘 중으로 모든 결정을 내려야 하기에 그중에서 가장 뒤떨어진다거나 세력이 가장 약한 곳을 쳐 내기로 결정을 내렸지만, 심신이 편할 여유가 없었다.

무엇보다 가장 문제가 되는 건 당연 휘연이다. 명망 높기로 따지자면 서문세가를 최고로 친다고 해도 무방하지만, 지금 다른 쟁쟁한 후보들과 비교하자면 가장 세력이 없고 볼품이 없는 집안인 것이다.

하지만 휘연의 문제가 나오자 문사들의 얼굴에 묘한 흥분이 어리고, 저마다 앞다투어 늘어놓는 말은 칭찬 일색이다. 그만큼 휘연은 다른 후보들과 비교 자체가 무색할 정도로 모든 면에서 뛰어남을 보여 주었다.

그동안 시험이 끝나면 한 시진에서 두 시진 가까이 시험과 상관없이 휘연과 학문을 논하고, 그때마다 감탄을 연발했던 문사들로서는 당연한 일이었지만, 문제는 휘연을 선택하게 되면 다른 후보 한 명을 떨쳐 내야 한다는 것이다.

그리고 현재 최종까지 생각해 놓은 후보 중에서 누구 하나를 골라낸다는 건 더 난감한 일이 아닐 수 없었다. 만약, 이 일로 꼬투리를 잡힌다면 그나마 버티던 벼슬자리에서 쫓겨나는 것뿐만 아니라 더한 보복이 따를 수도 있기 때문이다.

"흠, 다들 이미 마음을 굳힌 것 같군."

"혹 뒤탈을 걱정하십니까?"

"쯧쯧, 어쩌다 이 나라가 세도가들 뒤치다꺼리나 하게 된 것인지."

"그러게 말입니다. 무력으로 할 게 따로 있지. 언제까지 우리 문사들이 이런 취급이나 받아야 하는 겁니까?"

"말해 뭐하나. 힘이 없는 게 죄지."

문사들의 거침없는 말에 공감하면서도 부장환은 난감함을 감추지 못했다. 차라리 휘연에게 단점이 있다거나 월등히 뛰어나지 않았다면 모를까. 뒷받침해 주는 세력이 없다 뿐이지 여러모로 황후의 자리에 가장 적합한 인물이다.

그렇다고 다른 세도가를 무시하고 무턱대고 뽑을 수도 없고, 내치자니 그 뛰어남이 마음이 걸려 선뜻 결정을 내리지 못했다. 더구나 어제 다른 눈을 피해 찾아온 한 인물 때문에 그 결정에 더욱 고민을 거듭할 수밖에 없었다.

"태사께서 마음을 굳히십시오. 누가 뭐래도 우리는 학문을 닦는 학자가 아닙니까? 비록 이 지경에 이르렀다고 하나 눈에 훤히 보이는 것을 못 본 척할 수는 없습니다."

"그들이 우리를 내버려둘 것 같은가? 또다시 한바탕 피바람이 불 것이네."

"후, 그래도 할 수 없습니다. 따지고 보면 우리 모두 서문세가의 가르침을 받은 것이나 마찬가지 아닙니까? 헌데 은(恩)을 원(怨)으로 돌릴 수는 없습니다."

"맞습니다! 만약 이 일로 우리를 핍박하면, 차라리 이참에 우리도 일치단결(一致團結)해서 뜻을 확고히 밝히는 게 좋습니다."

과거 서문세가의 선조는 학문을 닦고 그 길을 열어 줌으로 수많은 학자의 귀감이 되었다. 결국, 그 뿌리를 거슬러 올라가자면 서문세가로 귀결된다는 것이다. 다만 과거 서문세가가 역모에 휘말렸을 때, 그에 반하는 수많은 학자도 같이 죽임을 당하거나 자리에서 쫓겨나 낙향을 해야 했다.

그럼에도 서문세가에 대한 경계심은 줄어들지 않았고, 학사들의 반발 또한 거세졌다. 이는 서문세가에 대한 학자들의 절대적인 믿음이 뒷받침된 결과였다.

하지만 힘이 없는 결과는 비참하기만 했으니, 결국은 그 일로 인해 또 한 번 학자들이 대거 참수를 당한 일이 벌어졌었다. 그때부터 서문세가는 명맥만 이어 가는 반면 학자들은 힘을 잃고 고개를 숙여야 했다.

비록 황제와 황태자의 교육을 담당하며 황제에게 간하고 정치의 득실을 논하지만, 지금은 황제의 개인고문이나 마찬가지인 대학사만 봐도 그 예를 충분히 알 수 있을 만큼 과거의 힘을 모두 잃은 것이다.

그 외에도 문관들의 수장 격인 태사, 시독문사(侍讀文士), 시강학사(侍講學士)의 품계를 받고 벼슬자리에 오른다고 해도 과거만큼 발언권이 없으며, 오로지 세도가들의 눈치를 살피며 무시 아래 목숨을 연명해야만 했다.

설사 문관 출신으로 그 힘을 갖추고 있다 한들 이미 세력의 단맛을 아는 이들은 순수한 학자로 보기도 어려웠다. 그리고 지금 수나라에 남은 순수한 학자의 길을 걷는 이들은 손으로 꼽을 정도로 그 수가 적었다.

"자자, 일단 진정하시고, 달리 생각해 보십시다. 이대로 서문 공자가 황궁으로 들어가면 그다음엔 뻔하지 않소이까? 천제께서 서문 공자를 택하시든 아니시든 서문 공자는 두 번다시 황궁 밖을 나오지 못하게 됩니다. 황태자 전하께서 남색을 하신다면 모를까, 그분 성정에 돌아보지 않을 건 뻔하지 않습니까? 허면, 아까운 인재가 그대로 신궁에서 썩게 된단 말입니다. 뭐 물론 나올 수 있는 방법이 전혀 없는 건 아닙니다만. 그 방법이라는 게 아시다시피 결코 바람직한 삶은 아니지요. 그런 삶을 서문 공자가 견딜 수 있겠습니까?"

"하면, 어쩌자는 것이오?"

"제 생각에는 차라리 여기서 떨어져 학문의 길을 가게 하는 것이 옳을 수도 있다는 말입니다."

"호오! 그리되면 핍박에서도 벗어나고 두 가지 이득을 얻겠군요."

"그렇군요. 그게 좋겠습니다."

한 중년 문사의 차분하면서도 일리 있는 발언에 반색하며 맞장구를 치는 문사들을 보며 오히려 부장환은 더욱 근심스러운 얼굴을 찌푸렸다. 그동안을 짚어 보면 남자 황후가 아홉 명이 나왔고, 여자 황후가 열 명이 나왔다.

남색을 권하지 않는 수나라가 왜 남녀 구분 없이 황후를 뽑는지는 아직 뚜렷이 알려지지 않았지만, 지금껏 성별 구분 없이 최고의 인재를 뽑아 후보로 올렸고, 그 마지막 선택이 천제가 내린 신탁이다.

하지만 아무리 천제가 택한 황후라도, 본시 남색을 하지 않았던 황제는 그런 황후를 경시하는 건 당연한 결과. 그중 경시가 심해 경멸까지 당했던 경우는 천제가 선택한 황후를 내치거나 죽음으로 몰아가기도 했었다.

그런 일이 다섯 번이나 있었고, 그 결과는 모두 한 해를 넘기지 못하고 괴사를 당하거나 습격을 받아 어이없는 죽음을 맞았다. 더구나 그런 일이 있을 때마다 나라에 재난이 있거나 원인을 알 수 없는 돌림병이 창궐한 것이다.

그 이후로도 세 명의 남자 황후가 나왔지만, 그때부터는 경멸할망정 내치거나 죽음을 내리지는 않았다. 다만 이름뿐인 황후로 조금의 권한도 없는, 유명무실(有名無實)한 존재로 황후궁 안에서만 생활하는 것이다.

무엇보다 다음 대 황제의 자리에 오를 황태자의 성정은 지금까지와는 비교도 안 된다는 것이 문제였다. 남색을 경멸할 뿐만 아니라 자신에게 반하는 인물은 지위고하를 막론하고 중벌로 다스릴 만큼 잔인하다는 점이다.

그러니 남자 황후를 받아들인다면 뒷일은 불 보듯 뻔한 일이었다. 여자들의 경우는 황태자의 선택에 황비와 후궁으로 뽑혀 나갈 수 있다지만, 남자들의 경우는 신궁에서 제를 지내며 평생을 보내야만 한다.

다만 신궁을 벗어날 기회는 황태자의 선택이 끝난 후 황자들이 직접 원하는 인물을 지정해 황제에게 고해 자신의 배필이나 첩으로 데려가는 경우도 종종 있었지만, 그것도 지금껏 여자들의 경우이지 남자들은 해당 사항이 없었다.

그나마 그렇게만 된다면 그래도 괜찮을 것이다. 문제는 더 최악이 남아 있다. 간혹 황제의 윤허로 성적인 대상으로 팔려 갈 때가 있기 때문이다. 그도 아니면 각자의 집안에서 빼돌려 권력에 이용하는 미끼로 사용된다.

그만큼 남자 후보들에게는 제아무리 미색이 빼어나고 그 재주가 높다고 한들 고난의 길이 펼쳐지는 것이나 마찬가지였지만, 집안의 세력을 더 높여 이보다 더 번창하기 위해서는 그 고난을 자초할 수밖에 없는 것이다.

"흠, 그럴 수는 없게 됐네."

"예? 아니 왜 그러십니까?"

"어제 황후궁에서 사람이 다녀갔네."

"황후궁에서요? 황후께서는 지금껏 앞으로 나선 적이 없으셨는데 갑자기 왜?"

부장환은 어젯밤 늦게 찾아온 손님을 떠올리고 다시 한 번 눈살을 찌푸렸다. 소리 소문도 없이 찾아온 인물은 명목상으로는 황후궁의 내관이지만, 엄연히 따지면 황후의 개인 시녀이자 호위 무사나 마찬가지였다.

다만 이해가 가지 않는 것은 황후의 의중이다. 지금까지 신탁을 받은 여황후들은 백이면 백 황태자를 낳았고, 그에 따라 휘두른 권력 또한 막강했다.

어떻게 보면 신탁을 받은 신녀라고는 전혀 생각지도 못하는, 세속에 물든 모습이었다. 하지만 지금의 소회황후는 달랐다.

자신에게 막강한 권력이 있음에도 전혀 그 힘을 사용하지 않았으며 성품은 차가운 면이 있으나 냉철하지 않아 부족함이 없었고, 태도나 행동 또한 조신했다. 부장환이 이해를 하지 못하는 것도 그것이다.

지금껏 단 한 번도 외척을 이용해 정세에 영향을 끼치거나 외부로 자신을 노출한 적이 없는 소회황후가 왜 굳이 비밀리에 사람을 이곳까지 보냈느냐는 것이다.

게다가 다른 후보들은 젖혀 두고 서문휘연에 관해서만 물었다. 마치 휘연에 대한 모든 것을 알고 묻는 듯한 태도를 보인 것이다.

일단 후보들에 관해서는 마음만 먹으면 못 알아낼 것도 없었지만, 부장환은 그 이상의 무엇이 있는 것 같은 느낌을 지울 수가 없었다.

"나도 모르겠네. 단지 서문 공자에 대한 평가만 듣고 갔네."

"가타부타 말도 없이요?"

"이거 황후께서 무슨 생각이신지 모르겠군. 서문 공자를 채택하라는 것인지 말라는 것인지."

"그러니 고민하는 것이야. 그 깊이나 재주가 남다르니 황궁에 들여보내 그 대를 끊는 게 한탄스럽고, 그렇다고 여기서 내치기에는 마음이 내키지 않으니 문제 아닌가. 허! 거참, 이 일을 어쩌면 좋단 말인가."

부장환이 중얼거리다가 끝내 낮게 혀를 차는 소리에 문사들의 얼굴도 한껏 일그러졌다. 자신들이 판단하기에는 서문휘연을 이대로 내쳐 학문을 닦게 하는 게 가장 좋을 듯했지만, 난데없이 황후가 끼어듦으로 해서 착오가 생긴 것이다.

황후의 의도가 무엇이든 이미 휘연에 관해 이야기를 듣고 간 이상 이대로 내칠 수도 없었고, 결국 아쉬운 마음에 한숨만이 흘러나왔다. 그렇게 시험관들이 고민을 거듭하고 있을 때 연환궁 곳곳에도 심상찮은 기운이 흐르고 있었다.

"쯧, 물러가라."

연환궁 내에서도 가장 넓고 화려함을 자랑하는 청조각(淸操閣). 홀로 방 안에 앉아 찻잔을 입으로 가져가며 우화(藕花)가 새겨진 면사를 살짝 걷어 내는 소녀의 미간이 어느 순간 작게 꿈틀거리며 찌푸려졌다.

방문이 열리는 기척도 없이 온통 흑의로 몸을 두른 한 사람이 연기처럼 모습을 드러냈기 때문이다. 그리고 잠시 노려보던 눈을 돌리며 혀를 차는 그녀의 말에 순식간에 흑의인의 모습은 사라지고 없었다.

굳이 듣지 않아도 말이 없다는 것은 일이 실패로 돌아갔다는 걸 의미하기에 그녀는 쓸데없는 것에 기운을 빼지 않은 것이다. 무엇보다 이곳 연환궁 사정을 알고 있었기에 기대를 하지 않았다는 게 맞았다.

그녀가 시킨 일은 다른 후보들의 동태를 살피는 것이지만, 이미 그것은 지난 며칠간에 걸쳐 모두 끝낸 일이다. 다만 제일 골치 아프다고 여기는 한 군데만을 해결하지 못했고, 그 한 군데가 휘연이 머무르는 해운각이었다.

연환궁은 후보들 간의 왕래를 막기 위해 전각 사이에는 경비대가 길을 막아서고 있었지만, 마음만 먹는다면 침투하지 못할 정도도 아니었다. 다만 다른 전각과는 달리 멀리 동떨어진 해운각만은 경우가 달랐다.

해운각으로 향하는 길은 하나로, 경비대를 피해 몸을 은신할 곳조차 없다는 것이다. 그걸 알면서도 그녀는 무작정 손을 놓고 있기가 왠지 모르게 불안했다. 그동안 휘연이 보였다는 뛰어난 재능 때문이다.

내심 자신이 가장 뛰어나다 생각하고 있었는데, 휘연의 다재다능(多才多能)함이 그녀를 자극한 것이다. 그리고 그 사실을 그녀는 도저히 인정할 수 없었다.

"흠, 지금은 지켜볼 수밖에 없겠군."

❖

"머리 장식도 떼어 주시고, 옷을 모두 벗어 주십시오."

늙은 내관의 말에 소녀의 미간이 살포시 찌푸려졌지만, 옷
가지를 벗는 움직임에는 결코 망설임이 없었다. 옷자락 스치
는 소리에 차츰 겹겹이 입은 화려한 옷가지가 떨어져 나가
고, 얼마 지나지 않아 새하얀 나신이 드러났다.

마지막으로 얼굴을 가린 면사까지 떨어져 나가자 소녀를
보는 내관의 얼굴에 놀라움이 떠오르고 있었다. 성숙한 여인
이라고 하기에는 무언가가 모자란, 하지만 그 자체만으로도
시선을 떼지 못하게 만드는 아름다움이 있었다.

길게 늘어트린 검은 머릿결은 윤기가 흘렀고, 은은한 향을
품은 피부는 희고 빛이 났으며, 가슴을 지나 탄력 있는 엉덩
이까지 전체적인 곡선은 채 여물지 않은 어린 나이임에도 불
구하고 유려함을 드러냈다.

앞으로 얼마나 더 아름다워질지 충분히 예상할 수 있을 만
큼 소녀의 외모는 미인의 조건에 완벽하게 부합하고 있었다.

바로 이 소녀가 현 수나라 최고의 권력을 가진 승상(丞相)
유창운의 손녀 유자운이었다.

"누워 주십시오."

자운이 침상에 반듯하게 눕자 내관의 손이 조심스럽게 자
운의 온몸을 훑어 내리며 목을 지나 뼈대와 어깨, 유방, 배꼽
의 깊이, 허리둘레와 엉덩이의 탄력성을 관찰하고, 열 손가
락부터 발가락, 발바닥의 모양새까지 꼼꼼하게 살핀다.

피부색부터 작은 점이나 상처가 있는지, 머릿결의 감도와
눈동자에 탁기가 있는지, 치아가 하얗고 혀가 붉으며 깨끗한

지, 목이 가늘고 길게 **뻗었는지**를 검사하고, 조심스럽게 다시 머릿결부터 몸 구석구석의 냄새를 맡아 간다.

그렇게 한참 동안 자운의 몸을 살피던 내관이 자운의 두 다리를 세워 벌리고, 훤히 드러난 음부의 모양과 음모를 관찰한 후 허벅지 안쪽과 손목 안쪽에 있는 처녀의 상징인 수궁사(守宮砂)를 확인하고야 반 시진에 걸친 검시가 모두 끝났다.

"끝났는가?"

"예."

"흠, 고생했네. 받게나."

"감사합니다."

자리에서 일어난 자운의 손에는 어느새 제법 큼지막한 비단 주머니가 들려 있었다. 주머니 입구에서 휘황찬란한 빛이 발하자 늙은 내관은 눈을 번들거리며 사양하는 기색도 없이 받아 들었다.

수고비를 준다는 것은 검시를 기록할 내관에 의해 채점의 방향이 바뀐다는 것을 의미하고, 주머니를 받음으로 유자운은 완벽한 미인의 조건을 갖춘 최고의 점수를 받을 것은 자명한 일이었다. 그리고 같은 일이 한 곳을 빼고는 모두 벌어지고 있었다.

"검시를 시작하겠습니다. 옷을 벗어 주십시오."

술시를 앞두고 시관이 마지막 검시를 위해 휘연의 처소를 찾았다. 진시부터 시작된 검시였기에 늙은 시관으로서는 이만저만 힘든 일이 아니었지만, 오늘만큼은 두둑이 챙긴 부수

입으로 인해 발걸음은 한층 더 가벼웠다.

하지만 마지막 기대를 품고 휘연을 찾은 시관의 얼굴은 찌푸려져 펴질 줄을 몰랐다. 그만큼 다른 후보들과는 천양지차로 휘연의 행색은 볼품이 없었기 때문이다.

휘연 또한 그동안 진충에게 들은 이야기가 있어 짐작은 하고 있었지만, 결코 내색하지는 않았다. 그리고 늙은 시관의 깊게 주름진 미간이 풀리는 건 그렇게 오래 걸리지 않았다.

휘연이 자리에서 일어나 천천히 옷가지를 벗어 가자 한동안 방 안에는 옷자락 스치는 소리만이 들려오고, 곧 드러난 눈부신 나신은 어색한 침묵을 말끔히 해결한 것이다.

"흡!"

옷을 모두 벗고 마지막으로 휘연의 얼굴을 가린 면사가 나풀거리며 떨어졌다. 그 순간 다급하게 헛숨을 들이켜는 시관의 눈동자에 놀라움을 넘어 경악이 어리고 있었다.

어떻게 이런 압도적인 아름다움을 발할 수 있는지. 과연 사내의 몸이 맞는지 뻔히 눈으로 확인하면서도 도저히 믿기지 않는 것이다. 그만큼 휘연의 모습은 늙은 시관이 감당하기에는 충격이었다.

"시작하세요."

"예? 아! 그, 그럼, 시작……하겠습니다."

멍하니 굳은 시관을 가만히 응시하며 휘연이 붉은 입술을 열었다. 맑고 청아한 목소리가 울려 퍼지고 시관의 심장이 또다시 거칠게 요동치고 있었다.

비록 짧은 한마디에 불과했지만, 마치 옥음이 구르는 것 같은 청량하고 차분한 목소리는 심장을 주체할 수 없이 떨리게 하기에 충분한 것이었다.

"그, 그동안…… 특별히 병치레한 적이 있습니까?"

"없습니다."

시관의 침 삼키는 소리가 유독 크게 들리고, 침상에 반듯하게 누운 휘연의 곁으로 가까이 다가가면서 굳이 묻지 않아도 될 말을 물었다.

몇 번이나 가슴을 쓸어내리며 심장을 진정시키려 해도 좀처럼 진정이 되지 않는 것이다. 무엇보다 휘연의 청량한 목소리를 다시 듣고 싶었다.

지금껏 황후 후보자들을 수도 없이 검시했지만, 이런 적이 단 한 번도 없었다. 더구나 남자의 기능을 상실한 시관이 아닌가. 그런데도 이렇게나 동요하는 자신이 이해가 가지 않았다.

하지만 이내 휘연을 내려다보며 당연한 것이라 수긍할 수밖에 없었다. 그만큼 휘연은 지금까지 그 어떤 후보들보다 아름다웠다. 결국, 눈을 질끈 감았다가 뜨고 몇 번에 걸쳐 심호흡하고야 하얀 나신을 찬찬히 훑어 내려간다.

하얗다 못해 투명한 빛을 발하는 피부는 미세한 점 하나 없이 깨끗했고, 아직 채 자라지 않은 소년의 몸이기는 하나 골격 자체는 여자의 뼈대처럼 왜소했다. 여기서 더 자란다고 해도 어깨가 벌어지거나 근육이 생기지는 않을 것이다.

그 사실에 자신도 모르게 고개를 끄덕이며 안도하던 시관이 천천히 떨리는 손을 들어 길고 곧게 뻗은 목을 쓰다듬고, 어깨와 팔, 가슴을 지나 배꼽의 모양, 허리둘레와 허벅지, 발가락에 이르기까지 만지작거리며 쓸어내리듯 이동한다.

"훗! 무, 무슨……!"

"크, 크기와 길……이를…… 봐야 합니다."

몸을 더듬어 가는 손이 떨어져 나감에 안도하던 것도 잠시, 난데없이 음모를 쓰다듬으며 중심을 잡아 오는 손길에 휘연은 크게 당황했다.

그 바람에 미처 감추지 못한 신음이 터져 나왔고, 그 소리에 시관 또한 적잖이 당황할 수밖에 없었다. 더듬거리며 설명하는 시관의 말에 휘연은 어쩔 수 없이 긴장을 풀려고 했지만, 그게 말처럼 쉽지가 않았다.

그동안 자신조차도 손 한 번 대지 않았던 은밀한 곳에 다른 사람의 손길이 탄다는 사실에 난감하면서도 수치스러운 것이다. 하지만 이것은 분명한 검시 항목에 포함되어 있다.

여자 후보들은 음부의 모양새를 세심히 살피지만, 남자 후보들은 크기와 색, 길이를 반드시 검시해야만 했다. 그리고 두께는 중요하게 여기지 않은 반면 색이나 길이만큼은 중요시했다.

그 이유는 색상과 끝 모양에 따라 처음을 따지고, 혹시 모를 일을 미연에 방지하자는 의미겠지만 온전히 제 모습을 갖추었을 때 어른 장지 길이보다 넘어서면 거세는 아니어도 그 길이만큼은 잘라 내는 시술을 받아야만 했던 것이다.

그리고 지금까지 그 시술이 단 한 번도 이루어지지 않았다. 그도 그럴 것이 지금껏 후보들은 어린 소년들이었고, 황태자의 나이에 따라 황후 후보로 내정된 이들은 어릴 때부터 철저한 교육 아래 몸의 변화 또한 만들어 간다.

그 변화의 주체는 골격의 성장을 늦추고, 양기보다 음기를 보하게 함으로 차츰 성장을 이뤄 감에도 일반 남자들하고는 달리 큰 변화를 주지 않는 것이다. 다만 휘연의 경우는 특별한 변화를 주지 않았음에도 타고난 신체 조건을 가지고 있었다.

일어선 성기는 장지를 넘어서지 않았고, 색상은 피부색과 같이 옅고 투명했으며 끝은 감싸듯 덮여 있었다. 중심을 감싸고 있는 음모는 부드러우면서 가지런했으며 아직 채 자라지 않아 그 양이 작은 것이 그러했다.

"웃……."

시관의 떨리지만 능숙한 손길에 처음으로 중심이 일어서고 휘연은 차마 견디지 못하겠다는 듯 눈을 질끈 감았다. 얼굴은 붉게 물들어 있고 미간은 살포시 찌푸려져 있었지만, 그 모습에 시관은 몇 번이고 손을 놓쳐야 했다.

그렇게 힘겹게 길이와 모양새까지 확인하고야 손이 떨어져 나감에 다시 안도했지만, 그것도 잠시 곧 흘러나오는 시관의 말에 휘연의 얼굴뿐 아니라, 점차 목까지 붉게 물들어 갔다.

"후우, 엎드려 무릎을 세워 주십시오."

어느 정도 각오는 했지만, 이렇게까지 당황스러울 줄이야. 그렇다고 거부할 수도 없음에 휘연이 입술을 살짝 깨물어 심호흡을 하고 천천히 엎드려 무릎을 세웠다.

그 덕분에 하얗고 탐스러운 엉덩이가 시관의 얼굴 앞에 드러나고 계곡 사이의 움찔거리는 작은 비문(秘門)까지 확연히 드러났다.

그 순간 마른침을 삼키는 소리가 좀 전보다 더 크게 들려왔지만, 휘연은 차마 부끄러움에 얼굴조차 들 수가 없었다. 하지만 시관으로서도 놀랄 수밖에 없었다.

본시 비문 주변으로는 조금쯤은 색이 변하기 마련이다. 그런데도 작은 음모조차 없는 잔주름으로 둘러싸인 비문은 색의 변화도 거의 없었으며 무엇보다 지나치게 깨끗했다.

찰나의 침묵이 흐르고 다시 한 번 침을 삼키며 천천히 손가락이 비문의 주름을 쓰다듬다가 이내 그곳에 코를 박고 냄새를 맡았다.

움찔 떨리는 휘연의 몸을 알았지만, 여기서 멈출 수는 없었다. 한참 냄새를 맡던 시관이 장지를 펴 천천히 비문 안으로 밀어 넣는다.

익숙하지 않은 고통에 짧은 신음성을 흘리는 휘연의 얼굴이 고통에 찌푸려져 있었다. 마치 길게만 느껴지는 시간이었지만, 실제는 조심스럽게 들어간 장지가 완전히 파고드는 시간은 얼마 걸리지 않았다.

들어갈 때와 마찬가지로 천천히 나오는 장지에 이물질이 묻었는지를 확인하고 다시 냄새를 맡아 본다. 비문 안을 들어갔다 나온 손가락은 깨끗했고, 냄새 또한 은은한 사향만을 풍겼다.

그 모든 게 끝이 나고 마지막으로 머리카락, 오관까지 확인하고야 다른 후보들보다 반 시진이 더 걸린 검시가 끝났다.

"저, 저기…… 물러……가겠습니다."

"……수고했습니다."

평소 같으면 얼굴을 마주하고 인사를 끝냈겠지만, 지금 휘연은 수치스럽고 당황해 그런 것을 생각할 여유가 없었다. 시관 또한 당황스럽기는 매한가지로 자신이 수고비를 받지 않았다는 걸 인지하지도 못한 채 허둥지둥 나오고 있었다.

아소와 무영의 인사도 받는 둥 마는 둥 허겁지겁 해운각을 벗어나던 시관이 발걸음을 멈춘 것은 한참이나 달려가고 나서였다. 숨을 헐떡이며 무심코 뒤돌아본 시관의 얼굴에 아쉬움이 스치고 굳은 듯 발걸음은 쉽게 떨어지지 않았다.

"하아, 도저히 믿을 수가 없구나."

일곱 살 어린 나이로 황궁에 들어와 경국지색이라 칭할 만한 미색을 수도 없이 봐 왔던 자신이다. 본시 빼어난 재자가인(才子佳人)들이 황후 후보로 올라오다 보니 당연한 일이겠지만, 그 일을 자신은 몇 십 년을 해 온 것이다.

그럼에도 이렇게까지 마음이 사정없이 흔들린 건 맹세코 처음이었다. 그것도 여인이 아닌 사내의 몸이라는 사실에 시관은 도저히 믿기지가 않았다. 하물며 맑고 청량한 옥음이라니.

단순한 미성이 아니었다. 묘한 울림이 있는 목소리는 그 청량함만으로도 심신을 편케 했고 부드러움 속에는 거스를 수 없는 기품이 배어 있었다.

목소리에도 아름다움이 있다면 그보다 완벽하지는 않을 거라는 생각에 시관의 입에서 나직한 탄식이 쏟아져 나왔다. 그와 동시에 또다시 머릿속에 떠오르는 휘연의 모습에 자신

118

도 모르게 입이 벌어져 침이 흐르는 것도 인지하지 못하고 있었다.

그렇게 얼마나 정신을 차리지 못하고 있었는지, 문득 자신의 추태를 떠올리고 얼굴을 붉히며 발걸음을 좀 더 빨리했다. 하지만 그럼에도 자꾸만 뒤처져 돌아보게 되는 것은 어쩔 수가 없었다.

그리고 태사와 문사들이 모여 있는 연정각(蓮亭閣)이 가까워질수록 한숨만이 흘러나오고 멍해졌던 얼굴은 어느새 한껏 찌푸려져 머릿속은 복잡하게 얽혀 있었다.

"검시를 모두 마쳤습니다."

"오! 그래? 어떤가? 아니, 서문 공자는 어떤가?"

"문제가 있는 건 아니겠지?"

"목소리가 그리 고우니 외양이야 말할 것도 없지 않겠습니까? 아니 그런가?"

"그것이…… 문제는 없었습니다."

시관이 들어서자 일제히 시선이 몰리며 눈을 빛냈다. 이들이 기다리는 건 휘연의 평가였고 이미 어느 정도 정해진 결말이었지만, 검시의 결과에 따라 얼마든지 방향을 바꿀 수도 있었다.

그런 그들을 보며 시관은 고개를 더욱 숙였다. 자신도 도저히 어떻게 해야 할지를 판단이 서지 않는 것이다. 평가하고 말 것도 없이 휘연은 다른 후보들에 비해 월등히 뛰어난 미색을 갖추고 있었다.

하지만 그렇다고 점수를 주기에는 다른 곳에서 받은 수고

비가 걸리는 것이다. 시관이 난감함에 가장 평범하다 생각하는 대답을 올렸지만, 그것만으로도 태사와 문사들은 충분히 예상했다는 듯 상황을 판단할 수 있었다.

자신들도 이미 정당성을 잃어버린 지 오래라는 걸 모를 리가 없기 때문이다. 결국, 시관은 휘연에 관한 점수를 높지도 낮지도 않게 평가해 기록했다.

그리고 그런 휘연의 위로 높은 점수를 받은 후보들이 여섯이 넘었다. 시관이 돌아가고 다시 고민에 휩싸였지만, 애초에 별다른 방법이 없었다.

이제 하루만 지나면 연환궁에서 마지막 날이 올 것이고, 그전에 채점을 모두 끝내고 날이 밝음과 동시에 벽 문에 최종 합격자의 이름을 명시해야만 한다.

그것도 높은 점수를 받은 차례대로 기록될 것이다. 그렇게 조용하지만 기묘한 공기가 흐르는 밤이 지나가고 마지막 날이 밝았다.

각 처소에서 시종, 시녀가 궁문으로 달려가고, 궁문에 명시된 벽보를 보며 누군가는 만면에 희색을 드리우고 누군가는 수심을 드러내고 있었다.

벽보 제일 위에는 당연히 유자운, 이란 글자가 쓰여 있었다. 그리고 하우완신, 우문비설을 시작으로 여자 후보들이 대부분 높은 점수를 받았으며 뒤로 남자 후보들의 명단도 있었다.

그리고 가장 고민거리였던 휘연의 이름은 제일 마지막에 쓰여 있었다. 그렇게 해서 최종 합격자는 여자들이 열네 명,

남자들이 일곱 명으로 합격자는 황궁으로 입궁하겠지만, 나머지는 자신의 집으로 돌아갈 것이다.

"쳇, 이것들이 수를 쓴 거야."

"……그렇겠지. 그래도 마지막에라도 이름이 올라서 다행이다."

"뭐가 다행입니까? 우리 공자님이 최고란 말입니다!"

"그건 그렇지. 그나저나 내일이면 입궁해야 하는데 언제까지 저러고 계실지 모르겠네."

연환궁에서 마지막 날 밤. 투덜거리는 무영이나 그에 받아치는 아소도 이번 채점이 정당하지 않을 거라는 걸 얼마든지 예상했던 일이다.

그렇다고 따지고 들 수도 없는 노릇임에 두 사람의 얼굴에 씁쓸함이 묻어나고 있었다. 하지만 정작 휘연은 신경 쓰지 않았다.

다만 저녁 식사를 마친 후부터 벌써 한 시진이 흘러갈 동안 밤하늘만을 올려다보며 근심 어린 시선을 거두지 않았다. 그리고 그 시선 안에는 분명한 불안감이 일렁이고 있었다.

"공자님? 잠이 안 오십니까?"

"후우, 참으로 이상하구나."

"예? 뭐가 말입니까?"

"글쎄, 딱히 무엇이 문제인지 모르겠다. 성좌가 흔들리는 것이 한두 번이 아닌데 오늘은 유독 불안하구나."

휘연은 한 시진 전부터 모든 역량을 펼쳐 천기를 살폈다. 하늘 위의 성좌가 또다시 흔들린 것이다. 그것도 서문세가가 있는 북쪽 방향이라는 사실에 휘연은 자신도 모르게 엄습해 오는 불안감을 감추지 못하고 있었다.

하지만 아무리 역량을 쏟아부어도 기막히고 곡절 많은 하늘의 오묘한 이치를 온전히 살피지 못함에 그 불안감이 무엇에서 비롯된 것인지 해답을 찾지 못한 것이다.

더구나 오늘따라 유독 천기가 흐리다. 읽어 보려고 집중할수록 마치 무언가가 가로막고 있는 것처럼 눈앞이 뿌옇게 변하는 현상에 휘연은 적잖이 당황했다. 마치 누군가가 방해하는 것같이.

이해할 수 없는 느낌에 결국 휘연은 자신의 모자람을 탓할 수밖에 없었다. 애써 짓눌러 오는 불안감을 억누르고 힘없이 돌아서 방으로 들어가는 휘연의 어깨가 힘에 겨운지 처져 있었다.

그리고 얼마 지나지 않아 해운각의 불빛이 모두 꺼지고, 늦은 밤 모두가 잠들어 작은 기척조차 없을 때였다. 흔들리는 성좌 사이로 빛을 잃은 운성 하나가 길게 여운을 남기며 떨어져 내렸다.

휘연이 느꼈던 불안감의 정체로 서문세가 마지막 가주인 호협의 죽음을 뜻하는 걸 휘연은 알지 못했다. 그렇게 연환궁에서의 마지막 날이 지나가고 있었다.

四章
신관 휘연

최종 후보로 뽑힌 이들의 이름은 연환궁 벽 문에 명시된다. 그전부터 황후 간택 시험이 치러지고 있다는 소문이 이미 황도에 파다하게 퍼진 상태였고, 최종 후보자들의 이름이 붙음으로 연환궁 궁문에는 일대 소란이 일었다.

후보자들의 집안에서 나온 축하 사절부터 아부하기 위해 모여든 귀족, 권력과 떨어질 수 없는 장사치들이 주를 이루며, 그 옆으로 헐벗고 굶주린 백성들 또한 삼삼오오 모여들어 연환궁 궁문이 열리기를 기다리고 있었다.

잠시 후 진시를 알림과 동시에 궁문이 열리며 제일 선두로 유자운을 비롯해 후보들이 줄을 지어 모습을 드러냈다. 하나같이 면사로 얼굴을 가렸지만, 뿜어져 나오는 기품과 화려함에 여기저기 막연한 탄성이 터져 나오고 있었다.

그렇게 후보들이 환한 웃음으로 각자 가족의 품에서 다음을 기약하고 있을 때, 가장 마지막에 나온 휘연은 자신도 모르게 입가에 쓴웃음만을 지어야 했다.

새삼 아득해지는 외로움에 호협이 생각난 탓이다. 어쩌면 오늘이 마지막이라는 걸 알기에 더 약해진 것인지도 몰랐다.

그렇다고 그런 걸 내색할 수도 없는 노릇이라 다른 후보자들을 돌아보며 나지막이 한숨을 내쉴 때였다. 갑자기 들려온 큰 소리에 모두의 이목이 쏠렸다.

"공자님!"

난데없이 행렬을 가로막고 무더기로 튀어 나오는 무리를 보며 사람들의 얼굴이 험악하게 일그러졌다. 그러나 반대로 휘연의 얼굴에는 놀라움이 어렸다.

휘연을 발견하고 반색을 하며 다가온 무리는 휘연 자신도 낯설지 않았기 때문이다. 그들은 황도 빈민촌의 백성들로 얼마 전 휘연의 도움을 받았던 이들이었다.

고작 하룻밤의 인연이 전부인데도 찾아온 사실에 휘연은 크게 당황했지만, 한편으로는 마음이 따뜻해져 옴에 눈시울이 붉어져 쉽사리 말을 잇지 못했다.

"그대들은……."

휘연의 반가운 마음과는 달리 제대로 씻지도 않고 누더기로 겨우 몸을 가렸다 하지만, 여기저기 상처투성이에 처참할 정도로 앙상하게 마른 모습은 누가 봐도 그들을 온전한 사람이라 대접해 주지 않을 것이다.

그 때문에 대놓고 욕지거리와 손가락질, 코를 틀어막는 이들도 있었지만 정작 그들은 굴하지 않았다. 오히려 보란 듯이 몰려드는 무리로 인해 결국 눈살을 찌푸리며 자리를 피한 것은 있는 자들이었다.

마치 빈민촌 백성들이 모두 모여든 듯 하나둘 늘어나는 모습에 기가 질린 탓이다. 더구나 나이가 많고 적음에 관계없이 휘연 앞으로 다가와 일제히 극진한 예를 취하는 모습은 누가 보아도 의문을 담을 만한 광경이었다.

"공자님."

"그만 일어나세요. 여긴 어인 일이십니까?"

"공자님께서 황후 후보에 오르셨다는 말을 듣고 득달같이 달려왔습니다. 저희같이 미천한 것들이 무얼 알겠습니까요. 그저 부디 이루어지시길 간곡히 기원하고자 찾아왔습니다."

작은 목소리에 지나지 않았음에도 주변에 몰려 있던 이들은 휘연의 목소리에 움찔거리며 놀라운 듯 바라보고 있었다. 전혀 티가 없이 청량하면서도 맑은 울림이 있는 목소리에 호기심을 감추지 못한 듯했다.

그런 그들과는 상관도 없다는 듯 휘연의 물음에 제일 앞쪽에 자리했던 노인이 가래 섞인 목소리로 걱정을 담아 마음을 전했다. 하룻밤의 인연이라 하나 자신들에게는 새로운 희망과 생명을 준 휘연에 대한 진심이었다.

"미천한 것들이라 아무것도 해 드릴 건 없고, 천제께 매일같이 축원을 드릴 터이니 아무쪼록 공자님의 만수무강을 기원하겠습니다."

"만수무강을 기원하겠습니다!"

기근이 휩쓴 지 몇 년이었다. 안 그래도 팍팍한 살림에 어려웠던 이들은 모든 걸 관리들에게 빼앗기고 거리에 나앉아야 했다.

제아무리 간곡한 청을 하고 억울함을 호소해도 인심은 더없이 흉흉하기만 했었다. 도리어 거짓 호소를 했다 해서 모진 매질을 견디지 못하고 죽어 나간 사람만 해도 셀 수 없이 많았다.

이같이 백성은 버러지만도 못한 취급을 받아 온 것이다. 어찌 이리도 모질기만 한 것인지. 죽지 못해 살아간다는 말이 왜 나왔겠는가.

그 말 그대로 죽는 것보다 더 열악한 환경에서도 차마 모진 목숨이나마 연명하고자 지금껏 버텨 온 게 전부였다. 그런 자신들이 할 수 있는 건 애초에 아무것도 없었다.

그저 모든 희망도 버리고 차라리 타고난 수명이 다하기를 빌어 마지않는 자신들에게 사심 없이 도움을 준 사람은 휘연이 처음이었다.

그럼에도 아무런 보답도 해 주지 못하는 자신들을 한탄하며 이렇듯 진심이나마 전하기 위해 찾아온 것이다. 휘연이라고 이들의 간절한 마음을 모르지 않았다.

다만 앞으로 닥쳐올 거대한 대혼란을 알지 못하는 이들이 고작 한 끼를 해결할 수 있다는 것만으로도 행복해하는 사실이 못내 가슴이 아파 휘연은 먹먹해지는 마음을 필사적으로 다스려야 했다.

"저하고 약조 하나 해 주시겠습니까?"

"무엇이든 말씀해 주십시오. 공자님께서 하신 말씀이라면 저희는 반드시 지킬 것입니다."

"앞으로……."

조용히 말문을 열었던 휘연의 입술이 파르르 떨리고 자신도 모르게 입술을 깨물며 말을 끊었다. 막상 말을 해야 했지만, 선뜻 옳은 일인지 판단이 서지 않았기 때문이다.

이제야 겨우 굶주림에서 미약하나마 희망을 찾은 이들이 아닌가. 그런 이들을 상대로 앞으로도 무작정 참고 견디라는 말은 참으로 모질게만 들릴 것이다.

그렇다고 상세히 말해 줄 수도 없는 노릇이라 휘연은 새삼 천기를 읽을 수 있는 자신이 지금 이 순간은 원망스럽기까지 했다.

"공자님?"

"앞으로 어떤 고난이 닥쳐도 희망을 잃지 않으셨으면 합니다."

"그런 거라면 걱정하지 마십시오. 저희같이 미천한 것들이야 입에 풀칠만 하면 어떻게든 살 수 있습니다."

"예. 그렇게 견디시다 보면 반드시 좋은 날이 올 것입니다."

결국, 별다른 대책도 마련해 주지 못한 채 휘연은 말을 마쳐야 했다. 곧 대혼란이 올 것이라는 천기를 누설하지 않더라도 이곳이 아닌 산에 들어가 숨어 살라는 그 간단한 말조차 휘연은 입에 올릴 수가 없었다.

설사 말한다고 한들 무턱대고 들을지도 의문이었다. 이들은 어떻게든 먹고살아야 하기에. 비록 남들처럼 기름진 음식은 못 먹더라도 약초탕 한 그릇이라도 먹은 이상은 이들은 일자리를 찾기 위해서라도 황도를 떠나지 못할 것이다.

어차피 막을 수 없는 일이라면 불안에 떠는 것보다 아무것도 모른 채로 현실을 견디는 게 어쩌면 더 좋을지도 모를 일이기 때문이다. 단지 알면서도 막을 수 없는 현실이 휘연은 암담하기만 했다.

차라리 아무것도 몰랐더라면 고통이 덜했을 터인데. 휘연은 천기를 읽는 순간 너무도 생생하게 처참한 광경을 볼 수밖에 없었다. 산천초목이 불에 타고 피의 강이 흘러 지옥불의 아비규환을 연상시켰다.

부모와 자식을 잃고 사랑하는 이를 잃어 목 놓아 울부짖는 처절한 비명은 결코 환상 따위로 치부할 수가 없었다. 그 모든 건 휘연의 나이 15세에 읽었던 천기였다.

그때 당시에는 그 사실이 견딜 수 없어 환상이라 치부하고 꼭꼭 숨겼지만, 이젠 운명에 한 발을 디딘 이상은 그마저도 못하는 것이다.

그것이 무지한 자와 다가올 고통에 미리 몸을 사리는 천기를 읽는 자의 차이였다. 그리고 호협의 말을 지금 이 순간 또 한 번 휘연은 가슴속에 새길 수밖에 없었다.

하늘이 내리는 천벌. 인간의 힘으로 막을 수도 없고 막아서도 안 되는 일. 벌이 온전히 끝나 혼란이 그칠 때까지.

무슨 일이 벌어지든 아무것도 듣지 못한 것처럼 귀를 막고, 아무것도 보지 못하는 것처럼 눈을 감아야 하며, 피가 역류해 올라온다 하더라도 입을 굳게 닫아야만 하는 것이다.

왜 그래야만 하는지는 아직도 모른다. 호협의 말이 뜻하는 바도 확실히 깨닫지 못했고 자신이 무엇을 할 수 있는지도 휘연은 알지 못했다.

다만 호협의 말을 새길 뿐이었다. 결코 거스르지 않고 따르다 보면 자신이 진정으로 해야 할 일을 알게 될 거라는 걸 어렴풋이 느끼고 있었다.

그 일이 어떤 일이든 자신은 그 일을 위해 태어났고, 반드시 해야만 하는 일이라면 부디 자신만의 고통으로 끝나기만을 휘연은 바라고 또 바랄 수밖에 없었다. 설사 그 일로 자신이 처절한 고통을 받더라도 휘연은 한 치도 거짓 없이 바라고 있었다.

"물러들 나라! 이 천한 것들이, 뭣들 하느냐?! 당장 이것들을 끌어내라!"

짧지 않은 무거운 상념을 깨고 별안간 들려오는 호통 소리에 휘연을 비롯한 모두의 시선이 쏠렸다. 황후 후보자들을 호위하기 위해 나온 황도의 치안을 담당한 정2품 부윤(府尹) 탁만우였다.

피골상접한 이들과는 대조되게 뒤뚱거릴 만큼 기름진 배를 들이밀고 둔탁하게 소리치는 탁만우의 말에 무장한 병사들이 난폭하게 빈민촌의 무리를 몰아내고 있었다. 그 모습에 보다 못한 휘연이 그들을 가로막고 나섰다.

"멈추세요! 이 무슨 무례한 짓입니까?"

"예? 아, 아니, 그게 이놈들은 미천한 것들로 신경 쓰실 필요가 없는 놈들입니다."

갑자기 병사들을 가로막으며 탁만우를 향해 똑바로 눈을

맞추는 휘연이었다. 이에 탁만우는 당황한 듯 두 눈을 휘둥 그레 뜨고 휘연의 모습을 훑어 내렸다. 그러다가 남루한 행색에 눈살을 찌푸렸지만, 곧 간신배답게 굽실거리며 변명을 늘어놓았다.

제아무리 남루한 행색을 하고 있다고는 해도 황후 후보에 오른 이상은 함부로 하지 못하기 때문이다. 더구나 초라한 모습과는 달리 한 치도 흐트러짐이 없는 휘연의 기백만큼은 결코 함부로 대할 수 없게 만들었다.

"아무래도 부윤께서는 잊으신 것 같습니다."

"예? 잊다니요?"

"부(富)한 이들만 백성이 아닙니다. 빈(貧)한 백성일수록 더 아끼고 보살펴야 하는 것을. 본시 백성은 나라의 근본이 라 했고, 근본이 굳건해야 나라가 편하다고 했습니다. 지금 부윤께서 그 자리에 계시는 것 또한 이들이 있어서가 아닙니 까. 그 점을 한시도 잊어서는 안 될 것입니다."

휘연이 말을 마치고 살짝 고개를 숙이자 탁만우의 얼굴이 잡아먹을 듯이 험악해졌다. 휘연의 말은 많은 뜻을 내포하고 있었지만 탁만우는 좁은 심기로 그 뜻을 제대로 파악하지 못 하고 오직 한 가지로만 받아들였다.

부윤의 자리를 놓고 자신을 책망하고 업신여긴다고 생각 한 것이다. 그 때문에 탁만우의 눈이 타오를 듯이 무섭게 번 뜩였다. 그런 탁만우의 무섭게 일그러진 얼굴을 보면서도 휘 연은 상관하지 않는다는 듯 몸을 돌렸다.

"공자님, 저희 때문에……."

"저는 괜찮습니다. 그보다 이곳에 있어 봐야 좋을 것이 없을 듯합니다. 그러니 어서들 돌아들 가세요."

"한 가지만 알아주십시오. 미천한 것들이라 무얼 알겠습니까. 저희는 그저 기원하고 또 기원할 것입니다. 부디 만수무강하십시오."

"만수무강하십시오……!"

다시 한 번 머리가 땅에 닿도록 극진한 예를 올린 후에야 하나둘 떨어지지 않는 발길을 돌렸다. 그런 그들의 모습이 온전히 사라질 때까지 지켜보는 휘연의 눈가도 촉촉하게 젖어 갔다.

그렇게 얼마나 있었을까. 온몸을 난도질할 기세로 매섭게 꽂히는 눈길에 휘연은 주위를 둘러보고 나지막이 한숨을 내쉬어야 했다. 모두가 한결같이 휘연을 노려보며 삼삼오오 속닥거리고 있었기 때문이다.

그중에서도 같은 후보에 오른 이들의 살벌함은 말로 다 할 수 없을 지경이라 휘연은 너무도 생생하게 들림에도 불구하고 듣지 못한 척 면사 안으로 쓴웃음을 지으며 제일 마지막에 대기한 마차에 올랐다.

"흥, 별꼴이야. 누가 보면 벌써 황후의 자리에 오른 줄 알겠네."

"그러게요. 호호~ 주제를 모르는 것 같습니다."

"신경 쓰지 마십시오. 미천한 것들이야 원래가 그렇지 않습니까. 게다가 서문세가라니, 나라에서 버림받은 유명무실한 존재가 아닙니까? 아마 저렇게라도 드러내고 싶었나 봅니다."

"후후, 그 말씀도 일리가 있군요."

칼날보다 더 매섭게 꽂히는 시선과 야멸찰 정도의 능멸에 여기저기서 비웃음이 터져 나왔다.

휘연은 무너지려는 몸을 간신히 추스르고 감춰진 옷자락 안으로 주먹을 끌어 쥐었다. 이 정도도 참지 못한다면 고립무원이 될 것이 뻔한 황궁에서 버티지 못할 것은 자명한 일. 앞으로는 더했으면 더했지 덜하지는 않을 거라는 것 또한 충분히 짐작할 수 있는 일이라 휘연은 심기를 다스림에 소홀히 하지 않았다.

그러나 아무리 마음을 다잡았다고는 하나 휘연도 인간임이기에 상처를 받을 수밖에 없었다. 하물며 이제 17세의 어린 나이가 아닌가. 세상의 온갖 추악한 이면을 감당하기에는 휘연의 심성이 강하지 못한 탓도 있었다.

그 때문인지 마차 문이 닫히고야 소리 없이 흘러내리는 눈물을 휘연은 막아 내지 못했다. 그저 울음소리를 내지 않았을 뿐, 속으로만 삼키는 휘연을 보며 아소와 무영만이 분함에 억눌린 울음을 터트리고 있었다.

그렇게 한동안 출발할 생각도 않고 비웃음 섞인 온갖 말이 흘러나올 때 처음부터 그 모습을 변함없는 태도로 가만히 지켜보고 있는 이도 있었다. 바로 후보자 중에서 가장 높은 점수를 받은 유자운 그녀였다.

"흐음, 서문세가라. 역시 그런가."

혼잣말로 작게 중얼거리는 자운의 눈동자에 순간 날카로

운 이채가 떠올랐다. 그러나 그것도 잠시, 부드럽게 표정을 바꾸고 마차에서 시선을 돌려 부윤을 향해 살짝 고개를 숙이며 차분하게 말을 이었다.

"시간이 많이 지체되었습니다. 이만 출발하시지요."

"아! 예! 송구합니다. 어서 마차에 오르십시오. 제가 황궁까지 편히 모시겠습니다."

유자운의 말이 끝나자마자 부윤은 뒤뚱거리는 몸으로 지나치게 굽실거리며 직접 마차 문까지 열어 깍듯하게 예를 차렸다. 그런 그를 보며 심사가 꼬일망정 적어도 겉으로 눈살을 찌푸리는 이는 없었다.

오히려 모두가 맞추기라도 한 듯 늘어놓던 험담을 그만두고 하나둘 말없이 마차에 올랐다. 신탁을 받기 전까지는 수나라 최고의 권력을 가진 승상의 손녀인 그녀를 거스를 수는 없기 때문이다.

혹시 모를 만일을 대비해 유자운과는 척을 지고 싶지 않다는 뜻이었다. 무엇보다 이제 갓 15세의 유자운은 어린 나이가 무색하리만치 아름다웠고, 적어도 겉으로 드러난 성품도 황후로서 전혀 손색이 없었다.

말 그대로 미색과 자질을 모두 갖추고도 모자라, 절대적인 권력 또한 가진 것이다. 그런 그녀가 무엇이 두려울까.

어떤 결정을 하든지 그녀의 행보에 거리낌이 없을 것은 자명한 일. 혹여나 천제의 신탁을 받지 못하더라도 권력상 황태자의 눈에 들 것은 불 보듯 뻔했다.

그렇다 보면 정식 황비로서 지금의 권력을 유지해 나갈 것이고, 다른 후보자들은 그에 대비해 그녀와의 연줄을 돈독히 해야만 했다. 설사 신탁을 받아 황후의 위에 오른다고 해도 상황은 같을 것이다.

단숨에 권력을 틀어쥐기에는 승상 유창운의 입지가 지나치게 굳건했다. 하다못해 세력이 비등해질 때까지만이라도 몸을 낮출 수밖에 없는 것이 그들의 현실이었다.

그 사실을 너무도 잘 알고 있는 후보자들과 그들의 세력들은 검은 야욕을 숨길 것이고, 유창운과 그녀는 암묵적으로 견제할 것이다.

단지 그 어느 곳에도 속하지 못한 휘연만이 험로를 걸어갈 수밖에 없었다.

그렇게 잠시 후, 각자의 야욕을 품고 때론 부푼 희망에 설레는 마음으로 후보들의 마차가 연환궁을 출발해 황궁으로 향했다.

한 시진이면 도착할 수 있는 거리를 족히 두 시진이 걸려서 거대한 정문을 통과해, 황궁과는 다른 느낌의 신비로운 신궁이 있는 동쪽 송화림 앞에 도착하고야 일렬로 늘어선 마차가 멈췄다.

유자운부터 차례차례 내려서는 화려한 차림의 후보자들의 표정에는 감추지 못한 들뜸이 고스란히 드러나 있었고, 그런 후보자들을 멀리서 주의 깊게 지켜보는 시선이 끈질기게 따라붙고 있었다.

창백하게 느껴질 정도의 흰 피부와 심혈을 기울여 조각한 듯한 정연한 용모, 빛을 머금고 반짝이는 순백색의 머릿결

사이로 적막하고 무심한 붉은 눈이 후보자들 하나하나를 세심하게 훑어 내렸다.

바로 수나라 황태자로, 역대 누구보다 강한 정통성을 지닌 권오(權悟) 환백(紈帛)이었다. 그의 적막한 시선이 유자운을 보며 찰나간 흥미롭게 빛나다가 제일 마지막에 서 있는 휘연을 보며 수려한 미간을 절로 찌푸렸다.

"저 안 어울리는 건 뭐지?"

"예? 아! 면사를 착용하신 걸 보니 저분도 후보에 오르신 것 같습니다."

"뭐라? 저리 초라한 몰골로 황궁에 들었단 말이냐?"

"그런 줄로 아뢰옵니다."

시관의 말에 환백의 미간이 더욱 찌푸려졌다. 화려한 다른 후보들과는 달리 지나치게 초라한 행색인 휘연이 못마땅한 것이다. 그래서인지 붉은 눈이 더 짙어지고, 휘연의 뒤로 꽂히는 시선 또한 날카로워졌다.

그 날카로움을 느꼈을까. 휘연이 멈칫거리고 천천히 뒤돌아봤다. 그 순간 휘연의 눈동자가 일순 휘둥그레지고, 심장에 결코 가볍지 않은 충격을 받았다. 그러나 오래가지 않아 휘연은 다시 고개를 돌려야 했다.

'역시…… 당신이었습니까.'

휘연은 환백을 보자마자 알아볼 수 있었다. 그가 천제가 보낸 흉성이라는 걸. 그리고 그 흉성이 제 모습을 찾아갈 날이 머지않았다는 것까지. 휘연의 심장이 불에 댄 칼로 그어진 것처럼 화끈한 자상을 입었다.

그로 인해 보이지 않는 피가 흘러내렸지만 휘연은 그 어느 것 하나 내색할 수 없음에 입술을 질끈 깨물고 속으로 한숨을 삼켜야 했다.

일수유와도 같은 짧기만 한 두 사람의 만남이었다.

❖

황궁 안쪽 깊숙한 곳에 위치한 송화림은 대국에서 가장 진귀한 소나무가 울창한 곳이다. 소나무의 보고로도 불리는 이곳은 진귀한 꽃과 북관을 감싸고 병풍처럼 자리한 암석들이 어우러져 있었다.

그 덕분에 이곳 송화림은 늘 푸르고 청청해 호연한 기상을 품고 있다고 해도 과언이 아니었다. 무엇보다 송화림을 높이 쳐 주는 이유는, 수나라 역사에서 빼놓을 수 없는 신궁이 있기 때문이다.

천제의 비호를 받는 수나라는 예로부터 나라의 대소사를 천제의 신탁을 받아 행했고, 신궁에서의 의례 가운데 가장 대표적인 것은 황후 간택인 천례제와 새로운 황제와 황후가 함께 제를 올리는 축원의례(祝願儀禮)가 그것이다.

그 외에도 각 서관과 동관에 있는 제사장의 주체로 신관과 신녀, 신도들이 매년 봄, 그 해의 풍년을 기원하는 제례의식이나 무천(舞天), 제천(祭天) 등 나라의 제사를 정기적으로 치루는 곳이기도 했다.

또한, 신궁의 규율은 황궁의 법도만큼이나 철저했다. 이곳에 들어온 순간부터 신관들은 서관, 신녀들은 동관 안에서만 생활했으며, 선택되지 않는 이상은 평생을 이곳에서 벗어나지 못하는 것이다.

그럼에도 세도가들은 앞다투어 이곳에 자식을 들여보내기 위해 노력을 기울였다. 그 모든 게 욕심을 놓지 못하는 그릇된 욕망에서지만, 자의든 타의든 이곳에 든 이상은 천제의 신탁이 내리기를 기원할 수밖에 없는 것이다.

설사 신탁이 아니더라도 황태자의 선택이 남아 있었고, 황비나 후궁 자리만 꿰찬다면 권력에서 멀어지는 게 아닌 한 발 더 다가갈 수 있기 때문이다. 만약 그조차도 안 된다면 황자들의 선택을 기다려야 한다.

비록 황궁에서 살지는 못해도 황자들의 배필이나 첩실 자리라면 위험을 안고 있는 반면 권력에서 멀어지지 않았고, 이곳 신궁에서 평생을 썩는 것보다는 괜찮은 삶일 것이다.

물론, 그 외에도 신궁을 벗어날 길이 전혀 없는 것도 아니었다. 간혹 황제의 윤허로 황실의 핏줄이 아닌 이들의 선택을 받는 예도 있었기 때문이다.

그것은 대부분, 권력자가 첩실로 원하는 경우이거나 후보자의 집안에서 손을 써서 빼돌리는 경우였다.

그러나 그것 또한 또 다른 권력을 잡기 위함이라, 버려진 패가 아니라면 실제 이곳에 들어오는 후보자들은 태어난 순간부터 자신의 인생을 뜻대로 살지 못하는 불운을 타고났다고 해도 무방할 것이다.

화려한 겉모습과는 달리 누구든지 마음만 먹는다면 쉽게

꺾을 수 있는 한낱 노류장화(路柳墻花)보다 더 못한 삶. 그것이 이들의 타고난 운명이었다.

그나마 신녀들은 신관들에 비해 확실히 선택의 폭이 넓었고 이용 가치 또한 높았다.

본시 수나라가 남녀 가리지 않고 황후의 자리에 오를 수 있는 것같이 동성애에 대한 거부감은 없었지만, 권력의 미끼로 이용되면서도 아이를 갖지 못한다는 이유로 성적인 의미 외에는 가치를 두지 않았다. 말 그래도 성노(性奴)로 취급받는 것이다.

그 모든 걸 알면서도 이들은 황태자와 비슷한 연배로 태어났다는 이유로 어릴 때부터 성장을 늦추고 화초처럼 가꾸어지며 철저하게 고립된 채 교육받으며 자랐다.

뻔히 자신의 미래가 어떠할 거라는 걸 짐작하면서도 벗어날 수 없기에 좁은 선택의 폭 안에서 혹시나 하는 희망을 품는 것이다.

그것마저도 없었다면 타고난 운명의 무게를 견디지 못했으리라. 그리고 그 운명에 비로소 첫발을 내디딘 후보자들로 인해 신궁은 오랜만에 활기를 되찾고 있었다.

이곳 또한 인간이 사는 곳임에 탐욕은 사라지지 않았고, 후보자들을 바라보는 신도들의 눈빛은 더할 나위 없이 번들거렸다.

"영애께서 오신다고 해서 이곳 동관에서 가장 경관이 좋은 곳으로 준비하고 있었습니다. 마음에 드십니까?"

"흐음, 나쁘지 않군. 수고했네."

"수고라니요, 당치 않으십니다."

다른 후보들과는 달리 유자운은 동관 제사장이 직접 나서 안내를 도맡았다. 제사장의 말대로 그녀의 처소는 동관 내에서도 가장 화려하고 넓었으며, 주변의 경관 또한 비할 바가 없었다.

이곳이 제아무리 천제를 모시는 신궁이라 하나 권력에서 벗어나지 못한다는 걸 암묵적으로 보여 주는 사례였다. 그렇다 보니 신궁 안에서도 추한 면은 버젓이 존재했고, 권력의 구도 또한 뚜렷했다.

본시 이곳 신궁 안에 기거하는 신도들은 후보자들과는 달리 허락이 떨어진다면 바깥출입을 자유로이 할 수 있었고, 후보자들은 그런 신도들을 이용하고 재물을 안겨 주는 것이다.

특히나 황태자의 선택에 있어 이들의 역할이 중요했기에 후보자들과 신도들은 서로 돕는 공생(共生) 관계에 있었다. 그중에서도 제사장은 신궁 내 세력의 중심이었다.

"미리 언질을 받았겠지만, 내 다시 한 번 물어보겠네. 제사장, 자네는 내 사람인가?"

"이르다 뿐이겠습니까. 미거한 쇤네의 식솔들이 탈 없이 잘 사는 것이 모두 다 승상 어르신네 덕택입니다. 두 분을 위해서라면 이 미천한 목숨도 마다치 않을 것입니다."

명색이 천제를 모시는 동관의 제사장이면서 그녀는 지나치게 자신을 낮추며 비굴하게 아첨을 늘어놓았다. 그 탐욕스러운 얼굴에 자운의 미간이 살포시 찌푸려졌지만, 으레 예상했다는 듯 고개를 끄덕이는 걸로 수긍하고 있었다.

어차피 제사장이나 신도들의 이용 가치는 한때에 지나지 않기 때문이다. 그 한때에 서로를 이용하는 이들 사이에는 애초부터 진정한 믿음은 존재하지 않았고, 서로의 이익을 위해 비위를 맞추는 수고스러움을 마다할 이유가 없었다.

비단 유자운뿐만이 아니라 다음 권력자인 하우완진과 우문비설 또한 상황은 매한가지였다. 다만, 제사장이 아닌 신도의 안내를 받았고, 처소가 덜 화려하다는 게 자운과 다른 점이었다.

그리고 신관들이 생활하는 서관도 권력의 구도는 같았다. 서관 제사장이 일곱 명의 후보 중 가장 세력이 강한 금위대장군(禁衛大將軍) 남석중의 조카인 남영옥의 안내를 맡음으로 가장 좋은 처소를 배치받은 것이다.

금위대장군은 황궁 수호, 안팎 순찰뿐 아니라 죄인 체포, 신문 등을 담당하였으며 따로 조옥(詔獄)을 두어 형부(刑部)의 절차를 밟지 않고 투옥할 권한이 있었다. 어찌 보면 황제의 가장 가까운 측근이었다.

그러나 수나라 권력 구도가 약해진 황권을 좌지우지할 만큼 승상 유창운의 손에 있으므로 병권, 형권을 모두 가진 황제 독재권의 수족인 금위대장군 또한 황제의 측근이 아닌 황제의 감시 역할을 맡아 온 것이다.

그게 지금 수나라의 실정이었다. 손도 댈 수 없을 정도로 방탕한 황제로 인해 수나라는 갈수록 곪고 썩어 문드러졌지만, 적어도 권력 구도에 올라 있는 이들은 그 자체를 바꿀 생각을 하지 않았다.

오히려 더 올라가기 위해 황태자를 사로잡아야 하는 것이다. 그렇다 보니 제대로 된 대접을 받지 못하는 사내라 하나, 남영옥도 그 탐욕에서 벗어나지 못했다. 아니, 애초에 벗어날 생각이 없다는 게 더 맞는 말이었다.

"무엇이든 필요한 게 있으시면 말씀해 주십시오. 이곳에 계시는 동안 편히 모시겠습니다."

"그리 말해 주니 나도 마음이 한결 편하군. 그보다 서문세가 놈의 처소는 어디인가? 설마, 똑같은 대우를 받는 건 아니겠지?"

"걱정하지 마십시오. 서관 제일 구석 자리에 배치했습니다. 제대로 빛도 들지 않는 곳이지요."

"쿡, 그래? 눈치가 빠른 것 같으니 내 따로 당부하지는 않겠네만, 알아서 잘하리라 믿겠네."

"맡겨 주십시오."

남영옥이 내미는 두툼한 주머니를 받아 들며 비릿하게 웃는 서관 제사장의 얼굴에 탐욕이 진득하게 맺혀 있었다. 이미 신궁에 들기 전부터 각 집안에서 물밑 작업을 해 놓은 상태라 이 같은 현상은 당연한 것이다.

그러니 유일하게 아무것도 하지 않은 휘연이 이곳에서 어떤 취급을 받을지는 불 보듯 뻔한 일이었다. 더구나 연환궁 재간택 시험에 있어 유독 도드라졌던 휘연을 눈엣가시처럼 여기던 후보자들이 가만히 있을 리가 없기 때문이다.

연환궁과 달리 신관들과 연계할 수 있는 이곳에서 타격은 얼마든지 입힐 수 있을 것이다. 또한, 그런 후보자들의 묵인 아래 제사장과 신도들의 만행도 심심찮게 벌어질 것은 자명한 일이었다.

그렇다고 운명을 벗어날 수도 없는 휘연으로서는 이곳에서의 고난은 앞날을 예고하는 서막에 불과한 것이었다. 그리고 그 시작은 서관의 제일 구석지고 빛조차 들지 않은 작은 골방에서부터였다.

"이곳입니다. 식사는 시종들을 시켜서 가져가시고, 사흘 후에 있을 천례제까지는 편히 쉬시면서 서관을 벗어나지 않은 선에서 자유로이 다니실 수 있습니다. 그리고 두 분은 천례제 기간 동안 황궁 법도를 배울 것입니다."

"맙소사, 빛도 들지 않는 방이라니, 공자님은 황후 후보에 오르신 분입니다. 헌데 어찌 이런 방을 주실 수 있단 말입니까?"

"행색에 맞게 배치했는데, 뭐가 잘못인지 모르겠습니다? 그렇게 불만이면 제사장님께 따져보시든가요."

마지못해 존대한다는 게 여실히 드러날 정도로 입가에 비릿한 웃음을 달고 태연하게 무시하는 발언을 늘어놓는 신도의 태도에 분을 참지 못하는 아소와 무영에게 눈짓을 보내며 휘연은 나지막이 한숨을 내쉬었다.

이미 어느 정도 예상했다고는 하나, 천제를 모시는 신궁조차도 권력을 따른다는 사실이 못내 씁쓸한 것이다. 그렇다고 힘없는 자신이 무엇을 할 수 있단 말인가. 거저 주어진 운명을 묵묵히 감내하는 수밖에 없었다.

"당신 신도가 맞는 겁니까? 어찌 천제를 모시는 신도라는 사람이……."

"무영아, 그만둬라. 방이 무슨 상관이라고, 나는 이 방으로도 족하다."

"그렇습니까? 그것참 다행이군요. 안 그래도 제사장님께서 이 방이 공자님을 위한 방이라 말씀하셨습니다."

"그만하면 알아들었으니 그만 나가 보게."

일부러 자극하는 발언을 서슴지 않는 신도에게 휘연은 그 어떤 반응도 하지 않았다. 닥친 시련은 감내할 것이지만, 굳이 원하는 반응을 보일 필요는 없기 때문이다.

그래서인지 휘연은 비교적 담담하게 받아들였지만, 그런 휘연의 태도가 마음에 안 든다는 듯 신도는 예도 갖추지 않은 채 몸을 팩 돌려 방을 나가 버렸다.

쾅…… 소리와 함께 문이 닫혔다.

대낮임에도 불구하고 어둑해진 방 안의 초롱에 불을 붙이는 아소의 눈에서도, 신관복을 들고 다가오는 무영의 눈에서도 물줄기가 하염없이 흘러내리고 있었다.

"울지 말고, 이 정도에 약해지지도 마라. 이미 각오한 바가 아니냐. 그러니 마음 단단히 먹어라."

"으윽, 하지만 너무합니다. 어찌 이럴 수 있단 말입니까. 이럴 줄 알았으면 차라리 시험에서 떨어졌어야 했습니다."

"글쎄."

이미 정해진 길인 것을. 설사 휘연이 일부러 시험을 망쳤다고 해서 떨어지는 일은 없었을 것이다. 그걸 알기에 휘연은 감추는 것도, 숨기는 것도 하지 않았다. 물론, 타고난 천성이 그러한 것도 있었다.

"후우, 하늘의 뜻에 순종하는 것은 결국 선을 행함에 있다고 했다. 선을 버릴 때 그것은 곧 하늘을 버리는 것이 된다고 했으니, 어찌 천제를 모시는 도리로 하늘이 두렵지 않겠느냐. 그러니 제아무리 고된 시련이 닥친다고 해도 하늘의 뜻에 따라야 할 것이다. 그것만이 스스로 많은 복을 구하는 길이다."

❖

신관으로서 서관에 든 지 이제 고작 사흘도 지나지 않았으나 휘연은 씁쓸한 마음을 감추지 못하고 탄식했다. 어찌해서 천제가 흉성을 보내 이 땅을 피로 물들이려는지, 새삼 사무치도록 깨달은 탓이다.

본시 천제의 비호와 축복을 받은 수나라는 이웃 나라에 비해 그 땅이 비옥했다. 게다가 나라를 관통하는 대류하(大流河)는 모진 가뭄에도 마르는 법이 없었다.

사시사철이 뚜렷해 나라 곳곳은 천하절경을 이루었고, 나라의 외곽으로는 높은 산세와 강이 천연의 방비를 해 주어 난공불락의 철옹성과도 같은 형세다.

그 안에서 백성의 삶은 윤택했으며 자원도 풍부해 철마다 축제가 벌어졌었다. 덕분에 나라 곳곳에서 기분 좋은 꽃향내와 백성의 즐거운 웃음소리가 끊이지 않았었다. 그러나 달도 차면 기운다고 했던가.

지금 수나라가 바로 그런 상황이다. 겨울의 한파는 매섭기

144

만 하고 대류하의 물줄기가 줄어들며 비옥하던 땅은 갈라져 천하절경을 이루던 풍광은 그 빛을 잃어 갔다.

병든 백성들이 늘어나고, 굶주림을 이기지 못해 서슴없이 남의 금품을 훔치며, 노략질을 일삼고도 종내에는 그마저도 여의치 않아 늙은 부모를 내다 버리고 어린 자식을 몇 푼에 팔아치운다.

그럼에도 몰락은 멈출 길이 없음이니. 백성들의 통곡 소리가 높아짐에 그 첩첩한 한(恨)이 가슴으로 스며들고 서리서리 맺힌 원망이 하늘에 닿았음이라.

그러나 이 또한 인간의 근본적인 이기심에 비롯된 것을, 누구를 원망할 수 있단 말인가. 우매한 황제는 어리석기 그지없어 주지육림을 일삼고 세도가는 황제의 위에 서기 위해 권력의 칼을 휘두른다.

위로는 황제를 모시고 아래로는 백성을 보살펴야 할 관리들은 저마다의 이권 다툼에 정신이 팔려 백성들의 피륙을 쥐어짜며 제 잇속 챙기기에 급급했고, 장사치들은 그들의 손발이 되기를 마다치 않았다.

이 신궁 또한 썩은 내를 풍기며 천제를 버리고 권력에 빌붙었다. 속으로는 게걸스러운 탐욕을 품고 겉으로는 정성을 다한다고 한들 그 기도가 하늘에 닿을 리는 만무한 일.

기회를 여러 번 줬음에도 그것을 알지 못하고 더러운 일면을 가슴에 품은 채 추악한 죄악이란 죄악은 모조리 저지르며 스스로 몰락의 길로 들어선 것이다. 그러니 누구를 원망할 수 있단 말인가.

천제에게 버림받았다는 걸 뒤늦게 깨달았다고 한들 그때는 되돌리고 후회하기에는 늦었음이니, 천제가 보낸 흉성이 거침없이 이 대국에 암운을 드리울 것이다.

그리고 지금의 시련은 이제 곧 이 나라를 덮칠 피바람의 서막에 지나지 않았다. 칼날이 자신의 목을 노리기 전까지는 패악을 멈추지 않을 것이고, 백성들은 천생의 무지몽매가 그들을 절망케 할 것이다.

그 사실을 알면서도 차마 막을 수도, 막아서도 안 되는 자신의 처지에 휘연은 다시 한 번 비탄을 금할 수가 없는 듯 고개를 한두 번 크게 가로저었다. 그런 휘연의 두 눈이 촉촉이 젖어 갔다.

그러나 휘연은 끝내 눈물을 비추지는 않았다. 오히려 지극히 담담한 듯 나직한 한숨 안에 결코 겉으로 드러내지 못할 상처의 일부분을 토해 낼 뿐, 찰나에도 몇 번이고 무너지려는 마음을 추스르며 감내하고 있었다.

"공자님, 다녀왔습니다. 식사하셔야지요."

조심스럽게 문이 열리고, 작은 상을 들고 들어오는 아소를 보며 책을 덮은 휘연이 곧 상처투성이 아소의 손등에 눈살을 찌푸렸다. 안 그래도 작은 손이 해지고 까진 것뿐만 아니라 밟히기라도 한 듯 발자국이 선명했기 때문이다.

보나 마나 또 후보자들의 시종들이나 신도들의 괴롭힘이 있었으리라. 이곳 신궁에 들고 부터 사흘간 하루도 거르지 않고 이어지는 괴롭힘이지만, 설마하니 폭력까지 행사할 줄은 예상하지 못한 듯 휘연은 욱신거리는 가슴의 통증에 눈앞이 먹먹해졌다.

힘없는 자신으로 인해 두 사람까지 덩달아 모진 고생을 할 수밖에 없는 현실이 참으로 무겁게 가슴을 짓누르는 것이다. 그렇게 두 사람 사이로 침묵이 흐른 것도 잠시, 골방 한 칸에 딸린 작은 욕실을 나오던 무영이 아소의 모습에 두 눈을 휘둥그레 뜨고 다가왔다.

"아, 아소 형? 꼴이 왜 그래?"

"벼, 별거 아니야. 그냥 좀 넘어졌다."

"거짓말하지 마! 그것들이 또 시비 걸었지?!"

"무, 무영아, 공자님 계시는데 목소리를 낮춰."

안절부절못하며 달래는 아소와 그 품에서 기어코 억눌린 설움을 토해 내는 무영을 본 휘연은 심기를 가라앉히려는 듯 눈을 질끈 감은 채 호흡을 가다듬었다.

자신은 이미 정해져 있는 길을 가는 것이다. 그 누구의 도움을 바라서도 안 되고, 제아무리 모진 상황에 처해진다고 해도 묵묵히 받아들이고 감내해야만 한다. 그 사실을 휘연은 한시도 잊지 않았다.

아니, 잊을 수가 없었다. 잊는 순간 나약한 정신이 붕괴할 것이다. 그게 두려워 하루에도 수십 번씩 호협의 말을 떠올리고 되새길 수밖에 없었다. 하지만 자신은 그렇다 치고 두 아이는 무슨 죄란 말인가.

못난 자신을 만나 모진 인연으로 맺어진 것도 죄라면 죄겠지만, 차마 어린 마음속이 병들어 가는 것까지 지켜봐야 하는 사실에 휘연은 먹먹한 가슴을 도려내고 싶은 심정이었다.

차라리 자신만 고통받는다면 이렇듯 아프지는 않았으리라.

"미안하다. 고생시켜 미안하구나."

"아, 아닙니다! 이 정도는 아무것도 아닙니다. 신경 쓰지 마십시오."

"저는…… 아직도 모르겠습니다. 공자님 뜻이 무엇인지, 얼마나 참고 견뎌야 하는지도 모르겠습니다. 그래도 공자님을 따른 걸 추호도 후회하지 않습니다. 설사 이보다 더한 일이 있다고 해도 후회하지 않을 것입니다. 그러니 마음 쓰지 마십시오. 저희한테는 아무것도 하지 않으셔도 됩니다."

불끈 쥔 주먹으로 흐르는 눈물을 닦으면서도 애써 독하게 마음먹으려는 듯 내뱉는 무영의 말에 휘연은 아무런 말도 하지 못했다. 무슨 말을 한단 말인가. 이제 갓 13세의 어린 나이라지만, 세상이 한낱 철없는 어린아이로 두지 않았다.

한창 뛰어놀 나이에 살아남기 위해 처신을 배우고 화를 삭이며 속으로만 상처를 쌓아 간다. 눈으로 보이는 상처야 치료하면 그만이라지만, 결코 눈으로 보이지 않는 저 상처는 어찌해야 할지. 휘연은 할 수만 있다면 소리 내서 통곡하고 싶었다.

그러나 못 한다. 그리해서는 안 되는 것이다. 그 사실을 휘연뿐만 아니라 두 사람 또한 알고 있었기에 더 이상의 말은 필요치 않았다. 고립무원인 이곳에서 세 사람이 할 수 있는 일은 마음을 더 견고하게 하는 것뿐이기 때문이다.

"시장하시지요? 어서 드십시오."

"……그래, 먹자."

간도 하지 않은 나물 반찬 두 개와 한눈에 봐도 탁한 빛을 내는 보리밥 세 그릇. 지금쯤 다른 후보자들은 상다리가 휘어지도록 진수성찬을 받고 있을 것이 자명하지만, 세 사람은 이것만으로도 감지덕지해야 할 판이었다.

그래서인지 불만 없이 작은 상을 사이에 두고 앉은 세 사람이 묵묵히 식사를 시작했고, 입안으로 들어가자마자 보리밥에 섞여 나오는 작은 돌을 아무런 거리낌 없이 골라서 상 한편에 올려놓았다.

그렇게 하나둘 골라낸 돌이 보리밥의 반을 차지할 정도로 도저히 사람이 먹을 만한 것이 아니었다. 그럼에도 세 사람은 별다른 반응을 하지 않았다. 고작 신궁에 든 지 사흘 만에 이미 이런 식사에 이골이 난 것이다.

하물며 다른 이들은 몰라도 세 사람은 배고픔을 누구보다도 절실히 겪어 왔다. 보리쌀 한 톨이 없어 멀겋고 쓰기만 한 약초탕 한 그릇으로 하루를 보내고, 그것만으로도 먹을 수 있다는 사실에 감사했던 세 사람이다.

더구나 무영의 처지는 더했으면 더했지 덜하지 않았다. 쓰레기통을 뒤져 쉬어 가는, 썩어 가는 음식 찌꺼기로 허기를 채웠고, 그마저도 못했을 때는 물로 배를 채우며 몇 날 며칠이고 굶는 생활을 해 왔던 것이다.

그런 세 사람은 비록 돌밥이나 마찬가지인 보리밥이라 하나 이렇게라도 한 끼를 때울 수 있다는 사실에 감사했다. 다만 황궁에 들어와서까지도 변하지 않은 처지가 씁쓸한 한숨을 자아내는 것까지는 막을 수가 없는 듯하다.

"내일은…… 틈틈이 약초를 캐 오겠습니다."

앞으로 천례제를 올리는 보름간 이보다 더 못한 식사를 내줄 것은 뻔한 일, 아소는 못내 걱정이 가시지 않는지 고개도 들지 못한 채 먹먹한 목소리로 입을 열었다. 이대로는 휘연의 건강을 해칠까 염려되는 것이다.

휘연은 별일 없을 거라고는 하지만, 사람이라는 게 본시 이기적이라 나쁜 마음을 먹자면 한없이 악하다고 식사에 무슨 독한 짓을 할지 모르는 일이다. 그러느니 차라리 약초로 해결하는 게 좋을 거라는 생각에서다.

"후, 그래. 그렇게 하자꾸나. 너희도 보름간만 참아라. 그이후에는 조금은 편해질 것이야."

"예? 편해지다니요?"

"그렇게만 알고 있어라."

어차피 알게 될 일이라 휘연은 담담하게 말을 끝내고 수저를 내려놓았다. 그런 휘연의 미간이 미세하게 찌푸려졌다. 이미 정해진 운명의 길을 가는 이상 신탁을 받을 것은 자명한 일이라 하나 두 사람이 걱정되기 때문이다.

그도 그럴 것이, 자신이야 기도를 드리는 게 전부라지만, 앞으로 보름간 천례제가 벌어지는 동안 아소와 무영은 황궁 법도를 익혀야 한다. 그러자면 다른 시종들과 신도들을 만날 수밖에 없고, 그 괴롭힘이 말로 다하지 못할 것이다.

오늘과 같이 어쩌면 대놓고 폭력을 행사할지도 모를 일. 휘연은 그 모진 고초를 겪을 두 사람을 생각하니 또다시 눈가가 시큰해졌다. 그나마 다행이라면 신탁을 받고 난 후에는 이곳 서관을 나가 북관에 들 수 있다는 점이다.

북관은 책봉식이 있기 전까지 황후와 그 시종들만이 생활할 수 있는 곳으로, 제사장 외에는 일절 출입을 금하기 때문이다. 그리고 그사이에 황태자는 북관을 제외한 신궁을 드나들며 정비인 세 명의 황비와 후궁을 간택할 것이다.

그렇게 되기까지 앞으로 보름간이다. 길다면 길고 짧다면 짧을 수 있는 그 기간 동안 부디 두 사람이 견뎌 낼 수 있기를, 휘연은 안타까움이 몰려와 차마 입 밖에 꺼내지 못한 채 마음속으로 기원할 수밖에 없었다.

"들어가겠습니다."

문밖에서 기척이 들림과 동시에 문을 벌컥 여는 행동에 미간을 찌푸린 두 사람과는 달리 휘연은 나지막이 한숨을 내쉬었다.

"공자님들께서 다과에 참석하시라 명하셨습니다."

"명이라니?! 누가 누구한테 명령한단 말입니까?"

"하! 명령을 내릴 만하니 내리는 거 아닙니까? 정말이지 분수를 몰라도 어찌 이리 모르는지. 쯧쯧, 그래서 안 가실 요량이십니까?"

"이 사람이 진짜!"

명백히 휘연을 다른 후보들의 아래로 몰아 가는 말투에 무영이 발끈하여 외쳤지만, 지금에 와서 새삼스러울 것도 없었다. 처음부터 이들에게 휘연의 존재는 눈엣가시인 것이다.

"무영아, 그만둬라. 내 참석할 테니 앞장서게."

"공자님! 가지 마십시오. 굳이 참석하실 필요 없지 않습니까?"

"예, 그건 무영이 말이 맞는 것 같습니다. 가서 봐야 좋은 일도 없을 텐데."

"후우, 초대를 거절하는 것도 예의가 아니지 않으냐? 그러니 그만하면 됐다."

두 사람이 걱정하는 바를 휘연 또한 모르지는 않았다. 그러나 가지 않는다면 무슨 트집을 잡아서라도 또 다른 일을 벌일 것이다. 그렇기에 휘연은 마음을 굳게 먹고 따라나설 수밖에 없는 것이다.

그런 휘연의 뒤를 두 사람이 불안한 얼굴로 따랐다.

그들은 몇 번이나 휘어진 복도를 지나 은은한 꽃향기가 가득한 정원에 이르러서 멈칫거렸다. 정원에 자리를 마련해 놓은 듯 곧바로 매서운 시선들이 쏟아지고 있었기 때문이다.

숨길 수 없는 적대감. 두 눈 가득 경멸을 담은 여섯 명의 시선이 찬찬히 휘연의 모습을 훑어 내리고, 이내 두 눈에 진득한 비웃음을 드러냈다. 그리고 후보들과 휘연의 차이는 가까이할수록 확연히 보였다.

특별한 장식을 할 수 없는 신관복이라 하나, 거칠고 누런 빛이 나는 휘연의 의복과 은은한 광택이 흐르는 그들의 의복은 큰 차이가 났다.

또한, 저마다 화려하고 정갈한 수를 놓아 은은하게 입술 모양새까지도 비추는 면사를 착용했다면 휘연의 면사는 도무지 얼굴을 알아볼 수 없을 정도로 투박하고 단순했다. 외관만으로도 그들과는 비교되는 것이다.

그리고 당연하게도 그들은 그 사실을 꼬집어 가며 조롱하고 있었지만, 조용히 다가가는 휘연은 지극히 담담할 뿐 위축되지도 수치스러워하지도 않았다. 휘연의 성정에 단순한 외관의 가치는 없다는 걸 이들은 모르고 있었다.

"서문세가의 서문휘연입니다."

"어서 오게. 내 늦어서 안 오는 줄 알았네만? 용케도 방 밖을 나오는구먼."

엄연히 같은 후보자들끼리는 하대할 수 없는 법이다. 그러나 남영옥은 휘연의 예를 갖춘 인사에도 당연하다는 듯 앉은 채로 하대했다. 그 모습에 여기저기 비웃음이 터져 나왔지만, 휘연의 반응은 담담하기만 했다.

휘연의 눈에는 그저 치기 어린 행동들로밖에는 보이지 않는 것이다. 무엇보다 이미 이들이 작정하고 자신을 몰아세우기 위해 불렀다는 걸 아는 이상, 적당한 선을 벗어나지만 않는다면 굳이 이들이 원하는 반응을 보여 줄 필요는 없었다.

"흐음, 거 이상하군. 자네들 어디서 지독한 구린내가 나지 않는가?"

"풋, 그러고 보니 저도 좀 전부터 괴롭지 뭡니까."

"마치 지하수로에서 올라오는 퀴퀴하고 썩은 냄새 같습니다."

"킥킥, 비유 한번 적당하군요."

"그러게 말입니다. 이거야 원, 너무 역하지 않습니까."

"아아, 자네들이 참으시게. 본시 천한 냄새는 자신도 어찌할 수 없을 것이야."

휘연이 자리에 앉자마자, 마치 없는 사람 취급하며 여섯 명이 쏟아 내는 말들은 하나같이 날카로운 비수가 되어 휘연

을 상처 입혔다. 사람을 면전에 두고 입에 담을 수 있는 말은
아니기 때문이다.

그럼에도 그들은 서슴없이 과한 표정을 드러내며 차마 입
에 담지도 못할 비웃음을 쏟아 내는 데 여념이 없었다. 애초
부터 다과의 목적이 휘연을 비웃고 상처 입히기 위한 것으
로, 그들을 방해할 사람은 이곳에 존재하지 않은 것이다.

"그나저나 서문세가라. 흐음, 들어 본 적이 없는 걸? 자네
들은 들어 봤는가?"

"글쎄요. 그런 집안이 있었습니까?"

"모르십니까? 서문세가라 하면 과거 잘난 머리만 믿고 까
불다가 몰락한 집안이 아닙니까? 제가 알기에는 역모죄에 해
당한다고 들었습니다만?"

"호오! 그런데도 살아 있다니 확실히 머리가 좋긴 좋은가
보군."

"또 모르지요. 잘난 몸이라도 팔아 연명했는지 어찌 알겠
습니까."

"이 사람, 말을 가려서 해야겠네. 설마하니 그런 더러운 짓
이야 했겠는가? 안 그런가, 서문 공자?"

언뜻 다른 이를 책망하는 투로 말하면서도 숨기지 않은 진
득한 비웃음을 달고 휘연을 돌아보는 남영옥이었다. 그런 후
보들을 돌아보는 휘연의 눈동자가 한 치의 굴함도 없이 단호
한 빛을 띠고 있었다.

자신 혼자라면 무슨 말로 상처 줘도 참았을 것이다. 그러
나 적정한 선을 벗어나 서문세가를 들먹이고 욕되게 하는 건

용납할 수 없는 일이라 휘연은 천천히 자리에서 일어나 여섯 명을 돌아보며 조용히 말문을 열었다.

"공자께서 말씀하시길, 착한 사람과 같이 살면 향기로운 지초와 난초가 있는 방 안에 들어간 것과 같아서 오래도록 그 냄새를 알지 못하나 곧 더불어 그 향기와 동화되고, 착하지 못한 사람과 같이 있으면 생선 가게에 들어간 것과 같아서 오래되면 그 나쁜 냄새를 알지 못하나 그 또한 더불어 동화되나니, 붉은 것을 지니고 있으면 붉어지고 검은 것을 지니고 있으면 검어진다고 하셨습니다."

"뭐, 뭐라?"

"인생에 있어 벗이 차지하는 비중은 매우 크다지요. 결코, 그 벗이 많다고 해서 좋은 게 아니며 적다고 해서 슬플 것도 없습니다. 하물며 권력에 따른 벗은 오래가지 않는 법이지요. 또한, 군평이 말하기를, 입과 혀는 화와 근심의 근본이며 몸을 망하게 하는 도끼와 같은 것이니 말을 삼가라 하였습니다. 그 간단한 이치조차 알지 못하고 화를 자초하는 어리석은 벗을 사귀어 검게 물들고 싶은 마음은 없으니 저는 이쯤에서 물러가겠습니다."

휘연이 말을 마치고 살짝 고개를 숙이며 미련 없이 돌아서자, 그때까지도 멍해 있는 남영옥을 비롯한 다섯 명의 표정이 험악하게 일그러졌다. 휘연의 말이 뜻하는 바가 무엇인지 바보가 아닌 이상에야 알아들은 것이다.

입을 함부로 놀려 화를 자초하는 자신들을 생선 가게에 비유하며 휘연 자신조차도 검게 물들까 꺼려지니 벗으로 사귀고 싶지 않다는 말이기 때문이다. 그 말인즉슨, 이들이 휘연을 내친 게 아니라 오히려 휘연에게 내쳐진 꼴이 된 것이다.

'후우, 괜한 짓으로 애들만 힘들게 하는 게 아닌지 모르겠구나. 쯧, 조금만 더 참을 것을, 아직 멀었음인가.'

❖

지난 보름간 신궁은 천례제의 시작을 알리는 첫날을 제외하고는 긴장감이 흐르는 가운데 침묵을 이어 갔다. 그리고 보름간 치러지는 천례제의 마지막 날인 오늘은 그 긴장감이 최고조에 달하고 있었다.

첫날 서관과 동관의 사이에 단을 설치하고 황제를 위시해 모든 황족과 문무백관들이 참석한 가운데 제를 올리는 걸 시작으로, 이튿째부터는 신관과 신녀는 각각 서관과 동관에서 하루 종일 기도를 올린다.

각자 저마다의 염원을 담고 황후로 간택받기를 바라는 심정으로 오늘이 오기를 기다린 것이다. 그사이 시종들은 황궁 법도를 익혀 나가야 했다.

"공자님은 긴장을 전혀 안 하시는 것 같습니다."

"글쎄. 그렇게 보이느냐?"

"예. 사실 저는 불안해서 전날은 잠도 들지 못했습니다."

머쓱한 듯 볼을 긁적이는 무영의 두 눈이 잠을 자지 못한 듯 붉었다. 그런 무영의 머리를 쓰다듬는 휘연의 입에서 나지막한 한숨이 흘러나왔다. 말은 하지 않아도 두 사람은 휘연이 신탁을 받기를 바라고 있을 것이다.

그래야 지금의 고통에서 벗어나 적어도 더 이상의 업신여김은 당하지 않을 거로 생각하겠지만, 휘연은 오히려 황후의 자리에 오른 후가 걱정이었다. 그때에는 이미 흉성이 완전한 각성을 했다는 걸 의미하기 때문이다.

그래서인지 차마 그 어떤 말도 하지 못하고 터져 나오려는 침음성을 목 안으로 삼킨 휘연이 두 사람의 상처투성이 손을 바라보았다. 그러다 결국은 막힌 숨을 토해 내듯 한숨을 내쉬어야 했다. 자신의 철없는 행동이 부른 결과가 이렇듯 선명하다.

천례제가 시작되고, 후보들 간에는 기도실에서 만난다고 해도 사사로이 말을 섞지 못하는 대신해 두 사람에게 향한 괴롭힘이 더 심해진 것이다. 그럼에도 굴하지 않는 두 사람이 대견스러우면서도 휘연의 미안함은 한층 더 커져만 갔다.

"힘들어도 조금만 참아라."

"저희는 걱정하지 마십시오. 이런 고통쯤은 별거 아닙니다."

"하아, 미안하구나."

"왜 자꾸 그런 말씀을 하십니까? 저희는 정말 괜찮습니다. 그러니 다시는 그런 말씀 마십시오."

휘연의 마음 씀이 되레 죄스럽다는 듯 단호하게 마음을 표현하는 두 사람을 보며 면사 안 휘연의 입가에 애달픈 미소가 걸렸다. 제대로 먹지도 못해 또래보다 더 작은 아이들이 폭력을 견딜 수 있을 리가 없는 것이다.

그 모진 경멸과 폭력 앞에 힘없이 무너져야 하는 자신들의 처지가 참으로 두렵고 고통스러웠으리라. 그것을 어찌 모를까. 지치고 무너지려는 여린 마음을 오직 자신을 위해 더더욱 견고히 하고 아픔을 속으로 삭인다.

그 사실을 누구보다 잘 알기에 휘연은 고집스레 얼굴을 굳히는 두 사람의 모습에 씁쓸한 웃음을 머금었다. 차마 울지 못해 웃어야 하는 심정이 이렇듯 고통스럽다는 걸 휘연은 온몸으로 느끼고 있었다.

"시간이 다 되었습니다. 지금 나가셔야지요?"

"……그래. 가야겠지."

나란히 방을 나선 세 사람이 서관 중앙 통로에 위치한 기도실 앞에 도착하고야 휘연이 긴장한 듯한 두 사람을 돌아보며 단아한 눈매를 휘었다.

"다녀오마. 나중에 보자."

"예."

날이 날이니만큼 초조한 빛을 지우지 못하는 두 사람의 머리를 쓰다듬고 뒤돌아 기도실 안으로 들어간 휘연이, 이미 자신의 자리에 앉아 있는 후보들과 사나운 눈초리를 보내는 제사장을 지나쳐 제일 구석진 자리에 정좌해 앉았다.

천례제 기간은 사사로운 말을 금한다고는 하나, 오늘은 유독 긴장이 흐르는 가운데 진시를 알리는 소리와 함께 후보들의 얼굴이 미미하게 굳어 가며 그 긴장감은 배가 되어 공기로 녹아들었다.

그건 비단 이곳 서관뿐만이 아니었다. 지금 수나라의 최고 권력을 가진 승상 유창운의 손녀 유자운이 있는 동관은 이보다 더했으면 더했지 덜하지는 않기 때문이다. 그리고 상황은 바깥도 매한가지였다.

황궁 밖은 황후가 누가 될 것인지를 놓고 사사로운 내기까지 일어났고, 저마다 권력에 줄을 대고 있는 이들은 자신의 줄이 선택되기를 기원하는 동안 다음 대 황제인 환백 또한 초조하게 기다렸다.

자신과 평생을 함께할 반려가 누구인지를. 남색이라면 치를 떠는 그라 해도 인간인 이상은 신탁만은 어찌하지 못하기에 그가 원하는 것은 오직 하나였다.

대신관만 아니라면 누구라도 상관없다는 마음이 그것이었다. 그렇게 저마다 염원을 담고 기원한 지 두 시진이 지났을 때였다.

일순 밖이 소란스러워짐과 동시에 기도실 안에 자리를 지키고 있던 제사장의 경악성이 터지며, 순식간에 후보들 사이에도 혼란이 일어나고 있었다.

그 소란스러운 와중에도 기도실 천장을 뚫고 하늘에서 쏟아지는 따사로운 휘광을 온몸으로 흡수하며 고요하게 침묵을 지키고 있는 이는 오로지 휘연 혼자였다. 수나라 제20대 황후를 알리는 신탁이 내려온 것이다.

『기다리고 있었습니다.』

휘연은 귓가로 파고드는 절제된 목소리에 감은 눈을 뜨고 눈앞의 이를 응시했다. 청금석(靑金石) 눈동자에 남청색 도복 차림을 하고 푸른색 여의건(如意巾)을 두른 사내였다.

"그대는 누구십니까?"

『천제를 모시는 도재(導齋)라고 합니다. 오르시지요.』

자신을 도재라 밝힌 사내의 말에 휘연은 그제야 장소가 바뀌었다는 걸 인식하고 주변을 돌아보았다. 갖가지 색상의 이름 모를 꽃밭 사이로 반듯하게 깎아 놓은 돌계단이 길게 이어져 있었다.

그 끝에 천제가 기다리고 있을 거라는 사실을 어렵지 않게 짐작한 휘연은 마음을 가라앉히려는 듯 가만히 눈을 감았다가 뜨고 천천히 계단을 밟았다. 계단은 눈으로 보이는 것보다 더 길었다.

오르고 또 올라도 끝이 보이지 않을 것만 같은 계단이 자칫 지겨울 법도 했으나 그렇다고 육체에 힘이 들어가는 것도 아닌지라 휘연은 도리어 그 여유를 즐겼다.

그런 휘연의 뒤로 도재가 의미 모를 미소를 머금은 채 말없이 뒤따르고 있었다. 그렇게 얼마간이나 계단을 올랐을까, 문득 자신이 너무 늑장을 부리는 게 아닐지를 걱정한 순간 풍광이 바뀌었다.

끝이 없이 이어질 것 같았던 계단은 순식간에 사라지고, 사방에서 들려오는 맑은 물소리가 가득한 공간 한가운데 둥근 나무를 깎아 만든 탁자를 사이에 두고 상석에 누군가가 앉아 있었다.

아무런 무늬조차 들어가지 않은 새하얀 색의 의복만으로도 범접할 수 없는 기품을 풍기는 상대가 누구인지를 휘연은 단번에 알아차리고 일말의 망설임 없이 극진한 예를 다해 절을 올렸다.

"만물의 주인이신 천제를 뵈옵니다."

『마음은 편해졌느냐?』

"예. 한결 시름을 덜었습니다."

천제가 묻는 것이 계단을 뜻한다는 걸 알고 휘연은 가만히 눈을 감았다가 뜨고 답했다. 실제 처음 계단을 밟을 때만 해도 하고 싶은 말도, 원망도 속에서 소용돌이치듯 거칠기만 했었다.

그러나 하나하나 계단을 밟고 올라올수록 감당할 수 없이 어깨를 짓누르던 무게도, 무섭게 소용돌이치던 감정들도 거짓말처럼 잔잔해졌기 때문이다.

『네가 올라온 그 계단은 마음의 길이라 한다. 오르는 이의 마음먹기에 따라 단숨에 오를 수도 있고, 마음의 짐이 무거울수록 언제까지고 그 끝이 보이지 않을 수도 있기 때문이지.』

휘연은 그 어떤 대답도 하지 않았다. 휘연이 올라온 길은 끝이 보이지 않을 정도로 길었고, 그만큼 내려놓은 짐 또한 많다는 걸 의미하는 것이다. 그리고 휘연은 모든 짐을 온전히 놓지 못한 채 그 길을 벗어났다.

그러나 그것만으로도 휘연은 지금껏 숨통을 조여 오던 운명이라는 무게에서 조금은 여유를 찾은 것만 같아 나지막이 한숨을 내쉴 수 있었다. 어차피 벗어날 수 없는 운명이라면 받아들여야만 하는 것을. 거부란 애초에 부질없는 것이다.

『내게 궁금한 것이 없느냐?』

어찌 없을까. 하나에서 부터 열까지. 질문을 하라면 질문을, 원망을 하라면 원망을. 운명을 받아들인 그 순간부터 너무도 하고 싶은 말이 많았지만, 휘연은 새삼 그 모든 게 부질없는 것만 같아 옅게 쓴웃음을 배어 물었다.

이제 와서 그런 게 다 무슨 소용이란 말인가. 거부할 수 없다면 받아들이는 것이 순리. 휘연은 새삼 나약해지려는 마음을 굳게 다잡았다. 거대한 혼란을 앞두고 한낱 가치도 없는 자신의 처지 따위를 비관만 하고 있을 수는 없기 때문이다.

"제가 무엇을 해야 합니까?"

『옆에 존재하거라. 너는 내 생명의 빛으로 빚어 낸 내 아들. 너의 존재만으로도 천살의 흉함을 누를 수 있음이다.』

휘연은 천제의 정확한 말뜻이 이해되지 않았다. 단순히 존재하는 것만으로도 가능하단 말인가. 고작 그런 걸로 어찌 천살의 흉함을 누를 수 있다는 것인지, 휘연의 의아한 표정에 천제의 목소리가 잠시의 틈을 두고 다시 흘러나왔다.

『그 이유는 너와 천살이 모순에서 나온 상극이기 때문이다.』

"상극이라 하셨습니까? 외람되오나 더 혼란스럽습니다."

『그렇겠지. 본시 천살은 내 피로 만들어 낸 광기의 검인 반면, 생명의 빛인 너는 그 광기를 누를 수 있음이니, 두 존재는 함께해서는 안 되는 상극이되 천살의 흉함이 모두 사라질 때까지는 결코 떨어질 수도 없는 고리로 연결되어 있다.』

상극이되 함께할 수밖에 없는 운명의 굴레에 휘연은 나지막이 침음성을 삼키며 가만히 눈을 감았다.

"단순히 곁에만 존재하면 되는 것입니까?"

『그것만으로도 상극이니 고통스러울 것이다. 천살로 인해 대지에 피가 마를 날이 없을 것이고, 그 고통은 고스란히 네게 돌아갈 것이다. 그러나 너의 존재로 차츰 그 허물을 벗을 것이니, 온전히 벗어 던졌을 때는 이 대국이 그로 인해 새로이 태어나 번성할 것이다.』

그렇게만 된다면 자신의 고통쯤은 아무것도 아니었다. 애초에 자신은 이 길을 가기 위해 존재하는 것이다. 다만 그 사이에 사그라질 수많은 목숨이 눈에 밟혀 휘연은 목이 메어 와 눈시울이 붉어졌다.

"그때가 언제입니까?"

『한 번의 죽음이 끝나는 날이다. 천살의 주인은 한 번의 죽음이 찾아오기 전에는 그 흉함을 멈추지 않을 것이다.』

"한 번의 죽음이라 하셨습니까?"

『네게 그 죽음을 생으로 되돌릴 힘을 주마. 어찌하겠느냐? 너의 희생으로 그는 천살의 운명을 벗을 수 있다. 치르겠느냐?』

천제의 물음에 휘연은 선뜻 대답하지 못했다. 다가올 고통이 두려워서도 아니고 암담하기만 한 운명에서 도망치고 싶어서도 아니었다. 그저 한없이 나약해지려는 자신의 마음을 다잡을 짧은 시간이 필요했을 뿐이었다.

그렇게 휘연은 눈을 감은 채 터져 나오려는 울음을 목 안으로 삼키고 머릿속을 어지럽히는 상념을 조금씩 지워 나갔다. 호협의 말대로 눈을 감고 귀를 막으며 입까지 닫아야 한다. 그래야만 무너지지 않고 버틸 수 있으리라.

"예. 천살의 운명을 벗길 수만 있다면, 무엇이든 치르겠나이다."

『너는 그 대가로 많은 고통이 따를 것이며 종내에는 추하게 변할 것이다. 그래도 치르겠느냐?』

"치르겠나이다. 고통은 인내로 감내할 것이고, 외모의 추함은 이 나라가 편해짐으로 안도할 것입니다."

마음을 다잡은 결과인가. 휘연의 목소리는 비교적 담담하게 흘러나왔다. 그런 휘연을 보며 천제가 자리에서 일어나 천천히 다가오자 휘연은 감았던 눈을 뜨고 차분하게 말문을 열었다.

"마지막으로 하나만 여쭙겠습니다. 인간을 사랑하십니까?"

마치 휘연의 물음을 예상했다는 듯 천제는 대답 대신 온화하게 웃었다. 그 미소에 휘연이 스르르 눈을 감자 천제의 손이 휘연의 정심에 올려졌다. 그 순간 손바닥부터 빛이 쏟아져 나오며 정심으로 흘러들었다.

그 빛은 몸 안으로 부드럽게 스며들고 차츰 온몸이 빛에 둘러싸이는 동안 휘연의 표정이 평온하게 펴지며 입가에는 옅은 미소마저 떠오르고 있었다. 그렇게 짧다면 짧은 만남이 이루어지고 있을 때, 지상은 때아닌 혼란에 휩싸였다.

지금껏 황후의 신탁은 그 빛이 반각을 넘지 않았기 때문이다. 그러나 지금 휘연에게 반 시진이 넘게 빛이 쏟아져 내리고 있었고, 그렇게 약 일각이 더 지나서야 빛은 이내 반짝이는 가루가 되어 흩날렸다.

마치 빛 가루들이 공기 중에 떠돌며 은하수를 수놓는 것같
이. 기도실 안을 가득 채우고 있던 수많은 이들은 그 아름답
고 장엄한 광경에 일순 정신을 빼앗긴 듯 멍하니 탄성을 쏟
아 내고 있었다.

五章
황태자 환백

제20대 황후의 신탁을 앞두고 누구보다 초조함을 드러낸 사람은 자신과 평생을 함께할 반려를 기다리는 황태자 환백이었다. 그가 원하는 것은 오직 하나였다. 외모가 못나도 좋고 어딘가 모자라도 좋으니 사내만 아니면 되는 것이다.

그는 그만큼 사내를 경멸했다. 남녀를 가리지 않는 황후의 신탁 덕분에 자연스럽게 동성애 또한 허용되는 수나라지만, 환백은 어릴 때부터 그런 제도 자체를 역겹게 생각했고 특히나 동성 간의 사랑은 이해조차 하지 못했기 때문이다.

그 때문에 자신의 반려를 자신이 아닌 천제의 신탁으로 정하는 것에도 불만을 품을 정도였다. 그 불만이 어떤 식으로 표출될지는 굳이 짐작하지 않아도 알 수 있었기에 황태자궁은 모두가 숨을 죽인 채 신탁이 끝나기를 기다리고 있었다.

그렇게 쥐 죽은 듯한 고요함 속에서 환백이 초조함을 숨기지 못하고 손가락으로 탁자를 두드리고 있을 때였다. 문밖에서 기척을 알리고 망설임 없이 문을 열어젖히는 누군가를 향해 환백의 일그러진 얼굴이 미미하게 퍼졌다.

"형님."

"효헌, 오랜만에 들르는구나."

첫째 황비의 소생이자 환백이 유일하게 형제로 인정한 효헌은 그 특유의 부드러운 미소로 답하며 환백의 맞은편에 자리해 앉았다. 그런 효헌의 미소에 환백의 얼굴에도 어느새 초조함 대신 편안함이 어리고 있었다.

황가의 혈통을 가장 완벽하게 물려받아 순백의 머릿결과 순수한 붉은색의 눈을 가진 자신과는 달리, 옅은 회색빛의 머리카락에 검붉은색의 눈동자를 가진 그가 차분하게 자신을 바라볼 때면 환백은 어김없이 묘한 안정감을 찾는 것이다.

누구 하나 온전히 믿을 수 없는 삭막하기만 한 황궁에서 어릴 때부터 모두가 자신을 죽이려고 혈안이 되었었다. 특히 자신보다 나이 많은 황자들은 현 19대 황후가 신탁을 받은 후부터 끊임없이 암살을 시도해 왔다.

그 속에서 유일하게 자신의 위안이 되고, 편이 돼 준 사람이 효헌이다. 누구보다 똑똑한 머리를 가지고 있음에도 자신을 드러내지 않으며 권력에 욕심이 없다는 걸 보여 주기 위해서 더 혼자만 겉돌며 유약한 학문과 음에 심취했다.

그런 행동은 황태자의 편이라는 것을 보여 주기 위함이었지만, 환백은 근래에 와서야 효헌에게 마음을 열었다. 황궁에서는 믿음이라는 자체가 부질없는 것으로, 나태함은 한순간에 죽음으로 연결되는 것이다.

그런 황궁에서 자란 환백이 불신으로 밀어내고 밀어내는데도 효헌은 항상 같은 자리에서 욕심 없이 자신을 봐 주었다. 그래서인지 환백은 효헌에 대해서만큼은 믿음을 보이고 있었고, 그건 효헌 또한 매한가지였다.

"헌데 예까지 어인 일이냐?"

"금을 타는데 문득 형님이 보고 싶어 견딜 수가 없더란 말입니다."

능청스럽게 웃으며 답하는 효헌을 보며 환백은 피식 웃음을 흘렸다. 신탁을 앞두고 자신이 초조해하고 있을 거라는 걸 알고 들른 것이 뻔하지만, 환백은 이 이상 뭐라 하지는 않았다.

"너도 이제 짝을 찾아야 하지 않느냐?"

"형님, 제가 벌써 짝을 찾으면 저를 사모하는 수많은 여인의 가슴에 비수를 꽂는 일입니다. 그러니 그런 말씀은 하지도 마십시오."

자못 진지한 척 너스레를 떨며 태연자약하게 늘어놓는 말에 환백이 못 말린다는 듯 결국은 고개를 내저으며 나직하게 웃음을 터트렸다.

"쿡쿡, 녀석. 언제까지 한량 노릇을 할 테냐?"

"좋지 않습니까? 짧은 인생, 즐길 수 있을 때까지는 즐겨야지요. 저는 지금의 생활에 만족하고 있습니다."

"만족이라······."

작게 입안에서 웅얼거리듯 중얼거리는 환백의 입가로 언

뜻 씁쓸한 웃음이 스치고 지나갔다. 만족할 수 있을 리가 없기 때문이다. 효헌은 다른 황자들에 비해 어릴 때부터 그 총명함이 유독 뛰어났다.

문무에 모두 두각을 나타낼 정도였고, 그 성품은 바르고 정대했다. 그러나 어느 순간부터 효헌은 그 모든 것을 안으로 감추고 드러내기를 꺼렸다. 그게 자신을 만나고 부터라는 걸 알기에 환백은 마음이 쓰이는 것이다.

"무엇을 생각하십니까?"

"너를 처음 만났을 때를 떠올렸다."

"아아, 그러고 보니 세월이 참으로 빠른 것 같습니다."

자신의 나이 일곱, 효헌의 나이 여섯에 이 드넓은 황궁에서 처음 만났다. 황가의 전통성을 가장 완벽하게 갖고 태어난 그 순간부터 자신의 운명은 정해져 있었고, 그건 어린 나이라 해서 비켜 가지는 않았다.

하루도 잠잠할 날 없었다. 수도 없이 목숨의 위협을 받아야 했던 자신은 처음 말을 시작하면서부터 황태자를 넘어 황제의 교육을 받으며 홀로 그 짐을 감당해야만 했다. 사방이 적이라는 걸 일찌감치 깨달은 것이다.

그런 자신에게 어린 효헌은 조금의 두려움도 없이 다가왔다. 웃음을 잃고 감정을 잃어버려 오직 경계만 하는 자신을 향해 효헌은 어린아이 특유의 환한 웃음을 지으며 그렇게 말했었다. '제가 있어야 할 자리를 찾은 것 같습니다.' 라고.

"소문 속의 형님을 처음 봤을 때 제가 느낀 게 무엇인지 아십니까?"

"글쎄."

"후훗, 자만입니다. 어릴 때의 저는 천방지축으로 제가 잘
난 줄만 알았지요. 그러나 형님을 보는 순간 깨달았습니다.
저 자신이 얼마나 어리석은지, 감히 넘볼 수 없는 벽이 있다
는 것을 알았습니다."

사실이 그랬다. 효헌은 환백과의 첫 만남에서 그런 기분을
느껴야 했기 때문이다. 자신이 제아무리 갈고 닦는다고 해도
결코 환백을 넘어설 수 없다는 걸. 그리고 자신이 있어야 할
자리가 어디인지를 확실히 깨달았다.

"제가 말씀드렸지요. 제가 있어야 할 자리는 형님 옆입니
다. 언제든 제가 필요하시면 사용하십시오. 그것이 제 사명
이고 제가 해야 할 일입니다."

효헌의 말에 환백은 아무런 말도 하지 않았다. 단순한 아
부가 아니라 한 마디 한 마디에 그 진실이 담겨 있다는 걸 환
백 자신이 누구보다 잘 알고 있었지만, 권력이라는 게 결코
만만하지가 않기 때문이다.

그렇다고 효헌을 믿지 못하는 것도 아니다. 그러나 황궁이
라는 것이 그렇듯 암투를 일삼는 곳이고, 누군가는 반드시
권력을 악용해 효헌을 이용하려 할 것이 뻔한 일이기에 환백
은 효헌이 아닌 그 주변을 믿지 못하는 것이다.

조금만 나태해져도 어느 순간 자신도 의식하지 못하는 사
이 휩쓸리게 된다. 그 중심에 자신이 유일하게 믿음을 갖고 감
정을 보이는 효헌이 있을 것은 자명한 일. 환백은 믿고 싶어
하면서도 믿어서는 안 되는 자신의 처지가 씁쓸하기만 했다.

그 사실을 효헌 또한 알고 있었고, 두 사람의 얼굴에는 결코 내색하지 못할 안타까움이 빠르게 스치고 지나갔다. 그렇게 두 사람 사이로 찰나의 침묵이 흐를 때였다. 신탁을 확인하러 갔던 시관이 기척을 알리고 안으로 들어섰다.

"전하, 신탁이 내려왔사옵니다."

"그래? 대신녀가 나왔겠지?"

다그치는 환백을 보며 효헌은 나지막이 한숨을 내쉬고 시관의 기색을 살폈다. 그러고는 이내 목 안으로 침음성을 삼켜야 했다. 우물쭈물 쉽게 대답하지 못하는 것만으로도 이미 답은 나온 것이다.

"그것이…… 대신관이 나왔사옵니다."

"이익! 대신관이라니! 내 배필이 사내놈이라는 말이냐?!"

두꺼운 탁자가 금이 가도록 쾅…… 내려친 환백이 자리에서 벌떡 일어나며 노성을 터뜨렸다. 그런 환백의 눈이 분노를 담고 붉게 타오르고 있었다.

"형님! 형님, 우선 진정하십시오."

"내가 진정하게 됐느냐?! 사내라니, 계집도 아니고 사내놈이라니!"

평소 환백이 신탁에 대해 얼마만큼 반발심을 가지고 있는지를 잘 알고 있는 효헌으로서는 지금의 분노가 어떤 영향을 미칠지가 걱정이었다. 아마도 잔인한 성정인 환백의 분노는 고스란히 황후에게로 돌아갈 것이다.

그래서인지 효헌은 신탁을 받은 황후에 대해 알지 못함에도 가련한 마음이 앞섰다. 지금까지의 남자 황후들보다 더한 취급을 당할 거라는 건 충분히 짐작할 수 있는 일이라, 효헌은 여전히 분노를 숨기지 못하는 환백을 보며 나지막이 한숨을 내쉬어야 했다.

"형님, 진정하시고 받아들이십시오. 길이 그것뿐이지 않습니까?"

한 번 신탁이 내려오면 절대 번복할 수 없는 일이다. 그 사실을 효헌도, 환백도 알고 있기에 효헌은 달래듯 차분하게 말을 꺼냈으나 환백은 오히려 더 분에 겨운 듯 언성을 높였다.

"하! 대관식을 치르기 전에 죽여 버리면 그만이다!"

"형님! 그것은 절대 안 됩니다. 신탁에 반하던 역대 황제들께서 어찌 되시었는지 잊으셨습니까?"

신탁에 반하던 황제들은 이유 모를 돌연사를 당했다. 그것도 일 년 안에. 그 사실을 들먹이며 효헌이 강경하게 막아설 때 문이 벌컥 열리고 들어온 이를 향해 두 사람은 놀란 눈으로 자리에서 일어나 예를 갖추었다.

"황자의 말이 맞습니다. 황태자는 자중하세요."

"황후마마를 뵙습니다."

소회황후. 권력을 휘두를 수 있는 황후의 자리를 지키고 있음에도 누구보다 권력에 담백한 성격으로, 지금껏 역대 황후들에 비하면 손색이 없었으나 그녀의 지나친 무관심 또한 결코 바람직한 것은 아니었다.

황후인 그녀가 잠잠함으로 황비들과 후궁들, 그리고 그 외척들의 기세가 날로 더해졌기 때문이다. 무엇보다 그녀의 무관심은 자식인 환백에게도 매한가지로, 이렇듯 찾아온 사실에 환백은 적잖이 당황할 수밖에 없었다.

"예까지 어인 일이십니까?"

"내 태자의 성정으로 보아 이럴 것 같아 찾아왔습니다. 제가 쓸데없는 일에 나선다 생각하십니까?"

환백은 선뜻 대답하지 못하다가 찰나를 두고 마지못해 답했다. 언제나 무관심으로 일관하던 그녀의 방문은 그만큼 환백에게는 놀라웠기 때문이다.

"……아닙니다."

"이해하지 못하겠지요. 왜 새삼스레 관심인가 싶기도 하겠지요. 그러나 자식이 불행을 자초하는 것을 뻔히 알면서 막지 않을 부모는 없습니다. 그럼에도 고집을 피우신다는 건 이 어미에게 불효를 저지를 생각이십니까?"

그녀의 물음에도 고집스레 입을 다물고 있는 환백을 보며 처음으로 그녀의 무표정이 깨지고 애잔함이 스치고 지나갔다. 그녀 또한 그동안 자신의 행동을 알기에 환백에게서 딱히 대답을 원한 것은 아니었다.

"듣자 하니 참한 아이 같았습니다. 또한, 그 학식이 높고 성품이 바르며 누구보다 황후의 자리에 어울리는 아이입니다. 아껴 주십시오, 태자. 하늘이 정하고 운명이 정한 상대가 아닙니까? 필시 거기에는 반드시 이유가 따를 것이니, 부디 사내라 하여 업신여기지 말고 내자로 받아들이셔야 합니다."

차분하게 이어지는 그녀의 말에 환백은 탁자 밑으로 주먹을 불끈 쥐면서도 이렇다 할 대답은 하지 않았다. 그녀가 뭐라 하든 지금 환백의 머릿속에는 아무것도 들리지 않았다.

되레 그녀의 말에 묘한 반발심만 생기는 것이다.

그런 환백의 굳은 표정과 그녀의 안타까운 표정을 번갈아 보며 효헌은 터져 나오려는 한숨을 목 안으로 삼켜야 했다. 차라리 진작 살뜰하게 안아 줬다면 환백이 조금은 다른 반응을 보였을지도 모른다.

그러나 자식이라 하나 황제는 주색잡기에 빠져 단 한 번도 환백을 돌아보지 않았고, 황후인 그녀는 환백을 낳은 어머니로서 단 한 번도 따뜻함으로 감싸 주지 않았다. 그렇게 오로지 홀로 모든 걸 헤쳐 온 것이다.

효헌은 어릴 때부터 그걸 지켜보며 자랐다. 그래서인지 지금 환백이 얼마나 혼란스러울지 충분히 짐작할 수 있었다. 그리고 지금의 혼란이 나쁜 방향으로 틀어지지 않기를 효헌은 진심으로 바라고 있었다.

새로운 황후를 맞이하는 축제가 사흘간 황도뿐만 아니라 나라 곳곳에서 벌어지는 가운데 신궁은 또 한 차례의 간택을 앞두고 바쁘게 움직이고 있었다. 황후 다음으로 이어지는 세 명의 황비를 간택하기 위함이었다.

후보들이 아침부터 황태자를 맞이하기 위해 정성을 들여 단장하는 동안 제사장을 비롯한 신도들 또한 분주하게 움직였다. 단지 다른 점이라면 신녀들이 있는 동관이 활력을 띠고 있다면 서관은 침체되어 있다는 사실이다.

그 이유야 황태자의 성정 탓이다. 황후의 자리야 황태자도 어찌하지 못하는 신탁으로 이루어진다지만, 황비 간택과 후궁 간택만큼은 황태자의 권한으로 동성애를 경멸하는 그가 서관을 찾지 않을 것은 자명했기 때문이다.

　그래서인지 서관과 동관은 대조적인 분위기를 띠고 있었고, 미시 초를 알림과 동시에 신궁의 두 제사장과 신도들은 바쁘게 걸음을 옮겨 신궁 앞에 나란히 섰다. 이것 또한 절차의 하나로 황태자를 기다리는 것이다.

　그렇게 약 일각이 지났을 때였다. 마차 한 대가 내금위의 호위를 받으며 신궁 앞에 멈춰 서고, 곧이어 마차 문이 열리며 환백이 모습을 드러냈다. 역대 그 누구보다 진한 혈통을 자랑하는 환백은 지위를 제외하고라도 확실히 탐나는 사내였다.

　이제 18세. 성인식을 치른 나이라고는 생각지도 못할 만큼 누구보다 큰 키와 사내다운 건장한 몸에서는 은연중 위압감이 뿜어져 나왔고, 새하얀 비단결 같은 머릿결과 투명하리만치 붉은 눈은 보는 이로 하여금 넋을 잃게 만들었다.

　그러나 완벽한 것은 없다고 했던가. 태어난 그 순간부터 하늘의 아들이라 불린 그는 이상적인 아름다움으로 경외감마저 들게 했지만, 그 성정은 누구의 접근도 허락하지 않을 정도로 오만했으며 작은 실수도 용납하지 않을 만큼 잔인했다.

　"고개를 숙여라!"

　내금위장의 호통에 그제야 멍한 표정을 굳히고 황급히 머리를 조아리는 제사장과 신도들을 돌아보는 환백의 미간이 미미하게 구겨졌다. 서관의 제사장과 신도들이 마음에 안 드는 것이다.

"이것들은 뭐지?"

"서관의 제사장과 신도들 같습니다."

"치워."

"명 받자옵니다. 뭣들 하느냐?! 사내놈들은 당장 꺼져라!"

이미 어느 정도 예상하고 있었음에도 후보들을 볼 생각도 없다는 듯 단칼에 잘라 내는 명령에 서관 제사장과 신도들은 침중한 얼굴로 내금위들에게 강제로 쫓겨나다시피 후다닥 몸을 물릴 수밖에 없었다.

이렇게 되면 후보들에게 받은 사례금의 명목이 사라지는 것이다. 그렇다고 달리 도리가 있는 것도 아닌지라, 황후로 내정된 대신관 휘연을 빼고는 서관 후보자들의 앞날은 이미 정해진 것이나 다름없었다.

그리고 이런 상황을 예상했다는 듯 서관 신도들의 축 처진 뒷모습을 힐끔거리는 동관 제사장과 신도들의 얼굴에는 비웃음이 떠올랐다. 그와 동시에 진득한 욕심을 드리우고 제사장은 한 발 나서 환백에게 정중히 고개를 조아렸다.

"전하, 모시겠사옵니다."

신궁에서 제사장의 권한은 절대적으로, 그녀가 모시는 주인인 유자운에게 먼저 안내하는 것은 당연지사. 신도들은 제사장을 따라 움직이는 환백을 아쉬운 눈으로 살피며 다음으로 자신에게 기회가 오기를 바라는 초조한 마음으로 뒤따랐다.

이곳 또한 권력순이라 하나, 자칫 후보자들을 다 돌아보지도 않고 환백이 신궁을 떠날 수도 있기 때문이다. 그런 일을 미연에 방지하기 위해서라도 신도들은 제사장에게 별도의 사례금을 지급하고도 이렇듯 초조할 수밖에 없는 것이다.

"이곳이옵니다, 전하."

제사장이 안내한 곳은 유자운의 처소로, 문 안으로 들어서는 환백을 확인하고야 제사장은 문을 닫고 신도들을 돌아보며 만족한 웃음을 드러냈다. 그런 그녀 주변으로 신도들이 우르르 몰려와 앞다투어 또다시 작은 주머니들을 찔러 넣고 있었다.

그렇게 밖에서 경쟁 아닌 경쟁이 치열하게 벌어지는 동안 환백은 다소곳이 바닥에 앉아 있는 유자운을 무심한 눈으로 내려다보며 방 한가운데 마련된 탁자로 걸음을 옮겼다. 탁자 위에는 황궁의 오찬만큼이나 화려한 술상이 준비되어 있었다.

"네가 승상의 손녀인가?"

"그러하옵니다, 전하."

일말의 감정도 담겨 있지 않은 것 같은 나지막한 목소리만으로도 전신으로 퍼져 가는 두려움을 느낀 유자운은 떨리는 몸을 간신히 추스르며 차분하게 대답했다. 그런 그녀를 환백은 눈을 가늘게 뜨고 주의 깊게 살폈다.

승상 유창운, 현 수나라 황제보다 더한 권력을 움켜쥐고 있는 자. 거기에 그치지 않고 어린 손녀를 이용해 다음 대 황제의 자리까지 노리는 자. 그리고 지금 환백에게는 가장 큰 힘이 되면서도 가장 강한 적이 되는 자였다.

지금의 황제처럼 자신 또한 손아귀에 넣고 이용할 대로 이용하고 한순간에 적으로 돌아설 거라는 건 충분히 예상하고 있음에도 환백은 이렇다 할 내색을 하지 않았다. 그들이 자신을 이용하면 자신 또한 이용하면 그만이다.

또한, 황제의 자리를 노리고 자신을 호시탐탐 죽이려는 황자들의 음모가 진행되고 있는 이때에 승상 유창운만큼 든든한 배경은 없기 때문이다. 적어도 자신이 힘을 키우고 적을 모두 쳐 낼 동안은 감싸 안아야 하는 것이다.

그렇다고 필요 이상 굽히고 들어간다는 건 환백의 성격상 절대 불가한 일이었고, 환백은 고개를 숙인 채 미동도 하지 않은 그녀를 내려다보며 눈을 가늘게 뜬 채 입꼬리를 말아 올렸다. 명백한 비웃음이었다.

"벗어라."

환백의 말에 지금까지의 차분함이 거짓이었다는 듯 동요하며 옷가지를 꼭 움켜잡는 그녀의 가녀린 손이 부들부들 떨렸다. 환백의 말이 그만큼 충격이었기 때문이다. 황비 간택이라 하나 적어도 오늘 바로 몸을 섞지는 않는다.

오늘은 그저 후보자들의 얼굴을 마주하며 요령껏 환백의 마음을 사로잡는 것이지, 황비로서 정식 간택도 받기 전에 몸을 섞는다면 저잣거리의 기녀와 무엇이 다르단 말인가. 그럼에도 그 말을 했다는 건 유자운 그녀를 모욕하는 행위인 것이다.

그래서인지 분에 겨워 입술을 질끈 깨물며 옷가지를 더욱 구겨 잡는 그녀를 내려다보며 환백은 다시 한 번 입가를 비스듬히 말아 올렸다. 그러나 그것도 잠시, 차분히 호흡을 가다듬고 입을 떼려는 그녀의 말을 자르는 환백은 어느새 지루한 표정을 짓고 있었다.

"전하, 어찌……."

"황후는 못 돼도 황비는 돼야지?"

비웃음이 역력한 말투에 그녀의 몸이 크게 움찔거렸다. 지금 환백의 완벽하지 않은 처지로서는 그녀만큼은 절대적으로 필요했고, 그 사실을 환백도, 그녀도 이미 알고 있었다.

그런데도 저런 말을 꺼낸다는 건 무엇을 뜻하겠는가. 그녀를 도발하는 것이다. 그녀는 눈을 질끈 감았다가 뜨고 자리에서 일어나 천천히 옷가지를 벗었다.

제아무리 황비로서 내정되어 있다고는 해도 그가 황태자인 이상은 그녀로서는 그 어떤 모욕을 주더라도 견뎌야 하기 때문이다.

조용한 방 안에 옷자락 스치는 소리만이 들려오고, 겹겹이 입은 마지막 옷까지 마저 떨어져 내리자 유려한 곡선이 드러났다. 이제 그녀의 몸에는 얼굴을 가린 면사와 속곳 하나, 아직은 채 여물지 않은 가슴을 동여맨 천이 전부였다.

그런 그녀의 몸을 위에서부터 아래로 훑어 내리는 환백의 시선이 느껴지고, 그녀는 몇 차례나 머뭇거린 끝에야 속곳을 벗고 가슴을 동여맨 천을 풀어헤쳤다. 그와 동시에 작으면서도 탐스러운 가슴이 봉긋하게 솟아오르자 환백의 비웃음이 다시 한 번 조용한 방 안에 울렸다.

"볼품없군."

서릿발보다 더 차가운 비웃음. 그녀는 도발에 넘어가지 않으려는 듯 뻣뻣하게 굳어지려는 몸을 간신히 유지하며 몇 번의 심호흡 끝에야 면사를 거둬 냈다.

그런 그녀의 얼굴에는 숨기지 못한 긴장이 서려 있기는 했으나 결코 주눅에 움츠러든 것도 아니었다. 실제 뒷받침하는 권력이 아니라 해도 그녀는 스스로에게 자신감이 있었기 때문이다.

비록 성숙한 여체가 풍기는 아름다움은 없어도 앞으로 더 아름다워질 것은 충분히 짐작할 수 있을 정도로 그녀는 미인의 조건에 완벽하게 부합하는 것이다.

무엇보다 여물지 않은 탐스러운 육체는 사내라면 누구나 충동을 불러일으킬 만큼 색정적이었으며, 한편으로는 깨끗한 설원을 더럽혀 보고 싶을 사내의 거친 욕구를 자극하고 있었다. 그러나 그녀의 아름다움도 환백의 표정을 변화시키지는 못했다.

"누워라."

환백의 말에 흠칫하던 그녀가 동요를 숨기려는 듯 더더욱 허리를 꼿꼿하게 세우고 환백을 지나쳐 침상에 반듯하게 누웠다. 그런 그녀를 내려다보며 환백은 지루한 표정으로 침상에 올랐다.

"나무토막도 아니고 뻣뻣하게 굳어서 뭐하자는 거지?"

"전하…… 의관을…….""

"왜? 내 몸이 보고 싶나? 그게 아니라면 같잖은 자존심은 때려치우고 다리나 벌려라. 그게 네가 해야 할 일이라는 걸 알 텐데?"

그녀는 마지막 남은 자존심까지 산산이 부서져 내리는 것만 같아 눈을 질끈 감았다. 지금껏 그녀의 짧은 인생에 있어 이렇듯 두렵고 화가 나는 일도 드물 것이다. 그러나 상대는

지고지순한 황제의 자리에 오를 황태자다.

설사 이보다 더한 일을 하라고 한들 그녀의 처지로서는 당연히 받들어야 하기에 서로가 이용하고 이용당하면서도 마지막에 마지막까지 도발하려는 환백을 향해 그녀는 그 어떤 항의도 없이 뻣뻣하게 굳어 있는 다리를 벌려야 했다.

그 모습에 환백이 피식 웃으며 그녀의 두 다리를 한껏 벌리고 그 사이로 파고들었다. 한쪽은 실오라기 하나 걸치지 않은 나신임에도 한쪽은 욕구만 풀면 된다는 듯 바지춤만 끌어내린 채 반쯤 부풀어 오른 양물만을 드러낸 상황이었다.

"흡······ 아악······!"

미처 마음을 다잡기도 전에 환백의 거대한 양물이 단번에 깊숙이 꿰뚫었다. 조금의 배려도 없이 무자비한 힘으로 밀고 들어오는 고통에 그녀의 입에서 찢어지는 비명이 흘러나오고, 오기로 뭉쳐져 있던 표정은 더할 나위 없이 일그러졌다.

입술을 깨물고 비단 이불을 끌어 쥔 채 덜덜 떨고 있는 모습이 애처로울 만도 하련만 환백은 두 차례에 걸쳐 깊숙이 파고든 몸을 뒤로 물리며 다시 한 번 퍽 소리가 나도록 깊숙이 파고들 뿐 표정은 지독히도 무미건조했다.

"흐읍! 제, 제발······ 악!"

침상에 흥건하게 핏물이 흘러내리고 소리 없는 비명이 터져 나오는 사이 그녀는 발작을 일으키듯 바르르 떨며 애원을 쏟아 냈다. 처음으로 당하는 끔찍한 고통은 그녀를 끝없이 절망으로 몰아 간다고 해도 과언이 아니었다.

그러나 그녀의 고통쯤은 상관없다는 태도로 환백은 비명

을 흘려들으며 거칠게 허리를 놀렸다. 퍼억…… 퍽! 아무런 배려도 없이 오직 욕구만을 풀어 가기를 얼마 후. 언제까지고 비명만 지를 것 같던 그녀의 몸짓이 어느 순간 달라지고 있었다.

어느새 고통과는 다른 묘한 쾌감이 등줄기를 타고 흘러내리고 그녀는 처음 느껴보는 그 감각에 당황하면서도 자신도 의식하지 못한 사이에 환백의 목에 팔을 감고 매달린 것이다. 그런 그녀를 내려다보던 환백이 냉소를 품고 코웃음을 쳤다.

그렇게 시작된 움직임은 그녀가 지쳐 나가떨어지며 기절하기 직전에야 끝이 났다. 그런 그녀를 내려다보며 가볍게 미간을 찌푸리던 환백은 정을 쏟아 내지도 않은 채 망설임 없이 그녀의 몸 안에서 빠져나왔다.

그녀와 승상 유창운이 바라는 것은 다음 대 황위에 오를 황족의 씨를 받는 일이었지만, 그녀는 태풍이 휘몰아치는 거친 정사로 인해 그조차도 인식하지 못한 채 멍한 눈을 하고 환백을 올려다볼 뿐이었다.

"형편없군. 침방 내관에게 배우도록."

환백의 비웃음 섞인 말에 그녀의 멍한 표정이 순식간에 표독스럽게 일그러졌다. 환백의 말은 사내를 만족시키기 위해 잠자리 기술을 배우라는 명이었기 때문이다. 어찌 황비가 될 자신에게 그렇게까지 할 수 있는 것인지.

그녀가 입술을 질끈 깨물며 분을 삭이는 동안 환백은 어느새 들어온 시관이 몸을 닦아 내며 의복을 정돈해 주자 미련 없이 방을 나가 버렸다. 문이 탁 소리가 나며 닫히고, 비로소 고개를 들어 올리는 유자운의 두 눈이 시뻘건 화기를 담고 타오르고 있었다.

'나를, 감히 나를 이따위로 취급하다니! 되갚아 줄 것이다. 반드시, 반드시 되갚아 줄 것이야!'

유자운은 분노에 파르르 떨며 이를 갈았다. 설마하니 자신이 이런 취급을 받을 줄은 상상도 못 한 탓이다. 하물며 환백과 자신은 공생해야 하는 관계가 아닌가.

그 사실을 누구보다 잘 알면서도 환백은 자신을 저잣거리의 창기 취급을 했다. 어찌 그럴 수 있는지. 오늘의 일을 되새기는 그녀의 눈이 살기를 드리운 채 형형하게 빛났다.

이 일은 그녀의 자존심을 짓밟은 것뿐만 아니라 마음 한편에 남아 있던 작은 소망마저 소멸시키며 철저히 환백의 적으로서 돌아서는 계기를 만들었다.

다만 그녀도, 환백도 모르는 사실이라면 이미 정해진 운명은 한 치도 어긋남 없이 굴러 가고 있다는 사실이다. 그렇게 한 사람을 철저히 짓밟은 환백은 조금의 미련도 두지 않고 다른 후보를 안았다.

그가 안은 후보는 유자운을 포함한 여덟 명이었다. 그중 권력순으로 유자운이 1황비에, 하우완진이 2황비에, 우문비설이 3황비에 올랐다.

나머지 다섯 명은 후궁의 자리를 맡아 놓은 채 정식 첩지를 받기 전까지 황궁에서 생활할 것이다. 그리고 남은 이들은 환백의 즉위식이 올 때까지 기회가 찾아오기를 간절히 기다려야 했다.

"황태자 전하께서 황비 간택을 끝내셨다 합니다. 그리고 후궁도 다섯이나 들이셨습니다."

신탁을 받고 대신관으로서 화려하지만 적막한 북관에 든 지 보름이 지났을 때였다. 신탁이 끝나고 휘연이 처소를 옮기고부터는 병사들이 북관을 지키고 있었고, 일절 신도들과 접촉을 할 수 없었기에 소식이 늦은 탓이다.

설사 그게 아니더라도 하루 종일 몸을 정갈히 하고 기도를 드리는 것 외에는 일절 관심을 두지 않는 휘연이었다. 그에 무영이 답답함을 참지 못해 일주일에 한 번 식재료를 가져다주는 신도를 다그쳐 그 사실을 알아냈다.

그전에야 제대로 된 인간 취급조차 못 받았다지만, 지금은 엄연히 신분이 달라졌기에 차마 황후의 전속 시관으로 들어갈 무영을 무시하지 못한 신도가 마지못해 그 사실을 알려준 것이다. 그러나 그 소식에도 휘연은 담담하기만 했다.

지금껏 황제의 주변에는 언제나 여색이 끊이지를 않았고, 많은 황족을 낳아 황권을 강화하기 위해서라도 반드시 필요한 조치기도 했기 때문이다. 무엇보다 휘연은 사랑받기를 처음부터 포기하고 있었다.

애초에 그런 마음인 것을. 이미 정해진 운명대로 모든 욕심을 버리고 자신이 할 수 있는 거라고는 한낱 부러움이나 투기가 아닌, 그저 천살의 살기에 사그라질 수많은 목숨을 위해 기도하는 것만이 전부였다.

"신경 쓰이지 않으십니까?"

"후우, 둘 다 앉아라."

휘연의 말에 두 사람이 맞은편에 자리하고 휘연은 찰나간 두 사람의 얼굴을 들여다보며 나지막이 한숨을 내쉬었다. 오직 자신의 안위만을 걱정하는 두 사람을 휘연이라고 어찌 모르겠는가.

알기에 더 참담한 것이다. 두 사람이야 휘연이 황후의 자리에만 오르면 모든 것이 편해질 거로 믿고 있지만, 실상은 황후의 자리에 앉는 그 순간부터 휘연의 고통은 본격적으로 시작될 것이기 때문이다.

그리고 그 시일이 생각보다 더 빨리 다가오고 있음을 휘연은 알 수 있었다. 그렇기에 두 사람에게 어느 정도 마음의 준비를 시키는 게 좋겠다는 생각으로 휘연은 차분하게 말문을 열었다.

"이제 곧 있으면 하늘의 주인이 바뀔 것이다."

"예? 그, 그 말씀은 설마……."

"그래, 너희가 예상한 것이 맞다. 내 상세히는 말할 수 없으나 한 가지는 알아 두는 게 좋겠구나. 내가 황후의 자리에 오른 그때부터 지금까지 너희가 겪었던 그 어떤 고통보다 더 극심한 고통이 따를 것이니 마음 단단히 먹어야 한다."

"어찌……해서요? 황후마마가 아닙니까? 황제 폐하 다음으로 높은 황후마마가 아닙니까? 헌데 어찌……."

따지듯이 묻는 무영의 말에 휘연은 씁쓸한 듯 웃었다. 제아무리 황후라 하나 자신은 한낱 쓸모없는 그림자에 지나지 않는다. 있으나 마나 한 존재. 그러나 서로가 상극인 이상 그는 자신을 어떻게든 상처 입히려 할 것이다.

그리고 그런 자신을 곁에서 지켜봐야 하는 두 사람 또한 고통스러울 것은 자명한 일. 휘연은 불안을 숨기지 못하는 두 사람을 보며 나지막이 한숨을 내쉬었다. 자신 혼자라면 몰라도 어린 두 사람까지 운명에 끌어들인 사실이 못내 착잡한 것이다.

"어떤 일이 있어도 참아라. 설사 너희 눈앞에서 내가 모진 취급을 당하고, 끔찍한 고통에 좌절하더라도 너희는 아무것도 보지 못한 것처럼 행동해야 한다. 너희가 지킬 것은 그것이 전부다."

"공자님."

"내게 약조할 수 있겠느냐?"

어느새 두 눈 가득 차오르는 눈물을 막을 생각도 하지 못하고 머뭇머뭇 마지못해 고개를 끄덕이는 두 사람을 보며 휘연은 부드럽게 미소 지었다. 과연 얼마나 도움이 될지는 모르겠지만, 부질없는 희망을 품는 것보다는 나으리라.

그렇게 세 사람이 다른 이들과의 만남을 끊은 채 북관에서 생활하는 동안 황궁은 황궁대로 일이 급박하게 진행되고 있었다. 환백을 향한 암살 시도가 잦아지며 천살의 살기가 극에 달하고 있었기 때문이다.

그리고 휘연이 예견했던 상황은 삼 개월을 넘지 않고 찾아왔다. 훗날 역사에 가장 어리석은 이로 기록될 제19대 소무 황제의 갑작스러운 죽음. 그로 인해 천살이 온전한 힘을 갖추고 진정한 피바람의 서막을 알리고 있었다.

六章
진정한 시작

　역대 황제 중 가장 어리석은 황제라고 불린 만큼 그의 죽음을 슬퍼하는 이는 없었다. 슬픔이 다 무엇인가. 오히려 선황제의 죽음을 반기며 새로운 황제와 황후를 맞이하는 백성들은 환호를 터트렸다.

　그들이 추앙해 마지않는 젊은 황제와 어진 황후가 다시 부패한 나라를 바로 세워 줄 것이라 믿어 의심치 않은 것이다. 설사 과거의 대국이 누렸던 위세를 되찾지는 못하더라도 힘없는 백성들은 더 이상 굶는 일이 없을 것이라 여겼다.

　그렇게 정신없는 와중에 환백의 명으로 장중하고 복잡해야 할 흉례(凶禮) 절차를 최소한으로 줄이고, 곧바로 제20대 소건황제의 즉위식과 소월황후(昭月皇后)의 대례가 한꺼번에 치러지며 황궁은 한동안 혼란에서 벗어나지 못했다.

그리고 새로운 주인을 맞이한 지 보름이 지나가며 황궁은 차츰 안정기에 접어드는 것 같았다. 그러나 그건 겉으로 드러난 일면에 지나지 않았고, 새로운 황제를 중심으로 한 개혁의 바람은 발 빠르게 진행되고 있었으니.

그와 상관없는 이는 새로운 황궁의 안주인인 소월황후 휘연이었다. 한 나라의 황후이면서 대례를 올린 첫날부터 황제에게 버림받은 황후. 누구의 접근도 허락하지 않고 황후궁을 벗어나지도 못하는 유폐된 그림자 황후.

만약을 대비한 병사들이 진을 치고 있는 황후궁은 그 흔한 내관들조차 없이 오로지 사가에서 데려온 두 사람의 시종이자 시관만이 전부였고, 휘연은 적적하다 못해 적막한 이곳에서 하루 종일 감시를 받으며 생활해야만 했다.

"마마, 잠시 산책이라도 하시지요?"

"그리하시옵소서. 너무 방에만 계시면 옥체가 상하시옵니다."

두 사람의 말에 휘연은 이렇다 할 대답 없이 씁쓸한 듯 미소 지었다. 어차피 방을 벗어나 봐야 휘연이 돌아다닐 수 있는 곳은 황후궁 앞에 있는 정원이 고작이라 하나, 지난 보름간 그조차도 나가지 않았던 자신이기에 이렇듯 걱정하는 것이리라.

그럼에도 선뜻 자리를 털고 일어나지 못한 데에는 분명한 이유가 있었다. 황후궁과 황제의 개인 침전이 있는 본궁과는 숭오문(崇俉門)을 사이에 두고 있어 자칫 황제의 눈에 띌 수도 있기 때문이다.

죽은 듯이 살라고 하지 않았던가. 처음부터 존재하지 않았던 것처럼. 그것이 자신의 반려인 황제가 원하는 것이었고, 휘연 또한 할 수만 있다면 그렇게 하고 싶었다.

그만큼 직접 마주했던 환백은 휘연에게 오로지 두려운 공포만을 심어 준 것이다. 그러나 운명으로 얽혀 있는 이상은 피하고 싶다고 피할 수도 없는 것을.

어떤 계기이든 부딪힐 수밖에 없다는 사실에 휘연은 지난 보름간 시도 때도 없이 머릿속을 채우는 냉랭한 목소리와 온몸을 엄습해 오는 두려움을 떨치려 무던히 노력했던 것이다.

"마마, 지금쯤 폐하께서는 정무를 보고 계실 것이옵니다. 그러니 잠시라도 나갔다가 오시지요?"

휘연이 무엇을 걱정하는지를 알고 조심스럽게 의중을 묻는 아소를 보며 휘연은 나지막이 한숨을 내쉬고 고개를 끄덕였다. 아직 마음을 온전히 다잡지 못해 불안하기는 해도 언제까지고 두 사람을 걱정시킬 수는 없기 때문이다.

"아! 나가시겠습니까?"

"그래, 잠시 바람을 쐬는 것도 좋겠구나."

괜한 걸 권한 건 아닌지 내심 수심이 떠나지 않았던 두 사람이 휘연의 대답에 반색하며 그제야 환하게 미소 지었다. 그래서인지 설레는 표정으로 휘연의 의복을 정돈해 주고, 그 위로 한 겹의 옷을 더 입혀 주었다.

봄이라 하나 아직은 찬바람이 가시지 않아 혹여 고뿔이라도 걸릴세라 만전을 기하는 것이다. 그렇게 보름 만에 밖을 나간다는 생각에 조금은 낯설고 두려운 마음을 추스르며 침전을 벗어난 휘연은 곧바로 앞을 막아서는 병사들의 의해 발걸음을 멈춰야 했다.

"어디 가십니까?"

"이게 무슨 짓입니까?!"

"물러서십시오. 황후마마의 앞을 막으시다니 무슨 짓입니까?"

황후를 상대로 설마 창을 교차하면서까지 막아설 거라고는 생각지도 못했던 세 사람은 당황할 수밖에 없었다. 이에 두 사람이 언성을 높이며 병사들을 다박하는데도 병사들은 비릿하게 웃으며 마치 아무것도 들리지 않는다는 듯 같은 말만을 반복했다.

"어디 가시는지 밝혀 주십시오."

"이 사람이……!"

제아무리 그림자에 지나지 않은 황후라 하나 한낱 병사 따위가 어찌 이런 행태를 자행하는지, 무영이 부아가 치밀어 올라 버럭 소리라도 치려는 찰나에 난데없이 들려오는 서릿발 같은 호통 소리에 모두의 시선이 한곳으로 몰렸다.

"당장 물러서지 못할까?!"

"태, 태후마마를 뵈옵니다!"

생각지도 못한 태후의 등장으로 화들짝 놀란 병사들이 다급하게 부복하는 걸 보고 두 사람도 그 자리에 무릎을 꿇은 채 고개를 조아렸다. 단지, 적잖이 당황한 와중에도 휘연만이 공손히 허리를 굽히는 걸로 예를 다했다.

그런 휘연을 보는 태후의 얼굴에 잠시 잠깐 말로 다하지 못할 안타까움이 스치고, 이내 부복한 채 부들부들 떨고 있는 병사들을 내려다보며 한겨울의 한파보다도 더한 냉기를 뿌리며 매섭게 목소리를 높였다.

"황후의 앞을 가로막는 것만으로도 구족을 멸할 일이거늘! 감히 하찮은 네놈들이 황후를 얼마나 업신여겼으면 무기를 들이댄단 말이냐? 여봐라! 이놈들을 당장 끌어내라!"

"명 받자옵니다!"

"태, 태후마마! 요, 용서를……!"

태후의 명이 떨어지자마자 호위대가 앞으로 나서며 병사들을 거칠게 끌어냈다. 그 모습에 그때까지도 잠자코 있던 휘연이 속으로 쓰디쓴 한숨을 내쉬며 한 발 나서 태후를 향해 다시 한 번 깊숙이 고개를 숙였다.

"태후마마, 부디 명을 거두어 주시옵소서."

"그게 무슨 말입니까? 저들은 황후에게 대역죄를 지었습니다."

"알고 있사옵니다. 그러나 저들 또한 지엄하신 폐하의 명을 따른 것이니 부디 선처를 바라옵니다."

휘연의 말에 태후는 잠시간 할 말을 잃고 호흡을 가다듬었다. 휘연 말대로 병사들이 이유 없이 그러지는 않았을 거라는 것쯤은 알고 있었다.

그리고 그 이면에는 황제의 명령이 있었을 거라는 것도 충분히 짐작할 수 있는 일이었다. 그러나 제아무리 황제의 명이라 해도 황족에게 무기를 들이대는 것은 대역죄에 해당한다.

하물며 상대가 황제 다음가는 황후가 아닌가. 헌데도 병사들의 행태는 황제의 명령을 떠나 황후 자체를 인정하지 않는 것 같았다. 그렇지 않다면 황제의 명령 하나만 믿고 이렇듯 황후를 무시할 수는 없기 때문이다.

물론, 그 이유야 황제의 태도에서 비롯된 것이겠지만, 태후는 이런 취급을 받으면서도 이들을 감싸는 휘연이 못내 답답하고 안타까웠다.

"황후의 뜻은 알겠습니다. 허나, 이번만은 황후께서 물러나 주세요."

"태후마마."

"때론 벌도 필요한 법, 하늘 높은 줄 모르는 오만방자함은 처음부터 바로잡아야지요."

앞으로도 이런 일이 일어나지 않게 하기 위해서라도 태후는 환백의 명령이 무엇인지를 정확하게 알아내야만 했다. 또한, 자신이 생각한 바가 맞는다면 시범적으로 처벌해서라도 휘연의 존재를 각인시킬 생각이었다.

"네놈들! 폐하의 명령이 무엇이냐? 한 치도 거짓 없이 말해야 할 것이다!"

"그, 그것이…… 황후마마께서 황후궁을 벗어나지 못하게 하시라고……."

"하면! 폐하께서 네놈들한테 무기까지 들이대며 막으라 하더냐?"

"그, 그건……."

흠칫거리며 제대로 대답을 하지 못하는 병사들을 보며 태후는 자신의 생각이 옳았음을 알았다. 이들은 황제의 태도로 버림받은 황후를 업신여겨도 된다고 판단했을 것이다. 한낱 병사에게도 대우받지 못하는 황후라니. 태후의 두 눈이 매섭게 타오르고 있었다.

"이놈! 똑바로 아뢰지 못할까!"

"아, 아니……옵니다."

"아니다? 아닌데도 감히 그런 방자한 짓을 저질렀다? 허! 내 네놈들을 일벌백계로 다스려 다시는 이 같은 일이 벌어지지 않도록 할 것이다. 여봐라! 이놈들에게 열흘간의 추살(椎殺)형을 가하고, 대역죄는 죽어도 온전할 수 없는 법, 그 육체는 소살(燒殺)에 처한다!"

"명 받자옵니다!"

태후가 의도하는 게 무엇인지를 알면서도 그 잔인한 명령에 휘연은 눈을 질끈 감았다. 추살이라 하면 쇠몽둥이로 쳐 죽이는 형벌이다. 그걸 열흘간이나 지속한다는 것은 마음대로 죽지도 못하고 끔찍한 쇠몽둥이를 견뎌 내야 하는 것이다.

거기에 죽고 나서도 그 육체가 온전하지 못하게 불에 살라서 재조차 남기지 않는 것이 소살형이다. 그만큼 대역죄는 죄 중에서도 가장 큰 죄에 속하는 것이지만, 휘연은 자신으로 인해 누군가가 죽어 나간다는 사실이 견딜 수가 없었다.

그렇다고 막을 수조차 없는 것을. 여기서 또다시 태후를 막아선다는 것은 곧 태후의 뜻을 강제로 꺾는 것을 의미하기 때문이다. 그래서인지 휘연은 필사적으로 앞으로 나서려는

다리를 수습하는 것만으로도 버거울 지경이었다.

"태, 태후마마! 살려 주시옵소서!! 태후마마!"

"황후마마! 제발 살려 주시옵소서!"

"뭣들 하느냐?! 당장 끌어내라!"

자신들이 외면했던 황후라면 살려 줄 거라는 생각인지 처절하게 매달리는 병사들을 차마 바라보지 못하고 휘연은 차오르는 눈물을 삼키며 눈을 돌렸다. 이렇게 될 줄 알았으면 방을 나오지 말 것을. 뒤늦게 자신을 책망하는 휘연의 눈가가 참담함에 일그러져 있었다.

"황후, 잠시 산책을 같이하시겠습니까?"

"……예, 마마."

휘연은 태후를 따라 긴 복도를 지나 정원으로 발걸음을 했다. 조금 전의 일이 거짓말처럼 하늘은 구름 한 점 없이 청명했고 봄 햇살은 따사로웠다.

그 묘한 괴리감에 정원 한가운데 마련된 정자로 향하면서도 휘연은 머릿속이 하얘진 채 멍한 눈으로 걷고 있었다.

화려하면서도 정갈하게 꾸며진 정원의 모습에도, 소담스러운 가지각색의 꽃에도 눈길을 주지 못할 만큼 휘연으로서는 크나큰 충격을 받은 것이다.

그러다가 어디선가 매화향이 바람에 실려 오자 휘연은 발길을 멈춘 채 멍한 시선을 돌렸다. 황후궁을 둘러싼 담 구석에 있는 외로운 매화나무 한 그루.

흐드러지게 핀 매화를 바라보는 휘연의 멍했던 눈동자에 서서히 빛이 들어온 것도 잠시, 조금 전과는 확연히 다른 감정을 담고 부드럽게 일렁였다. 그런 휘연을 따라 태후 또한 시선을 돌리며 조용히 말문을 열었다.

"매화를 좋아하십니까?"

"예, 마마. 아버님께서는 매화에 빗대어 꺾일지언정 굴하지 않는 선비의 절개와 같다고 하셨습니다."

"그래요. 매화는 엄동설한에도 그 향을 뽐낸다고도 하지요."

차분하게 답하는 태후를 보며 휘연도 고개를 주억거렸다. 넓디넓은 정원 구석에, 고작 한 그루에 지나지 않음에도 그 존재를 누구보다 당당히 드러내는 것 같아 휘연은 자신도 의식하지 못한 사이에 미미하게 미소를 지었다.

호협을 떠올릴 수 있는 한 그루의 매화나무가 휘연의 낯설고 두렵기만 한 마음에 작은 행복을 가져다주는 것이다. 그 덕분에 찰나간 상황을 잊은 휘연은 막연하게 그리움을 담아 매화만을 바라보고 있었다.

그렇게 얼마나 지났을까. 곧 나지막한 한숨 소리와 함께 귓가로 파고드는 태후의 목소리에 휘연의 가슴속에 머물렀던 따뜻함은 한순간의 꿈이었다는 듯 허망하게 사라지고, 그 자리에 처음보다 더한 자책감이 자리 잡았다.

"제가 잔인하다 생각하십니까?"

"태후마마."

"본보기입니다. 황후께서도 아시다시피 지금 이 나라의 황족은 한낱 귀족보다 못하지요. 충신은 사라지고 간신배자만 넘쳐 황제의 눈과 귀를 가리고 사리사욕에 빠져 이제는 황제의 권위를 넘어서고 있습니다. 또한, 그 세력에 줄을 잡고 있는 이들은 하늘 높은 줄 모르고 패악을 일삼고 있지요. 그런 그들에게 자비를 베푼들 그 마음이 온전히 닿을 것으로 생각하십니까?"

휘연은 대답하지 못했다. 태후가 하는 말에 한 치도 거짓이 없거니와 황궁에 들어와 실상을 직접 겪은 바로도 자신이 생각했던 것보다 더 극심했기 때문이다. 어쩌다 이 지경까지 이르렀는지 휘연은 탄식과도 같은 한숨만을 내쉬어야 했다.

"저들의 패악이 심해질수록 결국 고통받는 이들은 힘없는 백성입니다. 그들을 이끌고 보듬어 안아야 할 황권이 바닥을 기고 있으니 당연한 결과겠지요."

씁쓸한 듯 중얼거리는 태후의 입가에 허망한 미소가 떠올랐다. 그런 태후를 보는 휘연의 표정도 별반 다를 것이 없었다.

"한동안 많은 피가 뿌려질 것입니다. 썩고 곪은 부위가 깊을수록 그 피 또한 짙어지겠으나, 황후께서는 중심을 잡으셔야 합니다. 누가 뭐라 해도 황후는 이 황궁의 안주인이고 백성의 어머니가 아닙니까? 본시 어머니란 자식을 사랑으로만 대해서는 아니 되고, 그 자식의 됨됨이를 바로잡기 위해서라면 때론 모진 매도 들어야 합니다. 그러니 모든 걸 포용하려고만 하지 마세요. 모질게 마음먹고 강해지셔야 합니다."

"……명심하겠사옵니다, 마마."

단호함이 묻어나는 태후의 말에 휘연은 면사 안에서 입술을 질끈 깨물었다가 나지막하게 답했다. 그제야 태후의 얼굴이 살짝 풀어졌지만, 결코 안심이 된다거나 편안한 표정은 아니었다.

오히려 무언가를 회상하는 듯 점차 일그러진 표정 위로 언뜻언뜻 후회와 안타까움을 내비치고 있었기 때문이다. 그런 태후를 걱정스럽게 바라보는 휘연의 시선을 알아차렸는지 이내 미소를 떠올렸으나, 휘연에게 그 미소가 시리도록 아프게만 다가왔다.

"저는 못 했습니다."

"예?"

"저는 이 황궁의 안주인으로 중심을 잡지 못했고, 한 아이의 어미로서도 자격이 없습니다."

"마마, 어찌 그런 말씀을 하십니까?"

"아무것도 하지 않았으니까요. 따뜻하게 안아 준 적도 없었고, 말 한 마디 칭찬을 건넨 적도 없었고, 생사의 위험에 빠진 아이를 걱정하지도 않았습니다. 그저 방관만 했었지요."

휘연은 차마 무슨 말을 해야 할지를 몰라 입을 열 수가 없었다. 태후 또한 딱히 답을 바란 게 아닌지라 그녀는 잠시의 틈을 두고 다시 담담하게 말을 이었다. 그러나 그 내용만큼은 담담할 수가 없는 것이었다.

"제아무리 배 아파 낳은 자식이라 하나 차마 다가갈 수가 없었습니다. 제 역할은 육체를 빌려 그를 세상에 내놓는 것, 그게 제가 맡은 소임이니까요. 그 이상은 제게 그 어떤 권한도 없었습니다."

"그 말씀은 설마……."

"예. 황후께서 짐작하시는 바가 맞습니다. 그가 제 모습을 갖추기 위해서는 홀로 일어서야 했습니다. 그 살기를 누르고 인간으로서의 온정을 되찾게 할 수 있는 이는 황후, 천제의 아드님이신 그대뿐입니다."

"아!"

휘연은 마치 벼락이라도 맞은 것처럼 큰 충격을 받아 그대로 미동도 없이 굳었다. 방금 했던 말이 무슨 말이냐고 되묻지도 않았다. 실상 되물을 필요도 없기에 휘연은 망연자실한 마음으로 입술을 깨물어야 했다.

태후는 모든 것을 알고 있는 것이다. 그럼에도 지극히 담담하려 애쓰는 그녀를 보며 휘연은 마음이 아팠다. 태후 또한 소임을 다한 것이라 하나, 인간으로서 자식을 가까이하지 못하는 그 심정이 어떠할지 충분히 짐작되기 때문이다.

그저 방관만 해야 하는 태후는 그보다 더 심적인 고통에 시달려야 했을 것이다. 그러나 문제는 그것뿐만이 아니다. 태후가 그 소임을 끝냈다는 것이 무엇을 뜻하겠는가. 그리고 자신에게 이런 말을 하는 것도.

생각이 거기까지 미치자 휘연은 간절한 눈을 하고 태후를 바라봤다. 제발 자신이 생각하는 게 아니기를 바라는 휘연의 눈빛에 태후는 쓸쓸한 미소를 짓고 차분하게 말을 이어 갔다.

"아마도…… 황비들의 책봉식까지는 보고 갈 수 있을 것 같습니다. 그러니 그렇게 안타까워하실 것 없습니다."

책봉식까지는 보름이 남았다. 그 말은 곧 태후의 목숨도 그 정도가 남았다는 뜻이다. 그런데도 어찌 이리도 담담할 수 있는지, 휘연은 차오르는 눈물을 막을 생각도 하지 못하고 흘려보내고야 말았다. 그런 휘연을 바라보며 부드럽게 미소 짓던 태후가 휘연의 작은 손을 마주 잡았다.

"끝까지 지켜 드리지 못해 송구합니다."

"……태후마마."

"마음을 굳건히 하십시오. 고초가 말로 다하지 못할 것이나, 참고 견디셔야 합니다. 그리고 그를, 그 아이를 용서하시고 사랑해 주십시오. 간곡히 청하는 바입니다."

어느새 태후의 두 눈에도 물기가 고이고, 한순간에 소리 없이 흘러내렸다. 더 이상은 두 사람 사이에 대화는 없었다. 그저 두 손을 마주 잡은 채 그렇게 서로를 향해 안타까운 눈물만을 쏟아 내고 있었다.

❖

사시 초를 알리는 북소리와 함께 황비 책봉식은 엄격한 법도에 따라 진행됐다. 다만 황후의 대례와 다른 점이라면, 식을 거행하는 시간이 반도 걸리지 않는다는 것과 황후와 황비의 차이를 확실히 보여 준다는 것이다.

대례는 황제와 황후가 각각 꼭대기에 황금색 용과 황금색 봉황을 장식한 봉련(鳳輦)을 타고 황궁 전체를 돌아 황궁의 주인으로서 의식을 시작했다면, 황비들은 아무런 장식 없이 붉은색 가마에 올라 곧바로 의식이 거행되는 정전에 다다른 다는 것이다.

또한, 세 명의 정식 황비를 맞이하는 것은 황궁의 안주인 인 황후가 처음 진행을 시작하는 걸로 황제의 부인을 얻는 일이라 하나 실상은 황후의 허락을 요하는 것이나 매한가지 기 때문이다.

그건 곧 황후의 태도에 따라 달라진다는 의미이기도 하다. 그러나 휘연이 반발하고 나설 리도 없었고, 설사 반발한들 그걸 용납하고 넘어갈 리도 없었다.

그 사실을 휘연 자신이 누구보다 잘 알기에 또 한 번의 북 소리를 울림과 동시에 휘연은 자리에서 일어나 옆자리에 나 란히 앉아 있는 황제와 태후를 향해 깊숙이 고개를 숙였다.

그런 휘연을 노려보며 미간을 구기는 환백과는 달리 태후 는 조용히 미소 지으며 미미하게 고개를 끄덕였다. 그 따뜻 한 시선에 휘연 또한 면사 안에서 살포시 미소를 지으며 상 의(尙議)의 도움을 받아 책봉식의 시작을 알렸다.

그리고 이어지는 또 한 번의 북소리. 이미 오품 이상의 문 무백관들은 조정의 좌우로 길게 늘어서 있고, 궁에는 수많은 깃발이 하늘을 가득 메우며 날렸다.

이 깃발들은 각각 동서남북 방향에 맞춰 배치해 놓은 모습 이다. 곧이어 세 명의 황비가 황금색 연꽃이 수놓아진 붉은 색 예복을 갖춰 입고 입장해 휘연에게 깊숙이 고개를 숙였 다.

먼저 휘연에게 허락을 받는 형태로, 그런 그녀들을 내려다보며 휘연은 상의가 건넨 첩지를 펼쳐 들고 입을 열었다. 그녀들에게 정식 황비로서 첩지를 내리는 것이다.

그 순간 여기저기 나지막한 탄성이 흘러나왔지만, 휘연은 개의치 않고 장문에 해당하는 내용을 차분하게 읽어 내려갔다. 그렇게 한동안 휘연의 묘한 울림이 있는 맑은 옥음이 엄숙한 장내에 조용히 울려 퍼지고 있었다.

그렇게 시작된 의식은 곧 휘연이 자리로 돌아가자 세 명의 황비가 나란히 앉은 황제와 휘연, 태후를 향해 다시 한 번 예를 갖추고, 다섯 계단을 남겨 두고 마련된 자리에 앉아 문무백관들의 인사를 받는 것으로 절차가 넘어갔다.

그 시간이 두 시진이나 이어질 것을 알기에 자칫 지겨울 수도 있었으나, 휘연은 당황스러움에 식은땀이 배어 나오는 손을 소매 안으로 감추며 차분함을 가장해야만 했다. 자리에 앉자마자 매섭게 꽂히는 환백의 시선이 좀처럼 돌아갈 생각을 하지 않았기 때문이다.

'후, 내가 무엇인가 실수를 한 것일까?'

아니라면 어찌 저리도 노려보는 것인지. 폐부까지 파고들 듯한 시선에 안절부절못하던 휘연이 곧 체념이라도 한 듯 나지막이 한숨을 내쉬었다.

굳이 이유를 알 필요도 없이, 자신의 존재 자체가 환백의 신경을 거슬릴 거라는 결론이 나온 것이다. 그 사실에 휘연은 못내 씁쓸함을 감추지 못했다.

제아무리 마음을 독하게 다잡는다고 해도 미움받는 게 익숙할 수가 없기 때문이다. 하물며 그 상대는 자신이 믿고 따라야만 하는, 평생을 함께해야 할 반려가 아닌가.

물론, 천살의 업을 벗겨 내야 하는 막중한 사명을 띤 휘연으로서는 스스로 그 반려라는 말에 의미를 두지는 않았다. 더 정확히는 둘 수가 없었다. 자신은 그저 맡은 소임만 끝내면 되는 것이다.

그 이상은 과욕에 지나지 않는다고 생각했다. 또 그게 마땅하다 여겼다. 그래서인지 휘연은 자신의 마음을 다잡는 데에만 급급했다. 나약한 마음이 무너져 혹여나 그 이상 욕심을 부릴까 염려하는 것이다.

마치 사랑받지 못하는 것이 당연한 것처럼. 휘연은 환백에 대한 그 어떤 기대도 하지 않았다. 본시 기대라는 건 한 번품으면 그 욕심이 배가 되는 것은 당연지사가 아닌가.

차라리 모든 것을 놓아 버리면 적어도 마음만은 편하리라. 그런 생각 끝에 휘연이 속으로 쓴웃음을 삼키며 거의 막바지에 달하는 의식을 말없이 지켜보았다.

그때까지도 환백은 휘연에게서 시선을 떼지 않았고, 그렇게 책봉식이 완전히 끝나고 나서야 휘연은 남모르게 안도의 한숨을 내쉴 수 있었다. 이제는 각 처소에서 기다리는 후궁들에게 첩지만 내리면 자신이 할 일은 모두 끝이 난다.

그 때문인지, 아니면 조금이라도 더 빨리 환백의 시야에서 벗어나고 싶어서인지 휘연은 조금은 성급한 손길로 상의가 내미는 첩지에 황후의 인장을 찍어 건넸다. 후궁의 첩지는 총 다섯 장으로, 모두 같은 이품에 해당하는 빈(嬪)이었다.

"황후, 다 끝내셨습니까?"

"예, 태후마마."

"하면, 태후전에 잠시 들렀다가 가십시오. 내 황후께 드릴
것이 있습니다."

어느새 옆으로 다가와 자애로운 미소를 보내는 태후를 보
며 휘연이 잠시 대답을 하지 못하고 머뭇거렸다. 필시 환백
의 눈치를 살피는 것이리라.

그런 생각에 태후가 휘연과 아직까지도 자리를 뜨지 않는
환백을 번갈아 보며 나지막이 한숨을 내쉬었다. 환백의 성정
으로 보자면 벌써 자리를 박차고 돌아갔어야 할 것을.

그런데 무엇 때문인지 옥좌에 그대로 앉아 휘연만을 노려
보고 있었기 때문이다. 그 바람에 황비들과 문무백관들도 자
리를 뜨지 못하고 있었고, 태후는 난감한 듯 웃으며 환백을
향해 말문을 열었다.

"폐하, 이만 물러가도 되겠습니까?"

태후의 말에 그제야 시선을 돌린 환백이 무표정한 얼굴로
태후를 보다가 다시 휘연에게 시선을 돌리며 한순간에 미간
사이로 깊게 골을 만들었다.

무엇이 그리도 마음에 안 드는지 다시 한 번 작게 재촉하
는 태후의 말에 마지못해 허락한다는 식으로 고개를 끄덕였
다.

그와 동시에 휘연의 입에서 미약한 한숨이 흘러나오고, 그
소리를 들은 듯 환백이 형형한 눈을 빛내며 자리를 박차고
일어나 그대로 휘연을 지나쳐 갔다.

그 기세가 얼마나 섬뜩한지 휘연이 가슴에 손을 얹고 비틀

거리자 태후가 다급하게 부축하며 고개를 설레설레 내저었다.

한쪽은 맹렬하게 타오르는 급화와 같이 지나치게 강성해서 탈이고, 한쪽은 움켜잡는 것도 조심스러울 정도로 약해서 탈이다.

이렇게 극과 극을 달려서야 어찌 앞으로 닥칠 혼란을 견뎌낼 것인지. 태후의 얼굴에서 걱정과 안타까움이 떠나지 않았다.

"가십시다, 황후."

"예, 마마."

환백을 시작으로 태후와 휘연, 황비들과 그 가족들까지 자리를 뜨고 나서야 웅성거리는 이들은 삼삼오오 모여 오늘의 책봉식에 관한 이야기를 주고받았다.

그러나 책봉식의 주인공들인 황비들의 이야기가 아닌, 휘연에 대한 호기심에 더 가까웠다. 그 이유는 첩지를 읽을 때 들려온 휘연의 목소리가 그만큼 뇌리에 깊게 박혔기 때문이다.

어찌 사내의 목소리가 그리도 고울 수 있는지, 묘한 기대를 품은 이들이 다소 흥분한 듯한 목소리로 이야기를 주고받을 때 그런 분위기를 깨고 날카로운 목소리가 장내에 울렸다.

"괜한 데다 쓸데없이 신경 쓰지 마시오! 목소리가 뭐가 중요하다고 이 난리인지, 그래 봐야 황제 폐하께 버림받은 신세인 건 변하지 않을 사실이 아니오. 안 그렇소이까?!"

황궁 내의 감찰기관에 속해 있는 도어사(都御史) 유맹의 말에 순식간에 호기심은 비웃음으로 바뀌며, 여기저기 동시 다발적으로 호응하고 나섰다.

그런 그들에게 동조하지 않은 사람은 고작 몇 명으로, 그들이 바로 연환궁에서 시험관으로 있었던 태사 부장환을 비롯한 문관들이었다.

"도어사께서는 말씀을 삼가시오! 어찌 황후마마를 상대로 그런 불손한 말을 입에 담을 수 있단 말입니까?!"

"그렇소이다! 이는 명백히 대역죄에 해당하는 것이외다!"

분기탱천해 목소리를 높이는 부장환과 문관들의 말은 한 치도 틀림이 없었다. 그러나 안타깝게도 그들의 말은 문무백관들 그 누구에게도 위협이 되지 않았다. 되레 차마 입에 담지 못할 비웃음만 높아졌기 때문이다.

"하! 대역죄? 가당치도 않은 소리! 대역죄라면 상대가 황족일 때나 해당하는 말이지, 한낱 뒷방 기녀만도 못한 사내가 무슨 상관이라고? 명색이 태사나 되면서 그것조차 모르는 것이오?"

"푸하핫! 태사면 뭐합니까? 황제 폐하께 대접도 못 받는 것을! 아마도 황후에게 뒷줄이라도 돼 볼까 나서는 것이겠지요."

"큭큭, 그러게 말이오. 썩은 줄인 줄도 모르고. 꼭 사리분별도 구분하지 못하는 것들이 있기 마련이지요."

"그리고 말이 나와서 하는 말인데, 내 지금껏 얼굴도 드러내지 않은 황후는 처음 봤소이다! 얼마나 못났으면 폐하께서 얼굴을 드러내는 것도 허락하지 않겠소이까? 자자! 그러니 쓸데없이 박색에 호기심들 가지지 말고 오늘 저녁에 있을 연회나 즐깁시다!"

왁자지껄 비웃음을 흘리며 사라지는 이들을 지켜보며 부장환과 문관들은 참담함에 치를 떨었다. 문무백관이라는 자들이 어찌 저럴 수가 있는지, 한 치 앞도 내다볼 수 없는 게 세상 이치라지만, 썩고 곪을 대로 곪아 버린 나라의 앞날이 뻔히 예상되는 것만 같아 비탄을 금할 수가 없었다.

그렇다고 제대로 된 발언권조차 없는 자신들이 무엇을 할 수 있단 말인가. 학문을 닦는 절개 곧은 이들은 이미 희망이 보이지 않는 황궁을 떠났으며, 황제에게 아첨하지 않고 기탄없이 간언할 수 있는 충신들은 목이 달아나고 끝내는 망국지신(亡國之臣)만이 남았기 때문이다.

어쩌다 이리됐는지. 부장환과 문관들의 얼굴 위로 짙은 어둠이 깔렸다. 여기서 더 나빠질 것을 생각하니 암담하고 공포까지 느껴지는 것이다. 한편 이 같은 사실을 모른 채 휘연은 다과상을 사이에 두고 태후가 내민 봉황을 아로새긴 붉은 함을 의아한 눈으로 바라봤다.

"이것이 무엇이옵니까?"

"제가 지금껏 모아 놓은 패물입니다."

"예? 헌데 어찌 제게……."

"제 마음이니 받아 주세요. 제게는 필요 없는 물건이 아닙니까? 황후께서 간직하셨다가 꼭 필요한 데 사용하시면 좋겠습니다."

의아함이 묻어나던 휘연의 기색이 순식간에 하얗게 질렸

다. 뜻하지 않은 패물을 받아서도 아니고 당황스러워서도 아니었다. 이미 자신의 운명을 알기에 마지막을 준비하는 태후의 모습이 휘연에게 견딜 수가 없이 아프게 다가왔기 때문이다.

그래서인지 휘연의 얼굴은 형언할 수 없이 많은 감정을 담고 있었지만, 두 눈동자 안에 선명하게 떠오르는 비애에 태후는 애써 내색하지 않으려는 듯 단아한 미소를 거두지 않았다. 자신의 죽음을 진정으로 슬퍼해 주는 이가 있다는 것으로 그녀는 위안받은 것이다.

"예복을 입어 불편하실 것입니다. 이제 그만 황후궁으로 돌아가 쉬십시오."

"다시…… 뵐 수 있기를 고대하고 있겠사옵니다."

휘연은 선뜻 자리에서 일어나지 못했다. 이상하게 불안했기 때문이다. 마치 이것으로 마지막인 것처럼. 그런 휘연의 불안을 이해했는지 다시 한 번 자애로운 미소를 보내는 태후였다. 휘연은 마지못해 자리에서 일어나며 마음속에 있는 말을 꺼내 놓았다.

부디 마지막이 아니기를, 한 번이라도 더 볼 수 있기를 바라는 휘연에게 태후는 아무런 대답도 해 주지 못했다. 그 대신 휘연의 모습이 보이지 않을 때까지 미소를 거두지 않았을 뿐이다.

그렇게 태후전을 나온 휘연은 자꾸만 돌아서려는 몸을 억지로 막으며 황후궁으로 향했다. 뒤로 함을 든 두 사람과 병사들이 줄을 지어 따르고, 조용한 침묵만을 지키며 한참만에야 황후궁에 도착했을 때였다.

지난번 사건으로 인해 확연히 달라진 병사들의 태도에 쓴웃음을 짓던 것도 잠시, 침실 앞에서 자신을 맞이하는 시종장과 내관들을 보며 휘연은 또 다른 불안감을 느낄 수밖에 없었다.

"황후마마, 황제 폐하께서 한 식경 전부터 기다리시옵니다."

"아……."

어째서. 미처 의문을 생각할 틈도 없이 너무도 당연하게 엄습해 오는 공포에 휘연은 대례 날의 환백을 떠올렸다. 마주하는 것만으로도 숨 막히게 아름다웠던 그 얼굴이 어떤 표정을 하고 자신을 보고 있었는지.

그 붉게 타오르는 잔혹한 눈동자와 날카로운 비수가 되어 심장을 파헤치는 듯한 차가운 목소리를 휘연은 단 한 시도 잊은 적이 없었다. 아니, 도저히 잊을 수가 없을 만큼 뇌리 깊숙이 각인됐다고 해도 무방할 것이다.

오직 공포만을 안겨 준 상대. 그런 그가 다시 찾아왔다는 사실에 휘연은 심장이 터질 것 같은 고통을 느끼며 입술을 질끈 깨물었다. 피할 수만 있다면 이대로 뒤도 돌아보지 않고 도망치고 싶었다.

그러나 차마 그럴 수도 없는 노릇이라 휘연은 몇 번이고 호흡을 가다듬고야 천천히 한 발을 떼었다. 세 개의 문을 더 통과해 비로소 개인 침전까지 들어섰을 때, 휘연은 매섭게 꽂히는 시선에 고스란히 노출된 채 몸을 떨어야만 했다.

"내 말을 뭐로 들었지? 죽은 듯이 살라고 하지 않았던가?"

휘연은 환백이 왜 이런 말을 하는 것인지 이해하지 못했다. 황후로서 지낸 지 달포가 흘렀지만 환백의 경고를 무시한 적이 없었기 때문이다. 그의 말대로 죽은 듯이 살지 않았던가. 그런데 어째서 또 같은 경고를 하는 것인지.

잔인한 차가움이 번뜩이는 환백의 시선에 휘연은 몇 번이나 입술을 달싹거렸으나 끝내 아무런 반박도 하지 못한 채 입을 굳게 다물고 시선을 내렸다.

자신이 변명한들 그대로 전해질 것 같지가 않아 포기한 것이다. 그런 휘연을 보며 미간을 살짝 찌푸린 환백은 자리에서 일어나 천천히 다가가 휘연을 응시했다.

한동안 아무 말도 하지 않은 채 환백은 그렇게 관찰하듯 휘연을 내려다보고 있었다. 그것은 공포와는 무언가가 다른, 날카롭고 진득해 마주하기가 불편한 시선이었다.

그래서인지 휘연은 차라리 공포가 더 나을 것 같다는 생각마저 들었다. 왜 그런 느낌을 받은 것인지 휘연은 조금 전과 다름없이 자신을 응시하는 환백을 올려다보다가 그대로 굳을 수밖에 없었다.

조각상처럼 작은 움직임조차 내비치지 않은 채 자신을 내려다보는 환백의 얼굴은 살아 있는 사람처럼 보이지 않을 정도로 무미건조했기 때문이다. 하지만 그조차도 찰나에 지나지 않았고, 거짓말처럼 어느새 두 눈 가득 경멸을 담고 쏘아보고 있었다.

"무슨 생각이지? 무슨 짓을 했기에 태후가 네놈을 감싸는 거냐? 대답해."

"······아무것도······ 하지 않았사옵니다."

매섭게 꽂히는 살기를 감당하지 못하고 쓰러질 것 같아 휘연은 휘청거리는 몸을 억지로 붙잡고 간신히 대답했다. 그 애처로운 몸짓과 목소리에 환백의 적안이 잠시 잠깐 흔들렸지만 이내 순식간에 사라졌다.

"하지 않았다? 그렇다면 이유도 없이 너를 감싼단 말이냐? 자식인 내게도 무섭도록 냉정한 여자가, 한낱 보잘것없는 네놈을 감싼다?"

오해다. 태후 또한 마지못해 그런 것을. 뼛속 깊이 새겨진 환백의 증오 앞에 그게 아니라고 반박해야 했지만, 휘연은 목이 막힌 듯 말을 잇지 못했다. 그런 휘연을 내려다보는 환백의 눈이 끔찍하도록 붉게 타오르고 있었다.

"네놈도 사내새끼라고 몸이라도 팔았나? 큭, 안 그러면 그 여자가 너 같은 걸 감싸 줄 이유가 없지."

환백은 비웃음을 숨기지도 않으며 천천히 허리를 숙였다. 길고 매끈한 손가락이 면사에 가려진 얼굴을 들어 올리자, 하얀 비단결 같은 머리카락이 휘연의 얼굴 위로 쏟아져 내렸다.

얼음처럼 차갑게 굳어진 적안의 눈동자는 살기를 담은 채 휘연의 눈을 직시하고 있었다. 휘연은 그 시선을 받자 또다시 엄습해 오는 공포에 몸이 굳어져 버릴 것만 같았다.

그래서인지 손끝 하나 움직이지 못하는 휘연을 향해 천천히 뻗어 온 환백의 차가운 손가락이 느릿하게 가는 목을 감싸는 동안 휘연은 아무 행동도 할 수가 없었다.

그와 동시에 환백은 서서히 휘연의 목을 감싼 손가락에 힘을 가했다. 별로 힘을 들이지 않는 것처럼 환백은 표정조차 변하지 않았지만, 휘연은 점차 얼굴이 붉게 변하며 숨이 막혀 왔다.

처음 내지른 고통에 겨운 짧은 비명을 제외하고는 신음 소리조차 낼 수 없었다. 머릿속이 하얗게 비어 가는 것 같았기 때문이다.

사고가 마비되고, 시야가 마비되어 볼 수도, 생각을 이어갈 수도 없었던 것이다. 도망칠 수도 없고, 뿌리칠 수도 없는 상황에서 무엇을 할 수 있을까.

휘연은 일순간 모든 것을 포기한 듯이 눈을 감아 버렸다. 차라리 이대로 죽어 버린다면 이 공포에서 벗어날 수 있을지도 모른다는 생각에서다.

그러나 휘연의 그런 바람은 정신을 놓기 직전에야 손을 놓아 버리는 환백 때문에 힘없이 무너져 내려야 했다.

"큭큭, 죽고 싶어 하는 놈을 죽일 수는 없지. 똑똑히 들어. 이후로는 그 누구와의 접촉도 허락하지 않겠다. 설사 그 상대가 태후라 해도 마찬가지라는 걸 명심하도록."

자신의 할 말만 마치고 미련 없이 돌아서는 환백의 뒷모습을 휘연은 두려움과 서러움이 일렁이는 눈으로 바라보았다. 그리고 문을 열기 직전에 다시 돌아본 환백은 그런 휘연을 내려다보며 입가를 비스듬히 올렸다.

"아아, 잊을 뻔했군. 이후로는 공식적인 자리에도 참석할 필요 없다. 네놈은 그저 내가 허락한 그 순간까지 이곳에서 죽은 듯이 살면 돼."

문이 닫히고 숨 막힐 듯한 정적이 찾아오자 휘연은 주저앉은 채 두 손으로 얼굴을 가렸다. 아무것도 생각할 수가 없었다. 무슨 생각을 할 수 있단 말인가.

이 지독한 두려움과 절망감에 휘연은 서럽게 눈물만을 삼켜야 했다. 삭막하기만 한 황궁에서 유일하게 의지할 수 있는 태후도 만나지 못한다.

그러나 휘연을 더 괴롭게 하는 것은 그녀의 생이 얼마 남지 않았다는 사실이다. 그것만으로도 견디지 못하는 것을. 부디 한 번이라도 더 만나기를 고대한 것도 물거품으로 돌아간 것이다.

그 사실에 소리 없이 흘러내리는 눈물이 끝내 작은 오열을 만들어 내고 휘연은 그대로 정신을 잃었다. 두 사람이 다급하게 들어와 휘연의 하얀 목에 번진 멍 자국을 보고 서러운 통곡을 쏟아 냈지만, 누구 하나 걱정하며 들여다보지 않았다.

그렇게 휘연은 황후로서 당연히 참석해야 할 공식적인 연회에도 참석하지 못한 채 사흘이나 깨어나지 못했다. 그리고 깨어난 그 순간 그렇게도 피하고 싶었던 태후의 부고를 들어야만 했지만, 휘연은 그 마지막조차 지켜볼 수 없었다.

❖

오 일간 빈(殯)하고, 격식에 맞게 오 개월간 빈전에 모셔 두다가 국장을 치러야 할 태후의 장례는 환백의 명령으로 나라 전체에 금주령이 내려지고, 달포간 상복을 착용하는 걸로 끝이 났다.

그럼에도 휘연은 하얀 상복을 벗지 않았다. 제아무리 황제인 환백의 명령 때문이라지만, 마지막 가는 장례에도 참석하지 못한 휘연으로서는 오 개월간의 예를 이렇게라도 갖추고 싶었기 때문이다.

그런 휘연의 하루는 지극히 단조로웠다. 기껏해야 하루 한 번 정원으로 나가 산책을 하는 게 전부로, 매일 반복되는 일상에서 누구 하나 찾아오는 이도 없이 휘연은 하루하루를 외롭게 보내고 있었다.

그나마 태후가 살아 있을 때는 바뀌었던 병사들의 태도도 다시 불손해졌으며, 심할 때는 휘연이 들으라는 식으로 비웃음을 날리거나 차마 입에 담지 못할 음담패설을 천연스레 늘어놓기까지 했다.

이미 그들에게는 휘연이 황후라는 사실도 중요하지 않은 것이다. 뒷받침해 주는 세력 하나 없는 이름뿐인 유명무실한 존재. 반려인 황제에게도 비참하게 버림받은 존재. 그들에게 있어 휘연은 그 이상도 이하도 아니었다.

"마마."

멍하니 창밖만을 보고 있던 휘연이 아소의 부름에 그제야 고개를 돌렸다. 언제 준비한 것인지 탁자 위에 차려진 몇 가지의 요리에 휘연은 쓴웃음을 목 안으로 삼켰다.

처음 황후가 됐을 때와는 확연히 달라진 차림이다. 처음에는 그래도 황후라는 걸 인식한 탓인지 화려한 요리들로 상을 차렸다면 지금은 나물 반찬 몇 가지와 밥 한 그릇이 고작이기 때문이다.

그렇다고 새삼스러울 것도 없는 일. 휘연은 내색 없이 조용히 식사를 시작했다. 이것도 두 사람이 겨우 재료를 얻어 준비했을 것이다.

그 사실을 알기에 휘연은 아무런 내색도 할 수 없었다. 설사 그게 아니더라도 워낙 먹는 것에 욕심이 없는 휘연이었고, 그건 아소와 무영 또한 매한가지였다.

무엇보다 신궁에 있을 때에 비하면 이것만으로 감지덕지해야 하는 것이다. 그래서인지 누구 하나 불만 없이 나란히 마주하고 앉아 식사를 마쳤다. 그 후 휘연은 무영이 내미는 차를 앞에 두고야 무거운 입을 열었다.

"무영아, 문서방(文書房)에 가서 서책을 엮을 종이 뭉치를 사 오너라. 그리고 아소, 너는 사설감(司說監)에 가서 침의에 쓰이는 비단과 자색, 청색 비단 각각 세 필을 사 오되, 만약 황금색 수실을 사 올 수 있으면 사 오고 안 된다면 다른 색을 모두 갖춰 사 오너라."

"무엇을 하시려고요?"

왜 갑자기 이러한 것들을 사 오라는 것인지, 두 사람의 의문을 담은 물음에 휘연은 쓸쓸하게 웃었다.

"소일거리 삼아 그동안 배운 약초학을 필사하고, 비단으로는 폐하의 침의와 의복을 지을 생각이다."

휘연의 말에 두 사람의 얼굴이 분에 겨운 듯 파르르 떨리다가 이내 침통한 빛을 띠고 일그러졌다. 약초학의 필사야 그렇다 치더라도 황제의 침의와 의복이라니.

반려로서 따뜻한 말 한 마디는 고사하고 죽다 살아나지 않았는가. 헌데 그런 황제를 위해 의복을 손수 지을 생각을 하는 것인지.

제아무리 소일거리 삼아 한다고는 해도 두 사람으로서는 이해가 되지 않는 것이다. 더구나 정성을 들여 의복을 지었다고 한들 곱게 받아 주지 않을 거라는 것 또한 자명한 일이었다.

그래서인지 그들은 불만이 터져 나오려는 입을 몇 번이나 달싹거렸다. 그러나 곧 자리에서 일어나 태후에게 받았던 함을 열어 가락지 몇 개를 꺼내는 휘연을 보고 마지못해 입을 다물 수밖에 없었다. 이미 휘연이 결정했다면 말릴 수는 없기 때문이다.

"너희가 무슨 생각을 하는지 알고 있다. 그러나 이것 또한 나를 위해서니 아무 말 하지 마라. 그리고 그냥 가면 물건을 주지도 않을 것이니 이걸로 사 오도록 하고."

"마마."

"나는 괜찮다. 폐하께 드릴 수 있을지도 모를 일이고, 단지 소일거리 삼아 하는 것이야."

"……예. 곧 다녀오겠습니다."

두 사람이 눈물을 훔치며 자리에서 일어나 침실을 나갔다. 휘연은 식은 찻잔을 손가락 끝으로 쓰다듬으며 나지막하게 한숨을 내쉬었다.

사실 의복을 만들어도 환백에게 전해 줘야 할지는 아직 결정하지 않았다. 어차피 받아 주지 않을 거라는 걸 휘연 또한 알고 있었기 때문이다.

그럼에도 오랜 생각 끝에 결정한 것은 태후의 말이 마음에 걸려서이다. 용서하고 사랑해 주라는 청. 설사 그게 아니더라도 환백의 운명이 자신만큼이나 기구한 것이다.

자신이야 모든 운명을 알고 받아들인 것이라 하나, 환백은 아무것도 모른 채 정해진 운명대로 가야만 한다. 자신의 의지라 하나 결코 자신의 의지가 아닌 길이기 때문이다.

부모에게 사랑받지 못하고, 피를 나눈 형제들로 인해 무수히 죽음의 문턱을 넘어야 했으며, 무엇 때문에 피를 흘려야만 하는 것인지, 왜 그래야만 하는 것인지도 알지 못했다.

무엇 하나 자신이 결정할 수 없는 삶을 살아가는 환백이 어찌 가련하지 않을까. 태어난 그 순간부터 정해진 운명의 길을 가야만 하는 환백을 휘연은 도저히 원망할 수가 없었다.

"후, 원망해서는 안 되겠지."

쓸쓸하게 중얼거리던 휘연은 쓴웃음을 짓고야 창가로 시선을 돌렸다. 열린 창문 사이로 불어오는 따스한 바람과 이제는 거의 다 지고 사라진 매화의 향 대신 한참 만개한 꽃향기가 은은하게 코끝을 간질인다.

그 향에 취한 듯 휘연이 가만히 눈을 감고 사색에 빠져 있을 때, 환백은 무표정한 얼굴로 황금색 곤룡포를 나부끼며 태룡전(太龍殿)으로 들어섰다. 그리고 그대로 용상에 앉아 고개를 조아리는 문무백관들을 내려다보며 비스듬히 입가를 끌어 올렸다.

그러나 그건 찰나에 지나지 않았고, 곧 대신들이 고개를 들어 올리자 환백은 표정을 굳혔다. 자신이 황제의 위에 오른 지 두 달이 지났다. 그사이에 특별한 일을 일으키지 않음으로 저들이 얼마나 자신을 업신여기는지 알고 있기 때문이다.

게다가 환백의 나이 이제 갓 성인식을 거친 18세가 아닌가. 어리석은 선황제를 휘둘렀던 권력가들인 만큼 자신 또한 손안에 넣고 휘두를 것은 자명한 것이다. 그렇다고 거기에 고스란히 맞춰 줄 필요도 없는 것은 당연지사.

환백은 그동안 암암리에 계획을 세우고 차근차근 일을 진행해 오면서도 결코 서두르지 않았다. 그리고 두 달이 지난 오늘을 시작으로 서서히 마음속에 갈아 온 칼날을 들어 올릴 것이다. 그 생각만으로도 환백은 묘한 흥분에 휩싸이고 있었다.

"폐하, 신 좌참정(左參政) 창호군, 아뢰옵니다."

"말하라."

"아뢰옵기 황공하오나 앞서 말씀하셨던 세금과 부역은 부당한 줄로 아옵니다."

"그러하옵니다, 폐하! 균등한 세금이라니요, 엄연히 국법과 계층이 있는 것을, 이는 그에 어긋나는 행위이옵니다. 부디 통촉하시어 명을 거두어 주시옵소서!"

창호군의 말에 한껏 목소리를 높이는 병부시랑 유개위의

태도는 결코 황제를 대하는 것이 아니었다. 그건 비단 두 사람뿐만이 아니라 신료들의 얼굴에 떠오른 거만함이 황제의 권위에 명백히 도전하는 것이다.

물론, 그 당당함은 어린 황제를 업신여김에서 비롯된 것으로, 그들은 스스로 환백의 신하이기를 거부한 것이나 매한가지였다. 그런 두 사람과 신료들을 내려다보며 피식 웃은 환백이 흥미롭다는 듯 두 손을 포개며 말문을 열었다.

"그대의 직급이 무엇이지?"

"예? 시, 신은 병부시랑(兵部侍郎)으로······."

"아아, 병부시랑과 좌참정이라. 묵혼."

고개를 미미하게 끄덕이며 중얼거리던 환백의 입에서 누군가의 이름이 흘러나오고, 곧 환백의 옆으로 눈을 빼고는 온통 검은색을 두른 사내가 모습을 드러냈다. 그의 이름은 묵혼으로, 비밀리에 환백을 지켜 온 묵가(默家)의 수장이었다.

본시 묵가는 대대로 황제의 그림자로 살아왔으나 황제가 찾지 않는 이상은 절대 모습을 드러낼 수 없었고, 어리석은 선황은 묵가의 존재를 완전히 잊은 채 살아갔다면 환백은 다섯 살의 어린 나이에 그들을 취한 것이다.

그건 상당히 이례적인 일로 황제가 아닌 자가 묵가를 취한 것은 처음이었다. 그만큼 묵가의 존재는 철저히 비밀에 싸여 있었고, 그 인원이 일백에 불과함에도 무력 면에서는 일당백을 상대하고도 남을 정도였다.

그러나 더 놀라운 것은 비단 이들만 있는 게 아니라는 사

실이다. 묵가가 대대로 황제의 그림자로 살아왔다면, 환백의
또 다른 무력인 암영제(暗影弟)가 있었고, 이미 환백의 명으
로 비밀리에 임무를 수행하고 있었다.

이 같은 사실을 전혀 짐작조차 하지 못했던 신료들은 묵혼
의 존재와 그의 입에서 나온 주군이라는 말에 눈살을 찌푸렸
다. 이때까지도 단순히 환백의 호위 무사쯤으로 여긴 것이
다. 그리고 신료들이 경악할 일은 곧바로 벌어졌다.

"불러 계십니까, 주군."

"저 두 놈에 대해 말해."

"폐, 폐하!"

환백의 발언에 두 사람이 경악하며 언성을 높였다. 자신들
을 향해 두 놈이라 칭한 사실에 분노한 것이다. 그러나 그들
의 분함은 오래가지 않았다. 묵혼이 품 안에서 꺼낸 두루마
리를 읽어 내려가자 곧 새파랗게 질린 채 부들부들 떨어야
했기 때문이다.

"조금 전 내게 무엇이라고 했지? 엄연히 국법이 있고 어긋
나는 행위를 해서는 아니 된다 했나?"

"폐, 폐하. 그, 그것은……."

"황제인 내가 세금을 정하는 것은 국법에 어긋나고, 세금
을 착취하고 남의 아녀자를 탐하며 사사로이 군사를 기르는
네놈들은 무엇이지? 아아, 국법에 사사로이 군사를 기르는
것은 역모죄에 해당한다고 했던가?"

"폐하! 사실이 아니옵니다! 통촉하여 주시옵소서, 폐하!"

"이것은 모함입니다! 신들이 어찌 역모를 꾀하겠나이까!

부디 통촉하여 주시옵소서!"

환백의 입에서 역모죄가 거론되자, 그제야 발에 불똥이 떨어진 것처럼 두 사람은 화들짝 놀라 바닥에 납작 엎드렸다.

그런 두 사람을 내려다보며 비스듬히 입가를 올리던 환백은 이내 자신을 똑바로 노려보는 승상과 미처 상황 파악을 못 한 채 당황하는 신료들을 돌아보며 입을 열었다.

"역모죄는 그 자리에서 즉결 처분이지."

"헉! 폐, 폐하! 살려 주시옵소서! 승상! 뭐라고 말 좀 해 주십시오!"

"승상! 제발 살려 주십시오!"

환백에게 빌어도 소용이 없다는 것을 알았는지, 이젠 무릎걸음으로 승상 유창운의 바짓가랑이를 잡고 매달리는 두 사람을 내려다보며 환백은 미미하게 미간을 찌푸렸다.

이건 누가 봐도 승상의 권위가 황제를 넘어섰다는 걸 보여주는 것이다. 그래서인지 환백의 심사가 뒤틀리고 있었고, 유창운도 매달려 오는 두 사람의 태도에 짜증이 치밀기는 매한가지였다.

자신이 아무리 권력이 강하다 하나, 자신의 목적을 이루지 못한 지금의 시점에서는 환백의 심기를 거슬려서 좋을 것이 없었기 때문이다.

그렇다고 모르는 척 눈을 감을 수도 없다. 여기서 자신이 숙이고 들어간다면 환백의 권한이 높아질 것은 자명한 일이지 않은가.

유창운은 미간을 구긴 채로 당당히 고개를 들고 환백을 향해 말했다. 적어도 지금은 환백에게 자신의 도움이 필요하다는 것을 알기에 큰소리도 치는 것이다.

"폐하, 아뢰옵기 황공하오나, 즉결 처분은 늦추어 주시옵소서."

"내가 왜 그래야 하지?"

"확실한 증거가 없이 처분하시는 것은 옳은 일이 아닌 줄로 사료되옵니다. 그럼에도 행하신다면 폐하의 업적에 오명만이 남을 것이옵니다."

"쿡, 그대가 그렇다면 그런 것이겠지."

언뜻 들으면 환백을 위하는 것 같은 말이었으나, 이곳에 있는 그 누구도 그런 생각을 하는 사람은 없었다. 오히려 두 사람은 유창운의 말에 마치 새 생명이라도 얻은 듯 얼굴색을 변화시켰고, 다른 신료들도 고개를 끄덕이며 환백을 향해 고개를 뻣뻣이 들었다.

그러나 정작 유창운은 무언가 마음에 안 든다는 듯 미간을 찌푸려야 했다. 환백이 수긍하듯 고개를 끄덕였지만, 그 얼굴에서 비웃음이 사라지지 않았기 때문이다. 잠시 후, 환백이 즐거운 듯 말문을 열었다.

"그렇다면 증거가 있으면 상관없겠군?"

"그것은……."

"묵혼, 승상에게 그것을 주어라."

"존명."

증거라는 말에 유창운이 자신의 실수를 깨닫고 아차 하는 얼굴을 했을 때는 이미 늦은 뒤였다. 묵혼이 건넨 두루마리에는 좌참정과 병부시랑의 죄목이 낱낱이 적혀 있었고, 증거 또한 도저히 반박하고 나설 수 없을 정도로 완벽했던 것이다.

"더 할 말이라도 있나? 아니면 그대도 알고 있던 사실인가?"

그렇게 물어오는 환백을 올려다보며 유창운은 부들부들 떨리는 주먹을 움켜쥔 채 마지못해 대답했다. 여기서 자신이 할 대답은 뻔한 것이다.

"……신은 모르고 있었사옵니다."

"흠, 모르고 있었다? 그렇겠지. 한 나라의 승상이 그 사실을 알고도 덮었다면 말이 안 되지. 안 그런가?"

"그러……하옵니다."

유창운이 호흡을 가다듬는 모습을 보며 환백은 붉은 눈을 더 붉게 빛내며 단호한 목소리로 말했다.

"역모를 행한 저 두 놈의 목을 쳐라. 그리고 그들의 구족을 멸하라. 그 후 재산을 몰수하고 군사들을 압송한다!"

"존명!"

환백의 명이 떨어지자마자 경악하는 두 사람의 뒤로 묵가의 그림자 두 명이 더 나타나고 미처 상황 판단도 하기 전에 목이 떨어져 나갔다.

붉디붉은 피를 쏟아 내며 데굴데굴 굴러 가는 두 개의 목에 태룡전 안은 순식간에 적막에 휩싸였다. 아무리 즉결 처분이라 하나, 설마하니 태룡전 안에서 처분할 줄은 상상도 못 한 것이다.

그래서인지 참담한 모습과 역겨운 피 냄새에 대소신료들이 구역질을 하며 고개를 피하는 모습에 환백은 여유롭게 웃으며 그들을 지켜보고 있었다.

"언제까지 정신 놓고 있을 생각들인가? 회의를 시작하도록 하지."

이 상황에서 회의라니? 두 구의 시체를 앞에 두고 어찌 회의를 한다는 것인지. 신료들이 하얗게 질린 채 경악했지만, 환백은 아랑곳없이 회의를 진행했다.

주 내용은 지난번 회의에 환백이 언급했던 세금 문제와 부병제였다. 부병제란 각 지역에서 병사를 선발해 교육시키는 것으로, 환백의 목적은 뻔했다.

이곳 황궁을 지키는 금위군도 유창운의 손에 들어가 있는 것이나 매한가지였고, 병권 또한 완벽한 것이 아닌지라 환백은 그들을 교육시켜 황군으로 만들 생각인 것이다.

또한, 지금까지는 오직 백성만이 세금을 냈다면 환백이 말한 균등제는 세도가와 귀족들이 모두 세금을 내는 것으로, 그 형편에 따라 더 많은 금액을 부과해야 했다. 때문에 현재 권력을 잡고 있는 이들이 그걸 찬성하고 나설 리가 없었다.

그러나 지금 이 순간 환백의 말에 토를 달고 나서는 사람은 없었다. 자칫하다가 두 사람 꼴이 날지도 모를 일이기 때문이다. 그도 그럴 것이 두 사람의 뒤를 조사했다면 자신들 또한 위태롭기는 매한가지가 아닌가.

말 한 마디 잘못했다가 역모죄를 뒤집어쓴다면 자신들 또한 이 자리에서 즉결 처분 감이다. 그런 개죽음을 당하느니 하다못해 반대를 하더라도 우선은 이 자리를 피하고 방책을 마련해도 해야 하는 것이다.

그래서인지 누구 하나 반대를 거론하는 이 없이 회의는 순조롭게 진행되었다. 환백은 새로운 시행법을 확고히 굳히며 자신의 목적을 하나하나 실행시키고 있었다.

이때까지만 해도 유창운을 비롯한 신료들은 알지 못했다. 오늘의 일을 시작으로 환백의 강력한 정책은 훗날 세도가의 목을 조르는 계기가 되며, 멈추지 않는 피바람을 예고한다는 것을. 또한, 황권을 누르려는 세도가의 권력이 하나로 뭉쳐지는 또 다른 시발점이기도 했다.

❖

어수선한 가운데 파한 대전회의에 대해 웅성거리며 떠나는 무리 중 한 무리의 신료들이 태룡전을 벗어나 바쁘게 걸음을 옮겼다. 선두에 선 유창운의 눈치를 살피며 조용히 따르는 이들의 얼굴은 하나같이 일그러져 있었다.

오늘 있었던 환백의 주장과 행동이 이들의 심기를 거스른 것이다. 그래서인지 본궁을 지나 유화궁(瑜華宮)으로 향해 가면서도 누구 하나 선뜻 말문을 열지 않은 채 잔뜩 못마땅한 표정을 지으며 헛기침만 연발하고 있었다.

그렇게 그들이 향한 곳은 본궁과는 세 개의 문을 지나야만 도착할 수 있는 황비들의 화려한 소궁 중 하나로, 승상 유창운의 손녀이자 제1황비인 자렴황비(慈斂皇妃) 유자운의 처소였다.

"어서 오십시오. 안 그래도 오신다는 연통을 받고 기다리고 계십니다."

내관이 재빨리 문을 열어 주자 유창운을 선두로 다섯 사람이 망설임 없이 안으로 들어섰다.

잠시 후 유자운은 들어서는 조부와 신료들을 돌아보며 앞을 가린 주렴을 거둬 내고 자리를 권했다.

본시 황후를 비롯한 황비, 후궁은 핏줄이 섞인 가족이라 하나 길게 늘어트린 주렴을 사이에 두고 대화를 나눠야 했고, 가족이 아닌 이들과의 대화 또한 엄격히 금했음에도 유자운의 당당한 행동에 누구 하나 토를 다는 이는 없었다.

이미 황궁뿐만 아니라 나라에서 최고 권력을 자랑하는 유창운이 사소한 법도 따위에 얽매일 리도 없었으며, 설사 아랫것들이 봤다고 한들 오만한 권력가로서 다른 이들의 눈을 피해 비밀리에 움직일 필요도 없었기 때문이다.

"무슨 일이 있으셨습니까?"

유창운의 심기가 불편하다는 걸 알고 먼저 말문을 연 유자운의 물음에 좌승(左丞) 서홍호가 기다렸다는 듯 대신 답했다.

"말도 마십시오, 마마. 아무래도 황제가 정신이 나간 것 같더이다."

서홍호의 대답에 유자운이 고운 미간을 살포시 찌푸렸다. 결코, 황제를 향한 불충한 말 때문이 아니라 그 내용 때문이었다.

"정신이 나간 것 같다니요? 그게 무슨 말입니까?"

"오늘 태룡전에서 병부시랑과 좌참정이 역모죄로 즉결 처분을 당하고, 구족을 멸하라는 명이 떨어졌사옵니다."

다시 조금 전에 있었던 일을 떠올리는지, 참지정사(參知政事) 왕국한이 말을 하면서도 속이 불편한 듯 다소 창백하게 질린 채 식은땀을 닦아 냈다. 그건 다른 이들도 매한가지로 앞다투어 늘어놓는 말에는 불쾌한 기색이 역력했다.

이들이 바로 수나라 세도가라는 좌승 서홍호와 참지정사 왕국한, 이부상서(吏部尚書) 조양, 호부상서(戶部尚書) 문장, 추밀부사(樞密副使) 부장만으로 유창운의 손과 발을 자처하는 수족이었다.

이곳에 빠진 이들이라고 해서 별반 다를 것은 없으나, 굳이 구분하자면 제2황비인 의인황비(擬仁皇妃) 하우완진의 조부 하우유권의 세력이, 제3황비인 혜원황비(慧援皇妃) 우문비설의 부친 우문성중의 세력이 실권을 쥐고 있었다.

또한, 하우유권은 우승(右丞)의 자리를 차지한 채 나름대로 세력을 구축하고 있었으며, 우문성중은 어사대부(御史大夫)로서 그 세력 또한 만만찮았다. 그러나 아무리 세를 넓혀도 유창운을 따라가지는 못하는 것이 현 실정이었다.

"뿐만이 아닙니다. 그들이 기르던 사병이 모두 황제에게로 들어갔사옵니다."

"그렇지요. 그게 가장 큰 문제가 아닙니까?"

"허! 아무리 어리다 하나 무슨 생각인지, 부병제도 모자라 우리 세도가와 귀족들에게도 세금을 물리겠다고 합니다."

"말도 안 되는 소리가 아닙니까? 우리보고 세금이라니요. 천한 백성들과 우리를 동급으로 취급하는 게 아니고 뭐란 말입니까?"

세금 문제를 들먹이며 다소 흥분한 듯 노기를 드러내는 부장만의 말에 일제히 고개를 끄덕이며 수긍했다. 황제의 위에 서 있는 유창운을 믿고 따르는 이들은 설사 그 상대가 황제라 한들 거리낄 것이 없는 것이다.

그렇게 다섯 사람이 환백이 보였던 반응을 일일이 입에 올리며 불평불만을 쏟아 내는 사이, 유창운은 미미하게 미간만 찌푸렸을 뿐 이렇다 할 반응도 보이지 않으며 침묵만을 지키고 있었다. 그런 유창운을 힐끔거리며 유자운이 차분하게 말문을 열었다.

"헌데 이상한 일이군요."

"예? 무엇이 말입니까?"

"황제가 어리석은 이도 아닌데, 그러한 무리수를 뒀다는 것이 참으로 이상하지 않습니까?"

유자운이 본 환백은 어리석음과는 거리가 멀었다. 오히려 지나치게 영악하고 잔인한 성정으로, 결코 이 같은 일을 무턱대고 벌이지는 않았을 거라 생각되었다. 무엇보다 황비 간택 때의 그 수모를 가슴에 담고 있는 그녀로서는 더 이해가 안 되는 것이다.

"어리다 보니 혈기를 다스리지 못한 것이 아니겠습니까?"

"그렇습니다. 황제만 되면 무엇이든 할 수 있다고 생각했겠지요."

"선황도 처음에는 기세를 높여 보려고 별짓을 다 하지 않았습니까?"

"하하, 그랬지요. 처음에는 멋모르고 기어오르려고 무던히도 노력하더니, 그것도 곧 자신의 처지를 깨닫고는 얌전해지지 않았습니까? 아마 지금 황제도 한때에 지나지 않을 것입니다."

역사에 가장 어리석은 황제로 주지육림에 빠져 정세를 멀리해 결국은 황족의 권위마저 상실케 하고 세도가들의 위세만 드높여 준 선황을 들먹이는 이들의 얼굴에는 비웃음이 사라지지 않았다. 의지도, 힘도 없는 꼭두각시 황제.

하늘의 아들이라는 천자를 말 한 마디로 좌지우지할 수 있다는 사실은 이들을 더더욱 오만하게 만든 것이다. 그래서인지 주도권을 잡고 휘둘렀던 그들이 이제 와서 잘못을 깨달으며 자신을 낮추고 들어갈 리도 만무한 일.

방자한 말을 거침없이 뱉어 내면서도 태연자약한 이들은 오늘의 일을 마음 상해하는 한편, 그 오만함으로 인해 상황을 심각하게 받아들이지는 않았다. 그런 그들을 보며 유자운은 나지막이 한숨을 내쉬었다.

"그보다 어찌하실 생각이십니까? 저대로 병사들을 뺏기면 손해가 아닙니까?"

"그래 봐야 육천에 지나지 않습니다."

"그거야 그렇지만, 속이 쓰리니 그런 것이 아닙니까?"

"그런 건 신경 쓸 필요 없소이다. 병사야 새로 들이면 되고, 아니면 황제를 압박해 다시 뺏어 오면 되지요. 고작 그 숫자로 뭘 하겠습니까? 그러니 세금 문제부터 속 시원히 해결을 봐야 할 것입니다."

"세금이야 안 내면 그만 아니오? 그것도 심각하게 생각할

228

것 없소이다."

"그것도 그렇습니다. 하하."

처음의 불평불만은 어디로 사라졌는지, 어느새 서로를 안
심시키며 불안감을 없애고 여유 만만한 웃음을 지어 보였다.
깊게 생각할 가치도 없다 판단한 것이다. 그런 그들의 작태
에도 유창운은 시종일관 침묵만을 고수했다.

다만 유자운만이 그들을 돌아보며 한심하다는 눈빛을 잠
시간 보냈을 뿐, 한동안 일상적인 대화만이 오고 갈 때 조양
이 유창운의 눈치를 보는 듯 힐끔거리며 조심스러운 목소리
로 유자운을 향해 물었다.

"하온데 마마, 아직 소식은 없사옵니까?"

"어허! 이 사람, 왜 그렇게 서두르는 것인가? 이제 몇 달이
나 지났다고 벌써부터 그러나?"

"흐음, 그렇긴 하지만, 내 조급해서 그럽니다. 하루라도 빨
리 마마께 소식이 있어야 황제를 갈아 치울 것이 아닙니까?"

황제를 갈아 치운다는 말에 하나같이 얼굴에 묘한 기대가
어렸다. 조양의 물음은 사실상 여기 모여 있는 이들의 공통
관심사였기 때문이다. 회임. 황제의 아들, 황태자를 하루라
도 빨리 가져야 자신들의 지위 또한 확고할 것이다.

모두가 한결같이 현재의 지위를 지키기 위해 필사적이었
고, 여기서 더 안정적이고 높게 올라설 수만 있다면 황제를
갈아 치우는 것뿐만 아니라 더한 짓이라도 할 수 있었다. 세
상이야 어떻게 돌아가든 이들에게 있어 중요한 것은 그것만
이 전부였다.

"때가 되면 소식이 올 것이 아니겠습니까. 그러니 마마께서도 심기를 편히 하십시오."

"헌데 승상께서는 무슨 생각을 그리하시는 것입니까? 혹 마음이 쓰이는 일이라도 있으신지요?"

지금껏 단 한 마디도 하지 않은 유창운을 돌아보며 눈치를 살피던 왕국한이 조심스럽게 말문을 던지자, 그제야 왕국한과 신료들을 돌아보며 유창운이 무거운 입을 열었다.

"흠, 별일 아니네. 그보다 자세한 이야기는 저녁에 하도록 하고, 먼저들 퇴궁하게나. 내 마마와 잠시 할 이야기가 있네."

"그렇게 하십시오. 하면, 저희는 먼저 물러가겠습니다."

"마마, 옥체 보중하시옵소서."

"예. 살펴 가십시오."

신료들이 조용히 물러나고, 비로소 찾아온 고요에 유자운이 나지막이 한숨을 내쉬며 마음속에 있는 말을 꺼내었다.

"어리석은 자들입니다."

"어찌 그리 생각하느냐?"

"아시지 않습니까? 황제가 나이는 어리다 하나 결코 만만한 이가 아닙니다. 만만했다면 지금까지 살아남지도 못했겠지요. 또한, 이미 변변히 내세울 황권이 없다는 걸 알면서도 그리 대담한 짓을 벌이지 않았습니까? 하물며 증거까지 완벽하게 준비했다면 드러낸 것보다 감춘 것이 더 많다고 봐야 할 것입니다. 그도 아니면 반응을 살피는 것이겠지요."

유자운의 차분한 대답에 지금껏 무표정을 고수하던 유창운이 만족한 듯 미소를 드러냈다. 비록 쉽게 유추해 낼 수 있는 일이라 하나 몇 십 년이나 살아온 신료들도 간과하고 넘어가는 사실을 집어내는 손녀가 대견스러운 것이다.

"자운아, 권력이란 영원하지 않은 법이다. 불같이 일어선 세라 한들 길어야 몇 백 년이고, 정상에서 땅으로 곤두박질치고 다시 정상으로 올라가는 것도 한순간에 지나지 않으니, 때로는 불요불굴(不撓不屈)의 의지만으로도 되지 않는 일이 세상에는 다반사로 일어나는 것이다."

그런 점에서 황실만큼 권력이 판을 치며 그 권세가 쉽게 바뀌는 곳도 없었다. 한순간 방심하면 목이 나가떨어지는 건 다반사요, 조금만 어긋나도 한낱 백일몽에 지나지 않는 것이 이 황궁의 권력이기 때문이다.

본시 권력이란 몇 백 년을 틀어잡는 것조차 손에 꼽을 정도에 불과하고 성세를 누리어 오기란 참으로 어려운 일로 현재 최고의 권력을 가진 자신이라 해도 이 권력이 언제까지 번성을 누리며 이어질지는 모르는 것이다.

하물며 모가 나면 정을 맞는 것이라 했으니, 인간의 욕망은 쉬이 식지 않는 것이어서 하늘 끝까지 치솟아 오르고 싶어 하고, 올라간 자를 끌어내리고 싶어 하는 이들 또한 있기 마련이다.

그런 이들을 견제하며 꼭대기에 우뚝 서기란 결코 쉬운 일이 아니었다. 그러나 유창운은 그 쉽지 않은 일을 오래전부터 계획해 왔고, 이제는 황실의 이(利)를 좌지우지할 권력을 틀어쥔 것이다.

황제보다 더 높은 권력. 말 한 마디에 수십만을 죽일 수도 있고, 말 한 마디에 황제를 갈아 치울 수도 있다. 그 사실에 아무도 이의를 달지 못할 만큼 현 수나라 권력의 중심에 유창운 바로 자신이 있었다.

이제는 이 권력을 오랫동안 틀어쥐고 그 성세를 누리면 되는 일, 그러자면 아직도 할 일이 많이 남아 있었다. 다만 쉽게 손안에 쥐고 흔들 수 있었던 선황과는 달리, 생각을 읽을 수 없는 환백이 마음에 걸렸다.

하지만 그런 생각도 오래가지는 않았다. 어린 것이 무얼 하겠는가. 치밀한 계획하에 수십 년에 걸쳐 쌓아 올린 권력이다. 그런 자신에게 대항하다니, 이란격석(以卵擊石)이 아니고 뭐란 말인가.

조급해할 것도 없이 처음의 계획대로 자운이 황태자를 생산하면 환백의 이용 가치는 사라진다. 그때에는 비로소 자신이 이 수나라의 진정한 숨은 황제가 되는 것이다.

그것이 유창운이 지금까지 품고 있었던 야망이다. 그리고 그날이 머지않았다는 사실에 유창운은 만족한 듯 웃음을 지었다.

"너는 아무 걱정하지 말고 황제나 휘어잡으면 된다. 나머지는 이 할아비가 모두 처리할 것이야."

"명심하겠습니다."

느긋하게 미소 띤 얼굴로 찻잔을 들어 올리는 유창운을 향해 유자운은 별다른 내색 없이 간결하게 답했다. 어차피 유창운에게 있어 손녀인 유자운도 한낱 이용 패에 지나지 않는다는 걸 스스로도 알고 있었기 때문이다.

어린 황제를 치마폭에 감싸고 꼭두각시로 만드는 것. 그리고 유창운의 오랜 계획이었던 황태자를 생산하는 것. 그것이 유자운 그녀가 해야 할 일로, 그 외에 모든 감정은 버려야만 하는 것이다.

그 사실에 씁쓸한 기분을 떨칠 수는 없었으나 환백과 비슷한 연배로 태어난 그 순간부터 정해진 운명이기에 자운은 겉으로 드러내며 조부의 심기를 거스르는 어리석은 일은 범하지 않았다.

무엇보다 그녀 또한 그 일을 바라고 있을 만큼 환백에 대한 증오가 깊었다.

한편, 대전회의를 마치고 느긋하게 개인 집무를 보던 환백은 몇 시진이 지나 홀연히 모습을 드러내는 묵혼을 보며 슬며시 입꼬리를 말아 올렸다.

"이제 퇴궁했나 보군."

"궁 밖을 나가는 걸 보고 꼬리를 붙여 두었습니다."

"그래서 그 늙은이들의 반응은?"

환백의 물음에 묵혼은 유창운과 유자운, 다섯 사람의 대화를 낱낱이 고해바쳤다. 이는 비단 묵혼뿐만이 아니었다. 환백의 지시로 묵가는 태룡전을 나설 때부터 신료들의 뒤를 밟고 그들의 동태를 살피고 있었던 것이다.

"큭, 멍청한 놈들. 오랫동안 권력에 찌들어 살더니 죄다 머릿속에 똥만 채우고 있었군."

"반격을 해 오지 않겠습니까?"

"해 오겠지. 생각이 있는 놈들이라면 하나로 세력을 합치려고 할 것이고. 그러나 지금 당장은 아니야. 승상은 나를 살려 놔야 할 이유가 명백하고, 그건 우승이나 어사대부도 마찬가지지."

이미 유창운을 비롯한 세도가들의 반응을 예상했던 환백은 오래전부터 계획을 세우고 실행해 온 일에 한 치도 소홀히 하지 않았다. 적어도 목적을 달성하기 전까지는 유창운이 자신의 방패막이가 될 거라는 걸 알기 때문이다.

"그보다 성과는 어느 정도지?"

"곧바로 활용할 수 있을 정도입니다."

"좋아. 조용히 진행하되, 한 번에 끝내야 한다는 걸 명심해라."

"존명!"

묵혼이 스르르 모습을 감추자 환백은 붉은 눈을 형형하게 빛냈다. 누구의 도움도 없이 살아남기 위해 어릴 때부터 따뜻한 정이나, 하다못해 편안한 휴식은 고사하고 단 한 순간도 마음을 놓은 적이 없었다.

하루에도 몇 번씩 자객들의 살수를 피해야 했고, 누구 하나도 믿을 수 없는 상황이었다. 그렇게 살아온 지난 세월을 돌이켜 보는 환백의 두 눈이 붉게 타오르고 있었다.

이제는 받은 만큼 되돌려 주는 것만이 남은 것이다. 그러기 위해서는 환백은 폭군으로 기록되는 걸 마다치 않을 생각이었다.

아니, 반드시 그렇게 해야만 가슴속에서 들끓는 열화를 다스릴 수 있을 것만 같아 환백이 과거를 곱씹고 있을 때, 암영제의 수장 교령이 모습을 드러냈다.

"주군, 황자들의 움직임이 심상치 않습니다."

"그놈들이야 어디 하루 이틀인가. 그래 봐야 또 살수나 보내겠지."

"그게 아닙니다. 제 생각으론…… 황후마마를 노릴 것 같습니다."

찰나간 교령의 말을 이해하지 못했던 환백이 곧 그 말이 뜻하는 바를 알고 미간을 찌푸렸다.

"병사들이 지킨다고는 해도 그 힘이 약하니 쉽게 노리실 수 있다고 생각할 겁니다. 그리되면……."

"황후가 죽으면 나 또한 한 해 안에 괴사로 죽을 것이다?"

"……주군."

"하! 이거 상황이 우습군. 그러니까…… 그 사내놈을 지켜야 나도 살 수 있다는 말이지?"

환백은 말끝에 어이없는 웃음을 흘렸다. 지금까지 황제들의 갑작스러운 죽음이 모두 황후의 죽음과 깊은 연관이 있었기 때문이다.

그게 한두 번이라면 우연으로 친다지만, 같은 일이 다섯 번이나 벌어지자 이제는 가볍게 여길 수도 없는 것이다. 그렇다고 이런 상황을 고스란히 받아들이자니 환백은 심사가 뒤틀렸다.

안 그래도 마음에 드는 것이 하나도 없는 상대가 아닌가. 하물며 계집도 아닌 사내를 지키라니. 두 눈 가득 짜증과 적개심을 드러내며 주먹을 움켜쥔 것도 잠시, 환백은 자신의 손을 내려다보며 달포 전의 일을 떠올렸다.

유달리 가늘고 하얗던 목. 살짝 힘을 주는 것만으로도 유독 신경을 자극하던 그 깨끗한 눈동자에 핏발이 서고, 끝내 포기한 듯 눈을 감는 모습에 자신도 모르게 손에 힘을 풀고 말았었다.

왜 그랬는지는 모른다. 그러나 분명한 것은 그때 자신은 휘몰아치는 살기를 가눌 수가 없었다. 그렇게도 원하고 원했음에도 자신에게는 단 한 번도 주지 않던 따뜻함이었다. 때문에 환백은 모든 원망을 휘연에게로 돌렸다.

그때 당시에는 휘연의 죽음으로 인해 벌어질 일 같은 건 생각지도 않았고, 할 수만 있다면 그 자리에서 죽이고 싶었음에도 결국에는 그리하지 못한 것이다.

무엇보다 사내라고는 믿기지가 않았던 그 묘한 울림이 담긴 청아한 목소리가 그때 이후로 머릿속에서 떠나지를 않는 것 또한 마음에 들지 않는 일이었다.

"……지키라면 지켜야겠지. 유한을 황후궁으로 보내."

"존명!"

❖

소건황제, 정(政) 치세(治世) 반년이 접어들면서 수나라 전체가 발칵 뒤집어졌다. 지난 반년간 많은 것이 소리 소문 없이 진행되며 세도가와 황제 간의 보이지 않는 암투는 한날한시에 나라 곳곳에 벽보가 붙으므로 전혀 예상치 못한 방향으로 흘러가고 있었다.

백성들이 한마음 한뜻으로 황제를 비호하고 나선 것이다. 그도 그럴 것이 환백은 인재등용과 백성의 부역을 경감시키는 데 힘을 기울이며, 세도가의 거센 반대에도 세금 균등제와 백성들에게 직접적인 부병제를 실시했기 때문이다.

또한, 6성과 12부를 두어 통치의 효율을 꾀하고, 법률을 재정비하여 형법과 추가법, 시행세칙 등을 마련했을 뿐만 아니라 국가재정을 확보함과 동시에 각 지방 관료들의 창고를 열어 백성들의 안위를 살피고자 했다.

그 외에도 대외적으로 세력을 뻗쳐 표면화된 대국의 모순을 바로잡아 정세를 살핌에 선황 시절 가혹한 착취에 시달려야 했던 백성들의 완전한 신임을 얻었다. 이는 사실상 세도가의 반격을 완벽히 차단하는 하나의 방편을 마련한 것이나 매한가지였다.

이 일은 실로 치밀한 계획하에 이루어졌다. 처음부터 정책이 가로막힐 것을 예상하고 몇 개월이 지난 후에야 그 모든 일을 나라 곳곳에 벽보를 붙여 알림으로 세도가와 힘없는 황제 간의 암투를 공공연히 알린 것이다.

그 결과는 환백의 예상에서 한 치도 어긋나지 않았다. 환백이 심어 놓은 첩자가 백성들을 선동해, 나라 곳곳에서 불같이 일어난 백성들이 각 지방 관리의 사택을 급습하고 관청에 쳐들어가는 폭동을 일으켰다.

그 일로 권세를 누리던 귀족들은 백성들을 피해 몸을 움츠려야 했고, 이런 일을 예상하지 못했던 세도가가 뒤늦게 허둥지둥 수습을 하려 했으나 이미 민심을 완벽하게 얻은 환백을 가로막고 나서기란 불가능한 일이었다.

그렇게 환백은 애초의 목적이었던 황제를 향한 반란이 아닌, 세도가에 치이는 황제를 위한, 세도가를 향한 반란이 곳곳에서 일어나는 결과를 얻을 수 있었다.

하나로 단결한 민심의 힘이 그만큼 거대하다는 걸 단적으로 보여 주는 일면이었다. 상황이 이쯤 되자 세도가들은 한발 물러서 함부로 황제에게 반발을 드러내지 못하며 여러 정책을 받아들일 수밖에 없었다.

여차하면 환백이 아닌 백성 전체를 상대해야 하기에 분노를 숨기고 몸을 사리는 것이다. 물론, 그건 지극히 표면적인 상황에 지나지 않았다.

한 번 권력의 단맛을 본 이들이 쉽게 권력을 손에서 놓을 리도 없거니와, 겉으로는 수긍하면서도 안으로는 황제에게 반발하는 형태로 속속들이 단합을 이루며 유창운의 밑으로 들어가기를 자처했기 때문이다.

그리고 여차하면 황제를 갈아 치우자는 말까지 오고 갔으나, 그보다 환백의 행동이 더 빨랐다. 벽보가 붙은 지 달포가 지난 후 세도가들의 동태를 살피고 있었던 환백이 이 같은 상황을 예상하고 선황의 황비들과 후궁들, 황자들에 대한 피의 숙청을 감행한 것이다.

그 일은 미처 반대할 틈도 없이 은밀히 진행됐고, 효헌 황자와 나이가 어린 두 명의 공주를 제외한 황족들은 백성들이 모두 지켜보는 앞에서 그 죄목이 낱낱이 밝혀지며 공개처형됐다.

유창운이 환백에 대한 확실한 판단을 내리기도 전에 밀어 붙인 결과였다. 그렇다 보니 유창운을 비롯한 세도가들은 경악하면서도 형식적인 심문 후 황후와 황제를 암살하려 했다는 역모죄로 죽어 나가는 황족들을 속수무책으로 지켜봐야만 했다.

그렇게 황족들이 몰살을 당하는 모습을 묵묵히 지켜보던 환백은 환호하는 백성들을 돌아본 끝에 하얗게 질린 채 무거운 침묵만을 지키는 대소신료들을 향해 붉디붉은 눈을 빛내며 돌아섰다.

이제부터 본격적인 시작을 의미하는 눈빛이었다. 그런 환백의 뒷모습을 노려보는 유창운의 미간이 한껏 찌푸려져 있었으나, 이때까지도 그는 안일했다.

어리다고만 판단했던 황제가 얼마나 치가 떨릴 정도로 주도면밀하고 잔인한지, 자신을 좀먹는 오만함이 어떤 결과를 낳는지도 유창운은 깊게 생각하지 못한 것이다.

그리고 백성을 위한 수많은 정책을 내놓은 황제가 향후 더 많은 피를 부르게 될 거라는 걸 지금 이 순간 한결같이 환호하는 백성들도 알지 못했다. 그들은 단순히 세도가에 맞서가며 자신들을 살피는 황제를 절대적인 믿음으로 우러러볼 뿐이었다.


"효헌, 나를 원망하느냐?"

화려하면서도 정갈하게 꾸며진 후원을 거닐던 환백이 몇 번의 달싹거린 끝에야 조용히 말문을 열었다. 그런 환백의 뒤를 따르던 효헌의 발길이 일순 멈칫거리고, 나지막한 한숨과 함께 비교적 담담한 목소리가 뒤를 이었다.

"원망하지 않습니다. 이미 각오했던 일, 제가 형님을 원망할 리가 있겠습니까."

효헌의 말은 거짓이 아니었다. 어릴 때부터 단 한 순간도 마음을 놓은 적이 없을 만큼 수많은 목숨의 위협 속에서 오직 증오만을 키우며 성장해 온 환백을 지켜봤기에 언젠가는 이런 날이 올 거라는 걸 짐작했었다.

무엇보다 황족으로 태어난 그 순간부터 결코 평탄한 삶을 살 수 없다는 사실을 익히 깨닫지 않았는가. 다만 오늘이 그날이라는 것과 자식 된 도리로 눈앞에서 피를 흘리며 쓰러지는 어미의 죽음을 묵인했다는 것이 효헌을 가슴 아프게 했다.

비록 어리석은 탐욕에 찌들어 해서는 안 될 짓을 했다고는 하나 자신을 낳아 준 어미라는 건 변하지 않는 것이다. 그럼에도 효헌은 차마 원망하지 못했다.

사람의 인두겁을 쓰고 어찌 원망할 수 있단 말인가. 환백의 목숨을 노린 사람들 중에 자신의 욕심 많은 어미 또한 있었고, 오랜 세월 지었던 죄악의 대가를 오늘에야 갚은 것을.

효헌은 흘려서는 안 되는 눈물을 목 안으로 삼키며 내색하지 못할 상처를 숨길 수밖에 없었다. 그런 효헌을 보며 한숨을 내쉬는 환백의 얼굴 위로 쓸쓸함이 스치고 지나갔다.

할 수만 있다면 효헌을 봐서라도 자효황비는 살려 주고 싶었다. 그러나 위선으로도 자비를 베풀기에는 증오의 깊이가 너무도 깊었던 것이다.

"내게 가장 큰 적은 승상도 아니고 세도가도 아닌, 바로 너다."

결코, 담담할 수 없는 말과는 달리 말끝에 쓴웃음을 흘리는 환백을 보며 효헌 또한 일그러진 얼굴로 웃었다. 환백이 말하고자 하는 의미를 알기에 더 안타까운 것이다.

"그러나 내가 유일하게 믿는 이도 너지."

"알고 있습니다."

억눌린 목소리로 짧게 답하는 효헌의 말을 끝으로 두 사람 사이에는 무거운 침묵이 흘렀다. 환백의 입장에서는 효헌이 자신의 자리를 위협하는 정적임에는 확실한 것이다.

그럼에도 환백은 효헌을 죽이지 않았다. 효헌이 살아 있을수록 자신에게 반하는 이들이 효헌을 이용할 거라는 걸 알면서도, 믿고 싶고 믿어 왔던 유일한 존재를 죽일 수는 없었다.

만약 효헌 마저 죽인다면 자신에게 남은 인간이 가져야 할 유일한 감정까지 잃게 될 것을 환백은 두려워했기 때문이다. 그것은 효헌 또한 매한가지였다.

처음 만난 그 순간부터 환백의 곁에 있기를 원했고, 과욕을 부리는 자신의 어미와 외척의 세력을 막아 내지 못한 자신을 탓해왔다. 어린 자신이 막아 내기에는 애초에 무리였던 것이다.

그저 자신이 할 수 있는 것은 스스로 자격이 없다는 것을 그들에게 알려 주는 것만이 전부였다. 그렇게 살아온 세월이었고, 이제는 살모지수(殺母之讐)로서 환백과 마주해야 했지만, 효헌은 그마저도 할 수 없다는 사실에 오히려 안도하고 있었다.

"승상을 조심하십시오. 이대로 호락호락 당할 자가 아닙니다."

"그래. 지금 이 나라는 그자의 손에 있지. 아직은…… 그래, 아직은 아니지."

세상이 제아무리 넓다고는 하나 다수는 소수의 뜻에 좌우된다. 소수가 지닌 야망과 이념에 대다수 사람들은 그것을 느끼지 못하고 이끌려 들어가고, 그 희생물로 전락하기 때문이다.

지금껏 역사가 그리 말해 주는 것이다. 어떤 시대에는 황제에 의해서, 또 어떤 시대에는 권력가에 의해서. 드넓은 세상을 다스리는 것은 결국 지극히 소수라는 말이다.

그리고 지금 수나라의 실정은 소수 중에서도 극소수인 승상 유창운이 그 정점을 차지하고 있었다. 황제마저 말 한 마디로 갈아 치울 수 있는 자. 그렇지만 모든 것이 그들의 뜻으로만 이뤄지지는 않을 것이다.

결국은 많은 사람의 동의를 얻어내는 쪽이 시대를 얻게 되는 것이고, 그것이 대세라는 이름으로 규정된 역사라는 걸 환백은 너무도 잘 알고 있었다.

"일 년 남았다. 저들의 군사가 아닌 오직 나를 위한 군사가 이곳 황궁을 가득 채울 날이. 그때는 모조리 쓸어버릴 것이야. 큭, 그때까지는 나름대로 몸을 낮춰야겠지."

증오심을 키워 오고, 복수를 다짐한 그 순간부터 환백은 황제의 그림자라는 묵가와 환백 개인의 또 다른 그림자인 암영제를 통해 비밀리에 군사를 모으고 훈련을 시켜 왔다.

그 수가 상상을 초월했고, 이제 그 빛을 보는 것도 얼마 남지 않았다. 그 사실에 환백의 표정이 만족한 듯 풀어졌다. 하지만 붉은 눈이 광기를 드러내며 번뜩이고 있었다.

그런 환백을 보며 효헌은 눈을 감을 수밖에 없었다. 피로 물들 황궁이 눈앞에 선명하게 보이는 것 같아 암담하면서도 차마 말릴 수도 없는 것이다.

어찌 말린단 말인가. 설사 수많은 목숨이 사라진다고 해도 반드시 한 번은 거쳐야 할 관문이었다. 그래야만 썩고 곪아 터진 이 나라가 살아난다는 걸 효헌 또한 알고 있었다.

그래서인지 효헌은 착잡한 마음을 금치 못했다. 그렇게 두 사람 사이로 무거운 침묵이 흐른 것도 잠시.

후원을 막 들어서며 종종걸음으로 다가오는 시관의 모습에 환백은 나지막이 한숨을 내쉬고는 몸을 돌려 효헌을 똑바로 마주하며 말문을 열었다. 환백으로서는 베풀 수 있는 최대한의 아량이었다.

"물러가 근신해라. 내가 모든 일을 끝마칠 때까지는, 누구와의 접촉도 금하겠다."

"따르겠습니다. 부디 심기를 편히 하십시오."

환백이 해 줄 수 있는 최대의 배려라는 걸 알기에 효헌은 군말 없이 받아들였다. 마지막까지 조용히 미소 지으며 돌아서는 효헌의 뒷모습에 마음이 편치 않은 듯 환백의 미간이 살포시 찌푸려졌으나 그것은 찰나에 지나지 않았다.

곧바로 다가온 시관의 말에 미미하게 고개를 끄덕이며 개인 집무실을 향해 바삐 걸음을 옮기는 환백의 눈빛엔 유리한

홍정을 절대로 놓칠 수 없다는 냉혹하고 집요한 상흔 같은 게 독기처럼 서려 있었다.

그러나 그것도 얼마 지나지 않아 집무실 앞에 서 있는 한 사람을 발견하고는 평소답지 않은 부드러운 웃음을 머금었다. 그런 환백을 발견한 사내가 언짢은 심기를 누르며 공손하게 예를 차렸다.

"신, 어사대부 우문성중, 폐하의 부르심을 받잡고 들었나이다."

"어서 오시오, 장인."

"예. 예?"

무심코 답하던 우문성중의 두 눈이 휘둥그레졌다. 장인이라니? 오늘 수십 명의 피붙이를 죽인 잔인한 황제가 자신을 향해 장인이라 부르며 평소 보이지 않는 미소까지 드러낸 사실에 우문성중은 질겁한 것이다.

그도 그럴 것이 상황이 이상하지 않은가. 안 그래도 오늘의 일 때문에 신경이 날카로운데, 자신만을 조용히 불러들인 황제의 의중을 알지 못해 더 초조했던 우문성중으로서는 당연한 반응이었다.

"왜 그리 놀라는 것이오?"

"아, 아니 그게 아니오라…….."

"자자, 이럴 게 아니라 안으로 드십시다."

태연자약하게 웃으며 반기는 환백을 따라 우문성중이 어색한 몸짓으로 안으로 들어섰다. 도대체 환백이 왜 이러는지 그 의중을 몰라 더 불안한 것이다.

그렇다고 대놓고 물어볼 수도 없는 노릇이라 우문성중은 초조한 기색을 감추지 못하고 환백의 말을 기다렸다.

"그렇게 긴장하지 마시오. 내 장인을 따로 부른 것은 다름이 아니라 혜원황비 때문이오."

혜원황비라 하면 자신의 딸인 우문비설을 말하는 것이 아닌가? 그에 초조하던 우문성중의 얼굴이 급격히 굳어갔다.

이제는 환백이 어리다고 해서 우습게 볼 수도 없다는 걸 톡톡히 깨달은 바 혹여나 우문비설이 책잡힐 행동이라도 한 것인지 두려운 것이다.

"폐하, 혹 혜원황비께서 무슨 잘못이라도."

"아아, 그 때문이 아니니 오해하지는 마시오."

자신의 말에 눈에 띄게 안도의 한숨을 내쉬는 우문성중을 보며 환백은 잠시의 틈을 두고 다시 말을 이었다.

"내 개인적인 관심으로 장인을 보자고 한 것이니 긴장하실 필요 없습니다."

"개인적인 관심이시라면……."

"큼, 다름이 아니라 내 비설에게 무언가를 해 주고 싶은데. 장인이라면 잘 알고 있으리라 생각해서 보자고 한 것이오."

우문성중은 아무런 말도 할 수가 없었다. 환백의 말을 어떻게 받아들여야 할지 모르는 것이다. 말 그대로 곧이곧대로 받아들이기에는 무언가 미심쩍고, 그렇다고 다른 의도를 생각하기에는 환백의 표정이 낯설었기 때문이다.

마치 수줍어하기라도 하는 듯 은근히 시선을 피한 채로 볼을 긁적이는 모습이라니. 수십 명을 죽여 놓고도 눈도 깜짝

하지 않았던 모습과 지금의 모습은 도저히 같은 사람으로 보기가 어려울 정도가 아닌가.

"왜 말이 없으시오? 혹 장인도 모르는 것이오?"

"예? 그, 그것이……."

"흐음, 혹 내 행동이 이상하다 여겨 오해하는 것은 상관이 없소만, 내 비설에게만은 소중히 대해 왔다고 생각했는데 그리 오해한다면 섭섭합니다."

"폐, 폐하! 오해라니요, 당치 않으시옵니다."

환백의 말에 우문성중은 다급하게 머리를 조아렸다. 그런 우문성중을 보며 환백은 마치 아무 일도 없었다는 듯 느긋하게 찻잔을 들어 음미했다.

혼란에 빠진 우문성중이 비설과 환백의 사이를 다시 한 번 되짚어 보고 생각할 여유를 주려는 것이다.

사실 그동안 환백은 1황비인 유자운에게도 살갑게 대하지 않은 반면 3황비인 비설에게만은 유달리 살갑게 대하며 아껴 줬었다.

물론, 그런 환백의 태도를 비설을 통해 고스란히 전해 들은 우문성중은 그 일을 떠올리고 불현듯 드는 생각에 옷자락 안에서 주먹을 꾸욱 움켜쥐었다.

그리고 고개를 들어 올려 환백의 기색을 살피는 우문성중의 얼굴에는 기대와 흥분이 뒤엉켜 있었다.

만약 자신이 생각하는 것이 맞는다면 이 기회를 절대로 놓쳐서는 안 될 것이나, 혹여나 이것이 환백의 시험이라면 우문성중은 한 번에 모든 것을 잃을 수도 있기 때문이다.

그래서인지 쉽사리 의중을 파악하지 못하고 안절부절못하던 우문성중이 이윽고 결심을 굳힌 듯 몇 번이나 망설인 끝에야 가장 무난한 답을 꺼냈다.

아직은 이렇다 할 판단을 내리기에는 성급하다고 생각한 것이다. 그러나 우문성중은 곧바로 이어지는 환백의 말에 반색할 수밖에 없었다.

"마마께서는 폐하께서 하사하시는 거라면 무엇이든 달가워하실 것이옵니다."

"흠, 그런가? 하면, 장인은 그것을 좀 구해 주시오."

"그것이라니 무엇을 말입니까?"

"민간에는 회임에 좋은 약재가 따로 있다 들었소. 장인도 알다시피 이곳 황궁에서 짓게 되면 말이 나지 않겠소이까? 그러니 장인이 비밀리에 내게 보내 주면 좋겠소."

회임이라니? 그 말이 의미하는 바를 누구보다 잘 알기에 우문성중의 눈이 못 들을 것이라도 들은 듯 화등잔만 하게 커졌다.

그와 동시에 시시각각으로 변하는 우문성중의 표정을 감상이나 하듯이 느긋하게 보던 환백이 다시 한 번 강경하게 말을 이었다.

"나는 비설에게서 황태자를 볼 생각이오."

"아!"

무슨 말이 더 필요할까. 비로소 모든 의심을 떨쳐 버리고 얼굴 가득 사심을 드러내며 반색하는 우문성중을 보는 환백의 입가에 묘한 미소가 번지다가 재빨리 사라졌다.

그렇게 두 사람이 찻잔을 사이에 두고 좀 더 깊은 이야기를 주고받는 걸 시작으로 황궁 안에 미묘한 바람이 불기 시작했다.

그 바람이 과연 어떠한 결과를 가져올지는 모를 일이었으나, 다른 누구도 아닌 유창운에게 있어 결코 반가운 소식이 아닌 것만은 확실했다.

한편, 황족의 몰살을 두고 시일이 지날수록 황제와 세도가 간의 암투가 점차 치열하게 공방을 펼칠 때 황후궁만이 평소와 다를 바 없는 조용한 침묵을 지키고 있었다.

"후우……."

휘연의 곁에서 안절부절못하던 아소가 나지막한 한숨 소리에 흠칫거리며 기색을 살피자 휘연이 쓴웃음을 짓고 별일 아니라는 듯 고개를 내저었다. 그런 휘연의 손에는 구룡과 구름, 팔보가 수놓인 화려한 의복이 들려 있었다.

지난 몇 개월간 꾸준하게 지어 온 침의와 의복이 몇 벌에 달했고, 그 외에도 허리에 두르는 속대(束帶)와 띠(帶), 바지(裳), 종아리를 비스듬히 싸매는 사폭(邪幅)에 이르기까지. 주인에게 전해지지 못할 의복은 그렇게 차곡차곡 부피만 더해 가고 있었다.

"마마, 이제 그만하시옵소서. 어차피 전해지지 않을 것이옵니다."

아소가 안타까운 표정을 감추지 못하고 하는 말에 휘연은 씁쓸하게 웃었다. 자신이라고 왜 모르겠는가. 처음 옷을 짓기 시작한 몇 개월 전부터 하루도 생각하지 않은 적이 없었다.

그럼에도 손을 놓지 못하는 것은 요즘 들어 꿈자리가 좋지 않았기 때문이다. 천기가 흐린 것은 혈풍이 불기 시작했으니 당연한 것이라 하나, 단순히 그 이유로 가볍게 넘기기에는 휘연은 이유 모를 불안감을 느낀 탓이다.

그것이 무엇 때문인지 알 길이 없으니 더 답답한 노릇이라 휘연은 마음을 진정시키고자 무엇이든 매달릴 것이 필요했다.

그 덕분에 의복이 몇 벌이나 더 만들어졌지만, 만약 그조차도 하지 않았다면 휘연은 불안감을 견디지 못했을 것이다. 그래서인지 나지막한 한숨 끝에 힘없이 미소 짓는 휘연의 눈빛이 어둡게 일그러졌다.

"헌데 무영은 왜 이리 늦는 것이냐?"

"제가 알아보고 오겠사옵니다."

휘연의 말에 아소도 덩달아 고개를 갸웃거리다가 이내 자리에서 일어나 침실을 나갔다. 안 그래도 불안한데 심부름을 보낸 무영까지 돌아오지 않자 휘연은 눈에 띄게 초조한 기색으로 문이 열리기만을 기다리고 있었다.

그렇게 얼마나 기다리고 있었을까. 문밖이 소란스러워질 정도로 뛰어오는 기척과 곧 몇 개의 문이 연달아 열리며 휘연을 부르는 아소의 다급한 목소리에 휘연은 자리를 박차고 일어났다.

"흐흑! 마마, 이 일을 어찌합니까? 무영이, 무영이 유화궁에 붙잡혀 갔다고 하옵니다!"

七章
억애(抑哀)

"물러서게."

"안 됩니다."

병사들의 태도에 휘연은 초조한 기색을 숨기지 못한 채 입술을 깨물었다. 무영의 소식을 듣고 유화궁을 가기 위해 침전을 나섰으나 곧바로 병사들이 저지하고 막아선 것이다.

휘연을 유일하게 황후로 대해 주던 태후가 없는 이상 병사들의 태도는 거리낄 것이 없었다. 그래서인지 스스럼없이 창을 들어 앞을 막아선 것도 모자라 얼굴에는 당연하다는 듯 비웃음이 역력했다.

그 모습에 휘연은 눈물이 차오를 것 같아 옷자락 안으로 주먹을 움켜쥐고 호흡을 가다듬었다. 지금은 자신의 처지에 나약한 눈물이나 보일 때가 아니기 때문이다.

"폐하의 명을 어긴 죄는 내가 달게 받을 터이니 이만 물러서게."

"폐하께서 상대나 해 주시겠습니까?"

"큭, 그럴 리가 없지."

"인간 취급도 못 받는 마당에 상대나 해 주려고?"

병사들의 비웃음에 휘연은 가슴 한편이 싸늘해졌다. 이미 수도 없이 각오를 거듭했음에도 상처라는 것은 매번 아프게만 다가오는 것을. 그 누가 익숙해질 수 있겠는가.

휘연 또한 아직은 단단히 마음을 굳히지 못한 상태라 고스란히 상처를 떠안고 비틀거렸다. 그런 휘연을 다급하게 부축하며 아소가 참지 못하고 소리를 질렀다.

"말조심하십시오! 신하 된 도리로 황후마마께 어찌 이리 불경할 수 있단 말입니까?!"

분에 겹다 못해 절규에 찬 외침이었다. 그러나 누구 하나 아소의 말에 귀 기울이지 않았다. 오히려 비웃음만 높아짐에 두 사람의 표정은 참담하게 일그러졌다. 그리고 이것이 모진 현실이라는 걸 다시 한 번 되새길 수밖에 없었다.

"황후는 무슨. 버림받은 주제에 웃기지도 않는군."

"아직 꿈이라도 꾸는가 보지. 큭큭."

"황후마마, 대접해 줄 때 얌전히 있어야 그나마 목숨이라도 연명할 거 아닙니까?"

"하루라도 빨리 처지를 깨닫는 게 좋을…… 헉!"

끝이 없이 쏟아 내는 비웃음에 두 사람이 파르르 떨리는 몸을 간신히 지탱할 때였다. 마지막 말을 내뱉던 병사의 목에서 서늘한 빛을 내는 검 날이 번뜩이자, 모두의 시선이 아무런 기척도 없이 갑자기 모습을 드러낸 사내에게 집중됐다.

"누, 누구냐?!"

"정체를 밝혀라!"

온통 검은색 경장 차림의 크고 다부진 체격에 얼굴 반을 가면으로 가린 사내의 기이한 모습에 병사들이 창을 들이밀며 다급히 물었지만 사내는 병사의 목에 들이댄 검 날에 서서히 힘을 가하며 무심하게 중얼거렸다.

그러나 작은 중얼거림에 지나지 않았음에도 휘연을 비롯한 모두는 선명할 정도로 똑똑히 들을 수 있었다. 그 목소리엔 억양이 거의 없어 마치 감정을 잃어버린 사람처럼 무서우리만치 건조했기 때문이다.

"네놈들은 도를 넘어섰다. 죄는 목숨으로 갚아라."

"머, 멈춰라!"

"그만하면 되었습니다, 유한."

병사들의 위협에도 가소롭다는 듯 목덜미로 파고들던 검 날이 휘연의 말에 멈칫거렸다.

유한(諭瀚). 환백이 보낸 암영제의 일원으로, 지난 몇 개월 간 자객으로부터 휘연의 목숨을 지킨 이였으나 이렇듯 직접적인 대화를 나눠 보는 것은 처음이었다.

"……마마."

"후, 오늘의 일은 불문에 부칠 터이니 당장 길을 비켜서게."

유한이 짐짓 불만스러운 듯 살포시 미간을 찌푸리는 모습에 휘연은 나지막이 한숨을 내쉬며 병사들을 돌아봤다. 어차피 자신의 처지를 누구보다 잘 알고 있는 휘연이고, 이만한 일로 피를 보자면 한도 끝도 없을 것이다.

무엇보다 지금은 한시가 급할 때가 아닌가. 휘연은 짐짓 표정을 굳히고 단호한 목소리로 말하며 망설임 없이 발을 떼었다. 그렇게 어정쩡하게 물러나며 눈치를 살피는 병사들을 뒤로하고 휘연은 서둘러 유화궁으로 향했다.

그런 휘연의 옆으로 아소가 따르고 있었고, 어느새 모습을 감춘 유한이 호위했다. 그렇게 병사들이 지키는 몇 개의 문을 통과해 도착한 유화궁은 황후궁에 비해 그 크기는 작았으나 승상 유창운의 위세를 고스란히 드러낼 만큼 화려함에는 결코 뒤지지 않았다.

눈부신 채색으로 단장한 전각들과 가지각색의 꽃이 가득한 정원을 눈에 담을 틈도 없이 어렴풋이 들리는 비명 소리에 휘연은 하얗게 질린 얼굴로 거의 뛰다시피 걸음을 옮겼다. 그리고 눈에 보이는 무영의 모습에 휘연은 억눌린 침음성을 흘려야 했다.

"무영아!"

"혀, 형? 마마!"

"이게 무슨……."

아소가 득달같이 달려가 무영을 끌어안는 사이, 휘연은 선뜻 다가가지도 못하고 몸을 굳혔다. 목덜미에 비치는 붉고 푸른 멍 자국. 제대로 못 먹어 작고 여윈 몸을 가린 옷자락이 얼마나 거칠게 다뤘는지 여기저기 찢긴 채 붉은 핏물에 젖어 있었다.

옷이 저 정도라면 분명 가려진 의복 속의 상처는 더 심할 것이라 휘연은 숨이 막혀 오는 듯한 통증에 옷자락을 움켜쥐고 눈을 질끈 감았다. 지금 감당해야 할 현실의 무게가 휘연을 짓누르는 것이다.

차라리 자신이 상처 입었다면 이렇게 고통스럽지는 않으리라. 치를 수 있다고 생각했다. 어떤 고난이 닥쳐온다고 해도 운명이기에 감내할 수 있다고.

하루에도 몇 번이고 무너지려는 마음을 다스리며 내뱉었던 말들이 자만이었음을 지금 이 순간에야 휘연은 온몸으로 실감했다. 고작 이 정도도 견디지 못하면서 무슨 생각으로 그런 말을 했을까.

'참으로 못났지 않은가.'

이것은 시작에 불과한 것을. 그럼에도 도망치지 못하기에 견뎌야 한다. 고통은 자신이 짊어지고 가야 할 업(業). 참고 인내해야만 한다. 그것이 자신의 소임이자 운명이라는 걸 휘연은 다시 한 번 되새기며 떨리는 몸을 간신히 지탱하고 걸음을 옮겼다.

한 발 한 발 걸음을 뗄수록 부딪혀 오는 경멸과 비웃음을 담은 날카로운 시선에도 휘연은 면사 안에서 입술을 질끈 깨물며 파랗게 질린 얼굴로 주저앉아 있는 무영의 옆으로 다가갔다. 그런 휘연을 올려다보는 무영의 얼굴이 온통 눈물에 젖어 있었다.

"황후마마께서 예까지 어인 일이십니까? 허락도 없이 유화궁에 들다니요, 예법이 많이 서투르십니다."

휘연이 모습을 드러냈을 때부터 흥미롭게 보고 있던 자운이 자리에서 일어나지도 않은 채 물었다. 그 말투에는 숨기지 않은 유자운의 감정이 고스란히 묻어나고 있었다. 그제야 시선을 돌려 유자운을 보던 휘연이 몇 번이나 달싹거린 끝에야 어렵사리 말문을 열었다.

"제 아이가…… 무슨 잘못이라도 저질렀습니까?"

"후훗, 말씀을 이상하게 하시는군요. 마치 제가 잘못도 없는 아이를 벌하는 것 같지 않습니까?"

"황비를 탓하자는 게 아닙니다. 그러나 이 아이는 엄연히 황후궁에 속해 있지 않습니까? 설사 이 아이가 잘못했기로서니 제게 먼저 허락을 구해야 하는 것이 도리, 벌을 주더라도 제가 줘야만 마땅할 것입니다."

휘연의 말은 틀리지 않았다. 본시 각 처소에 있는 궁인들을 함부로 벌하지 못하게 했고, 특히 낮은 직첩인 황비가 황후의 궁인을 처벌한다는 것은 엄연히 규율에 어긋나는 행동이기 때문이다.

그러나 이곳에서 휘연의 말을 곧이곧대로 들을 사람이 누가 있겠는가. 제아무리 엄격한 규율이라 하나 황후로서 대접받지 못하는 휘연을 멸시하는 이들이 그러한 걸 지킬 이유가 없었다.

그래서인지 대놓고 비웃음을 흘리는 유자운과 내관들의 태도에 휘연이 입술을 질끈 깨물며 심기를 가라앉히고 다시 말문을 열려 할 때였다.

"말 한번 잘하는군."

난데없이 들려온 서릿발 같은 냉기를 품은 목소리에 휘연을 비롯한 모두의 시선이 한곳으로 향하고, 모두 화들짝 놀라 다급하게 부복했다.

오로지 휘연만이 흠칫 떨려 오는 몸을 필사적으로 추스르며 성큼성큼 다가오는 환백을 향해 깊숙이 고개를 숙였다.

"황후궁을 벗어나지 말라는 내 명을 어긴 네놈은 어떤 벌을 받아야 하지? 어디 그 잘난 입으로 다시 한 번 지껄여 보시지."

차갑다. 오랜만에 보는 얼굴임에도 환백의 말 한 마디 한 마디는 뼛속까지 시리게 만들 만큼 차가웠다.

"입이 붙기라도 했나? 주제도 모르고 잘도 지껄이더니 왜 그러는 거지?"

두렵다. 소름이 끼치도록 가슴이 먹먹했다. 각오를 다졌음에도 마음속에 작은 소망을 품은 적도 있었기에 더 두려운 것이다. 어쩌면, 어쩌면 자신을 받아들일지도 모른다고.

영혼으로 연결된 반려이기에 모질게만 대하지는 않을 거라고. 그렇게 어리석은 바람인 줄 알면서도 품어서는 안 되는 작은 소망을 품은 적이 있었다.

그렇게라도 하지 않으면 견딜 수 없을 것 같아 휘연은 점점 사라져 형체조차 갖추지 못한 소망을 놓치고 싶지 않아 붙드는 어리석음을 반복했었다. 그러나 현실은 냉엄하다는 걸 휘연은 다시 한 번 뼈저리게 깨달아야 했다.

"어떤 벌이든…… 달게 받겠습니다."

휘연의 말에 환백은 기묘하게 번들거리는 눈빛으로 휘연을 내려다봤다. 그러고는 잔뜩 비틀린 웃음을 지었다.

"큭, 그래? 그렇게까지 말하니 기회를 주지. 태배형(笞背刑) 30대를 견딘다면 황비의 심기를 건드린 저놈을 살려 주지. 단, 그전에 혼절이라도 한다면 저놈의 목숨은 없다."

태배형이라니. 환백의 말에 모두의 시선이 경악으로 물들었다. 태배형은 등을 난타하는 것으로, 자칫 목숨을 잃을 수도 있을 만큼 위험한 형벌의 하나기 때문이다.

제아무리 미운털이 박힌 황후라 하나 설마하니 형벌까지 가할 줄이야. 하물며 신탁으로 황후와 황제의 목숨은 연결되어 있지 않은가.

그것을 알기에 유자운도 이런 일은 예상하지 못했다는 듯 놀란 입을 다물지 못했다. 그래서인지 여기저기 술렁거림이 흘러나올 때, 아소와 무영만이 다급하게 무릎걸음으로 기어가 환백의 발밑에 엎드렸다.

"폐하! 소인이 죽겠습니다! 소인을 죽여 주시옵소서!!"

"폐하! 황후마마께 이러실 수는 없사옵니다! 차라리 소인들이 죽겠나이다!"

"시끄럽군. 저놈들의 입을 틀어막아라."

목을 놓아 애원을 쏟아 내는 두 사람을 병사들이 끌어내 입안에 천을 구겨 넣고 몸을 포박하는 모습을 지켜보며 휘연은 가만히 눈을 감았다. 그런 휘연을 내려다보며 환백은 즐거움이 가득 묻어나는 목소리로 물었다.

"어찌하겠느냐? 벌을 받겠느냐? 아니면 저놈들을 다 죽여

줄까?"

환백의 물음에 휘연은 호흡을 가다듬고 감았던 눈을 떴다. 눈앞에 번들거리는 비소를 머금고 두 눈에는 확연한 경멸을 담은 환백을 똑바로 마주하며 휘연은 망설임 없이 답했다. 조용히 흘러나오는 목소리는 의외로 담담했다. 이미 대답은 정해져 있기 때문이다.

"받겠나이다."

"호오, 그래?"

"예. 어떠한 벌이라도 달게 받겠나이다. 대신, 다시는 저 아이들을 건드리지 않겠다, 약조해 주시옵소서."

"하! 감히, 너 따위가 내게 조건을 걸어?"

"용서하시옵소서. 제 목숨을 걸어서라도 지키고자 하는 아이들입니다."

휘연의 담담한 목소리와 태도가 마음에 안 든다는 듯 환백의 미간이 확 찌푸려졌다. 그러나 그것도 잠시, 환백의 입가가 잔뜩 비틀리며 올라가고 있었다.

"큭, 좋아. 얼마나 잘 견디는지 두고 보자고. 고문관을 데려와라!"

비웃음과 함께 냉철한 같은 명령이 떨어지고, 병사들이 분주하게 움직이는 사이 환백은 자운이 앉아 있었던 자리에 느긋하게 몸을 앉혔다.

그 옆으로 자운이 자리해 서 있고, 수십 명의 궁인들과 병사들이 지켜보는 상황에서 휘연은 환백에게 가까이 다가가 무릎을 꿇고 앉았다.

그리고 올려다본 휘연은 똑똑히 보았다. 환백은 웃고 있었다. 지긋지긋하고 역겨운 상대에게 벌을 준다는 사실이 즐거워 죽겠다는 듯이, 그렇게 웃고 있었다.

그런 환백의 표정을 보며 휘연은 눈을 감았다. 휘연의 마음속에 미련처럼 꼬리를 물고 사라지지 않았던 작은 소망이 산산이 부서져 내리고 있었다.

"폐하! 준비를 마쳤나이다."

"시작하라."

병사들이 다가와 휘연의 앞에 의자로 된 형틀을 놓고, 겉옷을 벗겨 내리고 그곳에 엎드리게 했다. 그래도 황후인지라 모두 벗기지는 못하고 하얀 속의만을 남겨 두고 손을 의자 다리에 묶는 사이, 병사들의 뒤에 있던 고문관 하나가 모습을 드러냈다.

우락부락 커다란 덩치를 한 고문관의 손에는 태배형에 쓰이는 물에 축축이 적셔진 여러 갈래의 가죽 채찍과 대나무를 길게 엮어 여러 갈래로 얇게 깎아 채찍으로 만든 죽 채가 들려 있었다. 그 서늘한 모습에 휘연은 각오를 다지듯 입술을 깨물며 눈을 질끈 감았다.

"폐하, 어느 것으로…… 해야 할지."

"어느 것이 고통스럽지?"

"예? 그, 그것이, 이것입니다. 그러나 이건…… 자칫 몸속의 장을 다치게 해 목숨이 위험할 수도 있사옵니다."

고문관이 들어 올린 건 대나무로 만든 죽 채였다. 고문관의 말대로 죽 채는 탄력이 넘치는 대신 그 충격이 일반 채찍

259

과는 달리 몸속까지 지장을 주기 때문에 고문할 때 외에는 사용하지 않았지만, 환백은 개의치 않은 듯 오히려 즐거움이 묻어나는 목소리로 말했다.

"큭큭, 천제의 사랑을 받는 황후가 고작 그 정도에 죽을 리가 있나. 그것으로 해라. 단, 대충했다가는 네놈의 목이 달아날 줄 알아."

"흡! 명 받자옵니다!"

더 이상의 말은 없었다. 고문관이 가죽 채찍을 던지고 죽채를 들어 올려 찰나간 망설인 것도 엎드린 휘연의 등을 사정을 두지 않고 내려쳤기 때문이다.

그것을 시작으로 날카로운 비명처럼 채찍 소리가 잔뜩 긴장을 드리운 유화궁에 울려 퍼지기 시작했다. 역사상 단 한 번도 없었던 일이 지금 벌어지고 있었다.

황후로서 폐위되지 않은 채 형벌을 받는 것도 처음이거니와, 직첩이 낮은 황비와 궁인들이 지켜보는 앞에서의 형벌을 감행한다는 것은 지금 휘연의 처지를 고스란히 보여 주는 것이나 매한가지기 때문이다.

"흐윽……!"

채 끝에 살을 찢는 추라도 달아 놓은 것인가. 그 끔찍한 고통에 휘연은 제대로 된 비명조차 내지르지 못했다. 아팠다. 지금껏 매라고는 맞아 본 적이 없었던 휘연이기에 처음으로 겪는 육체의 고통은 끔찍하리만치 아팠다.

너무 아파 자신도 모르게 가물가물 흐려지는 의식을 놓고 싶다가도 이내 입술을 깨물어 참아냈다.

몸속의 내장을 건드린 것인지 열 대의 채찍질에도 울컥울컥 붉은 핏덩이를 쏟아 내고 있었다. 이미 하얀 속의는 제 색을 잃어버려 붉게 변한 지 오래였고, 채찍질이 계속될수록 점차 경련하던 몸도 축축 늘어지기 시작했다. 그러나 끝내 의식을 놓지 않으려는 듯 휘연은 주먹을 끌어 쥐고 간신히 눈을 들어 오열하는 아소와 무영의 모습을 담았다.

여기서 무너지면 두 아이의 목숨까지 잃는 것이다. 그렇기에 휘연은 어떻게든 견뎌야 했다. 그래서일까. 휘연은 붉은 핏줄을 선 눈에 독기까지 품고 인내하고 있었다.

그 모습에 유자운을 비롯한 모두의 표정이 질린다는 듯 일그러졌다. 어찌 그렇게까지 할 수 있는지, 그 독기에 혀를 내두르는 이들은 이해하지 못하는 것이다.

그렇게 얼마의 시간이 지났을까. 휘연의 붉게 변한 등에서 흘러내린 핏물이 바닥에 작은 웅덩이를 만들었을 때야 비로소 멈춘 채찍질에 휘연은 필사적으로 시선을 들어 환백을 올려다봤다.

"……윽, 폐하…… 약……조를……."

"독한 놈. 유한!"

정말 견딜 거라고는 생각하지 못했던 환백은 차오르는 짜증에 미간을 찌푸렸다. 그러나 약조한 것은 어쩔 수 없는 일. 환백의 부름에 모습을 드러낸 유한이 온통 붉게 물든 휘연의 등을 내려다보며 기괴하게 얼굴을 일그러뜨렸다.

"데려가라."

"……존명."

환백의 명이 떨어지자 유한은 휘연의 손목을 묶은 끈을 풀어내고 조심스럽게 안아 들었다. 그 조심스러운 움직임에도 고통스러운지 휘연이 신음을 흘리며 간신히 눈을 뜨자 유한이 휘연만 들을 수 있게 나지막하게 속삭였다.

"조금만 참으십시오, 마마."

멀어지는 의식 속에서 휘연은 달려오는 두 사람의 모습과 평소답지 않게 마치 다정하게 속삭이는 듯한 유한의 목소리를 들으며 희미하게 웃었다. 그러고는 이내 아득하니 의식을 놓았다.

❖

수나라 황실 역사상 단 한 번도 없었던 황후의 형벌을 두고 황궁뿐만 아니라 황도가 들썩거리며 갖가지 소문이 나돌고 있었다.

사람들은 모였다 하면 쉬쉬하면서도 이번 일을 들먹였고, 그 반응 또한 한결같았다. 황제를 환호하던 이들도 이번 일을 이해하지 못하는 것이다.

그도 그럴 것이 지금껏 다섯 번 황후를 폐위시키거나 사형을 내린 적은 있었으나, 이렇듯 직첩을 그대로 두고 처벌을 가한 적은 단 한 번도 없었기 때문이다.

게다가 휘연이 정신을 잃은 지 열흘이 흘렀는데도 깨어나지 않은 것도 그 이유 중의 하나였다. 이러다 휘연이 목숨이라도 잃게 된다면 그건 곧 황제인 환백의 목숨 또한 일 년의 기한을 두고 있다는 걸 의미하는 것이 아닌가.

그렇다 보니 백성들은 이제나저제나 다른 소식이 들려오기를 기다리고 있었고, 귀족들은 이전과는 서로 다른 반응을 보이며 편을 나누기에 이르렀다.

먼저 환백의 확실한 편으로 돌아선 우문성중과 그를 따르는 일파는 초조한 기색으로 환백에게 궁의를 보내기를 간청한 것이다. 반면 유창운과 하우유권은 환백의 생각을 읽기 위해 신경을 곤두세웠으며, 다른 몇몇 귀족들은 이참에 휘연이 죽기를 원하고 있었다.

휘연만 사라지면 자연스럽게 마음에 안 드는 황제를 갈아치울 수 있다는 생각에서다. 그렇게만 된다면 자신들의 권력이 지속될 것이라 믿었기 때문이다.

하지만 우문성중을 비롯해 앞날을 계획했던 유창운이나 하우유권은 거슬리는 환백을 보면서도 그 무엇도 얻은 것이 없는 현 상황으로서는 쉽사리 결정을 내리지 못하고 있었다.

그러다 일주일이 흘러서야 여전히 깨어나지 못한다는 휘연의 소식에 결국은 유창운과 하우유권까지 나서 궁의를 보내기를 사흘째 간청하기에 이르렀다.

그리고 열흘째에 접어든 오늘에서야 환백은 마지못해 들어준다는 듯 궁의를 보내는 일을 수락했다. 그런 환백의 태도는 마치 휘연이 죽는다고 해도 상관없다는 듯 시종일관 태연자약했다.

오히려 그 모습에 유창운과 나머지 두 권력자는 초조한 기색을 숨기지 못했다. 그렇게 열흘 만에 휘연은 겨우 궁의의 치료를 받을 수 있었다.

"후우, 생각보다 더 심하군."

궁의의 말대로였다. 휘연의 하얗고 깨끗했던 등은 거의 멀쩡한 곳이 없을 만큼 깊은 상처로 점철되어 있었다. 그 끔찍한 상처에 궁의의 손이 차마 쉽사리 가져다 대지 못하고 허공에서 맴돌았다. 한마디로 처참했다.

황궁 안에 떠도는 소문대로라면 최악이어야 할 휘연의 얼굴은, 비록 새하얗게 질리고 입술은 찢어져 상처투성이라 하나 그 아름다움만은 고스란히 드러내고 있었다. 그 여린 모습에 궁의는 놀라움과 안타까운 마음을 감출 수가 없었다.

어린 나이에 황궁에 들어와 반려인 황제에게도 배척받고 갖은 멸시도 모자라 끝내 이 지경까지 이른 휘연이 새삼 안쓰러운 것이다. 그렇다고 한낱 궁의에 지나지 않은 자신이 할 수 있는 건 아무것도 없음에 궁의의 주름진 얼굴이 깊은 시름을 담고 일그러졌다.

"어떻습니까? 마마는 무사하시겠지요?"

"살려 주십시오, 마마를 살려 주십시오."

아소의 초조한 물음과 무영의 흐느낌을 그대로 담은 애원에 궁의는 미간을 찌푸리고 이렇다 할 대꾸조차 하지 못했다. 생각보다 상처가 너무 심한 데다 맥을 짚어 보자 몸 안의 장기도 성한 곳이 없었기 때문이다.

다행히 깨어난다고 해도 오랜 시일에 걸쳐 치료를 해야 할 정도로 중한 상태였다. 그나마 어찌 약초를 구했는지 응급처치를 잘한 덕분에 외상이 곪아 터지는 최악의 상태는 면한

것에 안도한 궁의가 나지막이 한숨을 내쉬고 빠르게 치료에
들어갔다.

한 시진을 훌쩍 넘겨 침으로 내상을 치료하고 가져온 약초
를 빻아 찢어지고 갈라져 흉하게 자리 잡은 환부에 조심스럽
게 바른 후, 두 사람의 도움을 받아 깨끗한 천으로 감아 놓고
야 나지막이 한숨을 내쉬며 식은땀을 훔쳐 냈다.

"탕약은 아침저녁으로 올리고, 이 약은 하루 세 번 환부에
바르면 되네."

지어 온 탕제와 약통을 내밀며 자리를 털고 일어나는 궁의
를 향해 두 사람이 깊숙이 고개를 숙이자, 궁의가 힐끔 침상
을 보고 고개를 설레설레 내저으며 침실을 나섰다.

조용히 문이 닫히자마자 두 사람의 입에서 서러운 울음소
리가 흘러나왔다. 그리고 몸을 숨긴 채 오직 휘연만을 보는
유한의 표정 또한 일그러지기는 매한가지였다.

그렇게 언제 깨어날지도 모를 휘연의 곁을 지키며 불안한
시간을 보낼 때, 늦은 밤 사시가 지나서야 휘연의 몸이 미미
하게 움직임을 보이고 있었다.

"으음……."

"마마!"

두 사람의 다급한 목소리에 서서히 깨어나는 정신을 느낀
것도 잠시, 작은 움직임에도 몸을 타고 흐르는 섬뜩한 전율
에 휘연은 미처 눈을 뜨지도 못한 채 짧은 비명을 흘렸다.

"아 옷……!"

"마마!"

익숙하지 않은 고통. 엄청난 통증에 온몸이 파르르 떨리고 휘연은 이미 상처투성이 입술을 다시 찢어지도록 질끈 깨물었다.

"으으…… 아……소? 무영……."

눈물 섞인 목소리에 통증을 참으며 간신히 눈을 뜬 휘연이 침상 위에 엎드린 채 천천히 고개를 들어 두 사람을 돌아봤다.

"흑…… 마마."

"마마, 으흑……."

온통 눈물로 범벅이 된 채로 부들부들 떨고 있는 두 사람의 모습에 잠시 잠깐 의아함을 드러내던 휘연은 이내 떠오르는 생각에 눈을 질끈 감았다.

무슨 일이 있었고 어떤 일을 당했는지 생각하고 싶지 않음에도 순식간에 머릿속을 채우는 광경에 휘연의 감은 두 눈에서 맑은 물기가 주르륵 볼을 타고 흘러내렸다.

자신도 인간인 이상 아픔을 느끼고, 서러움 또한 느끼는 것을. 제아무리 운명이라 하나 어찌 이렇게까지 모질 수 있단 말인가.

제대로 된 인간 취급은 고사하고 이젠 육체적인 고통까지 당해야 한다는 사실에 휘연은 암담하기만 했다. 그러나 이보다 더 휘연을 고통스럽게 하는 것은 이것이 시작에 불과하다는 것이다.

그 사실에 휘연은 순간 눈앞이 하얗게 점멸되는 것 같았다. 무섭고 두려웠다. 할 수만 있다면 이대로 도망치고 싶었다. 모든 것을 버리고 타고난 모진 운명의 굴레를 벗어 던진 다면 더는 자신을 고통스럽게 하는 일은 없을 것이다.

그리고 그리운 호협의 품으로 돌아가 안식할 수만 있다면 휘연은 그보다 더 행복한 일은 없을 것 같았다. 그런 생각에 휘연이 희미한 미소를 짓다가 이내 온몸을 두드리는 것 같은 끔찍한 통증에 미간을 찌푸리고 쓴웃음을 지었다.

"……어리석구나."

나지막하게 중얼거리며 웃는 휘연의 얼굴에는 복잡한 감정은 모두 사라지고 오로지 하나만을 담고 있었다. 자포자기. 모든 것을 포기한 자만이 드러낼 수 있는 그 허무함을 담은 웃음에 두 사람의 서러운 울음소리가 또다시 억누르지 못하고 터져 나오고 있었다.

"울지 마라. 울지 마. 나는…… 괜찮다. 괜찮아. 이 정도는…… 아무것도 아니다."

치르겠다고 했다. 고통은 인내로 감내하겠다고 했다. 설사 이보다 더한 고통을 받는다고 하더라도 휘연은 스스로 뱉은 말을 지켜야만 했다.

타고난 운명이 그랬고, 자신이 반드시 해야만 하는 소임인 것을. 두렵다고 피하고, 아프다고 나약하게 눈물만 흘리고 있을 수는 없었다.

이 정도도 견디지 못하고 무너지기에는 휘연이 짊어진 소임의 무게가 참으로 무거운 것이다. 헌데 어찌 이만한 일에 투정을 부릴 수 있을까.

사소한 자신의 고통을 드러내기에는 차마 그 무게를 가늠

할 수 없음에 휘연은 무너지려는 자신을 몇 번이고 다스리고
또 다스리기를 반복했다.

"나 좀…… 일으켜다오."

"마마, 아직 움직이시기에는 무리가 갈 것입니다."

"하아, 괜……찮다."

휘연의 말에 마지못해 두 사람이 조심스럽게 일으켜 앉혀
주고야 불안한 표정을 풀고 안도의 한숨을 내쉬었다.

그러나 그것도 잠시, 휘연은 허리를 세우자마자 몸속이 뒤
틀리며 온몸이 난도질당하는 듯한 격렬한 고통에 단말마의
비명을 내질렀다.

그와 동시에 뱃속에서부터 타고 올라오는 뜨거운 덩어리
에 다급하게 목을 부여잡고 왈칵 선혈(鮮血)을 뱉어 냈다.

붉은 피가 걷잡을 수 없이 휘연의 입가를 타고 침상으로
흘러내리고 손가락 끝부터 시작한 떨림이 점차 온몸으로 번
져 가고 있었다.

"마마……!!"

갑작스러운 각혈에 두 사람이 찢어지는 비명을 지를 때,
몸을 숨기고 있던 유한이 모습을 드러내며, 계속해서 피를
토해 내는 휘연의 경련하는 몸을 바로 하고 빠르게 혈을 짚
었다.

그 와중에도 희미하게 미소 짓던 휘연이 다시 한 번 울컥
붉은 핏덩이를 쏟아 냈다. 순식간에 휘연의 옷가지나 깨끗하
던 비단 금침이 제 색을 잃고 붉게 물들었다.

흘러내린 핏물이 바닥까지 검은 자국을 만들어 가는 모습

에 세 사람의 얼굴은 사색이 된 채로 더할 나위 없이 일그러
졌다. 너무 많은 피를 쏟아 내며 하얗게 질려 가는 휘연의 안
색에 덜컥 겁이 났기 때문이다.

그나마 다행히 유한의 빠른 처치로 더 이상 피를 쏟아 내
지는 않았으나, 몸을 가누지도 못한 채 힘없이 늘어지는 휘
연의 모습은 세 사람의 가슴을 서늘하게 만들었다.

마치 숨을 쉬는 것 같지도 않은 휘연의 몸을 끌어안고 몇
번이나 심장이 뛰는지를 확인하고야 서러움에 울부짖는 두
사람이나, 그 모습을 내려다보는 유한의 두 눈이 붉게 충혈
되어 있었다. 그런 세 사람을 올려다보며 휘연이 힘겹게 입
을 열었다.

"괜……찮아. 하아…… 웃을."

"……제가 잠시 모시겠습니다."

휘연의 말에 두 사람이 다급하게 일어나 부산스럽게 움직
이는 사이, 유한이 힘없이 늘어지는 휘연을 조심스럽게 안아
올렸다. 백지장처럼 창백한 피부와 무게조차 느껴지지 않는
바싹 마른 몸에 유한이 입술을 질끈 깨물었다.

어찌 이리도 말랐는지. 고귀한 황후이면서도 한낱 천민보
다 못한 대접을 받는 휘연의 처지가 참으로 안타까운 것이
다. 유한이 지켜본 휘연은 역대 그 누구보다도 황후의 덕목
을 모두 갖춘 이로, 무엇 하나도 모자람이 없었다.

헌데도 사내라는 이유만으로 이렇듯 모진 취급을 받아야
하는 휘연을 보면서 유한은 처음으로 주군에 대한 원망이 들
었다. 무시하고 고립시키는 것까지는 환백의 성격을 아는 이

상 이해할 수 있다고 해도 이번 처사는 지나쳤기 때문이다.

아니, 있어서는 안 되는 일이다. 이번 일은 황후인 휘연뿐만 아니라 환백에게도 결코 좋지 못한 것을, 어찌 감정 하나 다스리지 못해 이 같은 일을 벌인 것인지 유한은 원망과 더불어 풀 길 없는 안타까움에 나지막이 한숨을 내쉬었다.

그런 유한의 한숨을 들었을까. 풍성한 속눈썹이 파르르 떨리며 힘겹게 올라가고 애처로운 떨림 끝에 휘연이 부서질 듯이 미소 지었다. 유한의 찌푸려진 표정으로 무엇을 생각하는지를 휘연은 어렵지 않게 알아차린 것이다.

"유한."

"예, 마마."

"나는…… 괜찮습니다."

휘연의 입가에 다시 한 번 애달픈 미소가 걸렸다. 그리고 찰나를 두고 호흡을 가다듬는 휘연을 내려다보며 유한이 몇 번의 망설임 끝에 말문을 열었다.

"주군을, 원망하십니까?"

질문을 던져 놓고도 차마 듣는 게 겁이 난다는 듯 시선을 피해 버리는 유한의 모습에 휘연이 씁쓸한 웃음을 머금었다.

"예, 원망……합니다."

망설임 없이 나온 대답에 유한의 눈이 커졌다. 원망하는 것이 당연한데도 자신이 봐 온 휘연이라면 이러한 대답이 나올 것이라고는 생각지 못한 것이다. 그래서인가 놀람을 담은 유한을 보며 휘연이 다시 한 번 작게 웃었다.

"어찌 원망하지 않을까. 하아, 원망하지요. 나도 인간임에

섭섭하고…… 원망할 수밖에 없습니다."

"마마."

"허나, 돌아서면…… 원망할 수가 없습니다. 후…… 원망해서는 안 되기에…… 차마 원망할 수가 없습니다."

끊어질 듯 힘겹게 흘러나오는 말소리가 일순 멈칫거리고, 휘연은 지끈거리는 가슴을 부여잡고 긴 숨을 내쉰 후에야 다시 말을 이었다.

"가련한 분이 아니십니까. 모진 운명에 의지 없이 끌려가는 분을…… 원망보다는 이해를 해야지요. 그래서…… 원망이 되면서도 원망할 수가 없습니다."

말끝에 또다시 눈물을 흘리는 휘연을 조금 더 힘주어 끌어안으며 유한은 아무런 말도 하지 못했다. 그저 나지막한 한숨만 내쉬는 두 사람 사이로 무거운 침묵이 흐를 때, 피가 묻은 침상과 바닥을 정리한 두 사람이 다가왔다.

그제야 조심스럽게 휘연을 침상에 내려준 유한이 옷을 갈아입히고자 하는 두 사람의 행동에 급히 몸을 돌리며 두 눈을 질끈 감았다. 그러나 그것도 잠시, 침전을 향해 빠르게 다가오는 기척에 유한이 살짝 주먹을 움켜쥐고 미간을 찌푸렸다.

"마마, 주군께서 오십니다."

"아!"

유한이 순식간에 모습을 감추고, 휘연의 몸을 닦아 나가던 두 사람이 두 눈을 휘둥그레 뜨며 다급하게 손을 놀렸다. 또 무슨 트집을 잡을지 몰라 두 사람이 두려움에 부들부들 떨리는 손으로 몸에 묻은 피를 닦아 내고 환부에 깨끗한 천을 다시 동여맬 때였다.

미처 면사와 속의조차 갖추기도 전에 문이 벌컥 열리며 들어서는 환백의 모습에 두 사람은 다급하게 부복하고, 휘연은 비틀거리는 몸을 간신히 세워 옷으로 앞섶을 가린 채 고개를 숙였다. 그와 동시에 숨이 막힐 듯한 침묵이 이어졌다.

"물러나라."

약 일각의 침묵이 흐른 끝에 흘러나오는 환백의 낮으면서 차가운 목소리에 두 사람이 걱정을 담아 휘연을 힐끔거리고 물러났다. 침실 문이 닫히고 다시 이어지는 침묵에 휘연은 알 수 없는 초조함을 느끼고 입술을 질끈 깨물었다.

그 때문에 상처가 찢어져 다시 핏물이 흘러내리자 휘연이 당황함에 서둘러 입술을 닦아 내며 어지러운 정신을 간신히 추스를 때였다. 성큼 다가온 환백의 손에 거칠게 머리채가 잡혀 들어 올려지며 두피가 당기는 아픔에 휘연의 입에서 단말마의 비명이 터져 나왔다.

"악!"

"참으로 질기군."

위압적인 시선으로도 모자라 잔뜩 비틀려 살기가 묻어나는 목소리에 휘연은 온몸에 소름이 돋는 것 같아 앞섶을 가린 옷을 꼭 끌어안고 질끈 눈을 감았다.

마음은 모든 것을 받아들였음에도 육체는 고통을 기억하고 두려워하는 것이다. 그런 휘연을 내려다보는 환백의 미간에 골이 깊게 파였다.

당연한 반응인데도 자신의 시선을 피해 버리는 휘연이 마음에 안 들었기 때문이다. 왜 그런 생각이 드는지도 의식하지 못한 채 환백은 괜스레 초조해져 더더욱 인상을 찌푸렸다.

"눈 떠."

환백의 말에 마지못해 눈을 뜨고 적안을 똑바로 마주하게 되자 휘연의 까만 눈동자에 물기가 차오르며 애처롭게 일렁였다.

멍하니 그 눈을 마주한 환백은 저도 모르게 마른침을 삼키며 기묘한 조바심을 느꼈다. 그와 동시에 조금 전에 느꼈던 강렬한 충격을 떠올렸다.

문을 열자마자 한눈에 들어오던 휘연의 모습. 허리 아래 속의만 입은 채 뽀얀 살결을 그대로 드러낸 상반신에 하얀 천만을 동여맨 휘연의 몸은 여인의 몸보다 더 선이 유려했다.

그러나 그보다 더 환백을 놀라게 한 것은 결코 예상치 못했던 휘연의 얼굴이었다. 핏기 하나 없이 창백하게 질린 하얀 피부에 입술은 찢어져 상처투성이임에도 불구하고 한눈에 시선을 사로잡는 그 단아한 아름다움에 충격을 받은 것이다.

마치 향기로운 꽃을 한가득 품은 것 같은, 단순한 말로는 부족할 만큼 휘연의 얼굴은 눈부시게 아름다웠다. 그래서인지 휘연을 응시하는 적안이 혼란스럽게 흔들리고 환백은 자신도 모르게 머리채를 잡은 손에 힘을 풀었다.

그제야 아픔에 미미하게 신음을 흘리며 다시 눈을 감는 휘연을 보며 환백은 자신이 무슨 행동을 하는지도 인지하지 못한 채 손을 뻗어 휘연의 얼굴을 쓰다듬었다. 파르르 떨리는 눈가부터 오똑한 코를 지나 상처 입은 입술에 이르기까지.

느릿느릿 움직이는 그 생경한 감촉에 휘연의 몸이 갈수록 더 떨려 오고 끝내 중심을 잃고 휘청거리자 환백은 미간을 확 찌푸리며 뻗은 손을 거둬들이고 거칠게 몸을 돌렸다.

그대로 문을 향해 성큼 다가가던 환백이 일순 멈칫거리고 빈정거림이 묻어나는 매정한 말을 거침없이 쏟아 냈다.

"질겨서 그런가? 이 정도로는 죽지도 않는군. 이대로 죽어 내 눈앞에서 영원히 사라져 버리지!"

문을 닫기 전 돌아본 환백은 바닥에 주저앉은 채 처연한 시선으로 올려다보는 휘연의 얼굴에 일순 주먹을 세게 움켜쥐고, 독을 머금은 입을 열어 마지막까지 잔인한 말로 휘연을 상처 입히기에 급급했다.

"요망한 것, 너 같은 건 죽어 버렸어야 했다."

탁 소리가 나며 문이 닫히고 휘연은 힘겹게 숨을 몰아쉬며 눈을 감았다. 그러자 고여 있던 눈물이 주르륵 볼을 타고 흘러내려 바닥으로 떨어졌다.

그 점점이 스며드는 물기를 가만히 바라보던 휘연의 입에서 억눌린 울음소리가 터져 나오고 있었다. 그러나 그것도 오래 지나지 않아 멈추었다.

빙글빙글 도는 시야에 의지를 잃은 몸이 휘청거리며 한순간에 아득하니 의식을 잃고 쓰러지는 휘연을 유한이 다급하게 낚아채듯 안아 들었다.

그런 유한의 표정이 참담함에 일그러져 있었다. 그렇게 열흘 만에 깨어난 휘연이 다시 의식을 잃고 마치 죽은 사람처럼 사흘 동안이나 깨어나지 못하는 통에 세 사람은 초조함을 숨기지 못한 채 불안에 떨어야만 했다.

❖

휘연의 형벌이 있은 지 달포가 지나며 무수한 소문이 서서히 가라앉아 갈 때, 또 한 차례 피바람이 불었다. 황제를 암살하려 했다는 명목으로 세 사람과 그 일가족을 참수하고, 그 목을 궁문에 효시(梟示)한 것이다.

그 일로 인해 황도 전체가 흉흉한 전운(戰雲)이 감돌았고, 그건 황제인 환백을 향한 것이 아닌 세도가를 향한 백성들의 분노였다. 역모죄뿐만 아니라 사병을 키운 것과 그 죄상이 속속들이 밝혀지므로 얻은 결과였다.

이런 결과에 가장 당황한 것은 당연하게도 세도가로, 그중에서 유창운은 전전긍긍해서 대책을 세우기에 부심했다. 그 세 사람은 유창운의 수족으로, 좌승 서홍호와 이부상서 조양, 추밀부사 부장만이었기 때문이다.

그러나 세도가를 더 경악하게 한 건 그뿐만 아니었다. 국경을 튼튼히 한다는 명목으로 유창운의 군사 세력을 변경으로 몰아냄과 동시에 세도가의 개인 사병들이 일천 명이 넘어설 경우 역모죄로 몰아 구족을 참(斬)할 것이라는 황명이 떨어진 것이다.

그건 앞으로의 피바람을 완벽하게 예고하는 일로, 여기에
더해 황명을 어기는 세도가에 대한 대책으로 신분 불문하고
황명을 어긴 죄를 밀고할 경우 포상금을 내린다는 조건에 백
성들은 눈에 불을 켜고 세도가들의 비리를 잡기 위해 고군분
투했다.

일이 이 지경까지 이르자 유창운은 망연자실할 수밖에 없
었다. 우승 하우유권과 어사대부 우문성중의 세력은 그대로
인 반면 유창운의 세력만이 짓밟혔고, 미처 대응할 틈도 없
이 환백의 치밀한 정보력과 전광석화 같은 행동력에 할 말을
잃어야 했다.

"기가 막히는군! 이런 식으로 뒤통수를 치다니!"

유창운이 분노에 노성을 터트리자, 자리한 몇몇 얼굴이 하
얗게 질리며 유창운의 눈치를 살폈다. 그런 그들은 눈에 들
어오지도 않는지 탁자 위를 쓸어버리는 행동에 주전자며 찻
잔, 문방사우가 와르르 쏟아지며 와장창 하는 소리와 함께
무참히 깨어졌다.

그래도 화가 안 풀리는지 유창운은 어깨를 들썩이며 숨을
몰아쉬었다. 너무 쉽게 생각한 것이다. 특별한 움직임 없이
한동안 잠잠하기에 느긋하게 생각하고 대책을 세우지 않은
게 화근이었다.

환백의 교활함을 염두에 뒀어야 하는 것을. 그동안 나름대
로 손녀인 유자운에게도 소홀하지 않고 자신이 낸 의견도 모
두 수렴해 주며, 마치 눈치를 살피는 것같이 보였던 것도 모
두 이런 식으로 뒤통수를 노린 것이다.

그 사실에 유창운은 이를 갈았다. 멍청하게 앉아서 당한 게 아니고 뭐란 말인가. 그러나 더 기가 막힌 건 환백의 움직임을 전혀 알아차리지 못했다는 점이다.

어찌 이렇게까지 완벽하게 움직일 수 있었는지, 곳곳에 심어 둔 자신의 눈을 피해 움직일 수 있었다는 것은 환백의 세력이 자신이 생각했던 것보다 더 크다는 걸 의미하기 때문이다.

"저, 이쯤에서 생각을 굳히시는 게 어떠신지요?"

"생각을 굳혀라?"

"예. 이번 일로 세력의 반을 잃지 않았습니까? 물론, 전방으로 나간 군사야 나중에 불러들이면 된다지만, 병부시랑이 바뀌면서 새로운 군사들이 들어오지 않았습니까? 솔직히 그 군사들은 믿을 수도 없습니다."

"맞습니다. 우리 밑에 있는 놈들도 아니고, 이런 상황에 황도를 완벽하게 장악하는 것도 무리지요. 그렇다고 백성들이 눈이 벌게서 설치는데 무턱대고 사병을 드러낼 수도 없는 노릇이 아닙니까? 그러니 이참에 승상께서 마음을 굳히시는 게 좋을 것 같습니다. 황족이야 효헌 황자가 있지 않습니까?"

환백이 우려한 대로 효헌을 들먹이는 왕국한의 말에 조용히 눈치만을 살피고 있던 몇몇도 반색하며 거들고 나섰다.

"그렇습니다. 효헌 황자야 유약하니 황제 위에 올려놓아도 승상께 반하는 일은 없을 것입니다. 다들 안 그렇소이까?"

"그렇지요. 어린놈한테 휘둘리는 것도 한두 번이지, 이런 식으로 나가다가는 우리가 설 자리는 없을지도 모르는 일입니다."

"그것뿐만이 아닙니다. 황제 놈을 감시하라고 붙인 시종장과 내관, 시관도 다 바뀐 데다 이번 일로 생긴 빈자리까지 벌써 황제 놈의 사람이 차지하지 않았습니까? 자칫하다가는 감당하지 못할 사태까지 벌어질지도 모를 일입니다."

이들의 말은 한 치도 틀리지 않았다. 처음 생긴 두 명의 빈자리인 좌참정과 병부시랑을 시작으로, 유창운이 붙여 놓았던 눈과 귀 역할을 했던 이들이 어느 순간 모두 바뀌었기 때문이다. 그런 데다 이번 일로 또다시 환백의 세력이 치고 들어왔다.

하물며 이번 자리는 세력까지 구축할 수 있는 것뿐만 아니라 발언권을 무시하지 못하는 좌승, 이부상서, 추밀부사 자리가 아닌가. 그건 곧 유창운이 주도했던 과거와는 달리 판이하게 흘러갈 상황을 예고하는 것이나 매한가지였다.

"더 이상 미루는 것은 손해지요. 안 그래도 그 묵가 놈 때문에 황제 근처에도 못 가고 약점의 빌미만 잡히고 있지 않습니까? 이런 마당에 일이 어떻게 돌아가는지 판단을 내릴수도 없고, 그렇다 보면 이 같은 일이 또 일어난다고 해도 속수무책으로 당할 수밖에 없을 것입니다."

앞다투어 쏟아 내는 말을 가만히 듣고 있던 유창운의 미간이 서서히 풀어지고, 굳었던 얼굴도 어느새 평온을 되찾고 있었다. 이미 마음의 결정을 내린 것이다.

"흠음, 내 자네들 의견을 다시 한 번 심사숙고해 보겠네."

"아! 잘 생각하셨습니다!"

유창운의 말에 모두의 수심 가득했던 얼굴이 비로소 풀어졌다. 그 말이 의미하는 바를 알아차린 것이다. 그래서인지 처음 모일 때와는 달리 한결 편안해진 표정으로 자리를 뜨는 이들을 보며 유창운의 입가에 비릿한 웃음이 걸렸다.

그들의 말대로 황제를 갈아 치우기로 마음을 굳힌 것이다. 그러자면 손녀인 유자운이 걸렸지만, 고민은 오래가지 않았다. 제아무리 핏줄이라 하나 애초부터 유자운은 이용하는 패에 지나지 않았기 때문이다.

자신의 꿈을 이루기 위해서는 그 무엇이라도 이용할 수 있는 사람이 유창운이었다. 그렇다 보니 지금의 결정에 추호도 후회하지 않았다. 단지 더 많은 시일이 필요해졌다는 사실에 유창운은 귀찮음을 느꼈을 뿐이었다.

그리고 유창운의 결정은 세 시진이 지나 유자운에게도 전해졌다. 유창운의 지시를 받고 유자운을 찾은 심복이 서찰한 통과 약재 꾸러미를 내민 것이다. 그것을 보는 유자운의 입에서 나지막한 한숨이 터져 나왔다.

"결국, 결정이 난 것인가."

"예. 지시가 있기 전까지는 서서히 중독만 시키라고 하셨습니다."

"왜?"

"이참에 우승과 어사대부까지 한 번에 처리하실 생각이신 것 같습니다."

유자운은 별다른 말없이 수긍하며 고개를 끄덕였다. 그런 유자운의 얼굴에 언뜻 씁쓸함이 스치고 지나갔다. 이번 결정이 유창운이 자신을 버리기로 했다는 것을 의미하기 때문이다.

그 사실을 알면서도 유자운은 아무런 불만도 없었다. 애초부터 자신의 운명을 예견했기에 가슴속에 피어오르는 말 못할 섭섭함 이외에는 지극히 담담할 수 있었다.

만약 회임을 했다면 유창운이 자신을 버리지 않았겠지만, 그조차도 못 한 자신은 이용 가치가 없는 것이다. 무엇보다 손녀가 애원한다고 해서 유창운이 마음을 바꿀 성격도 아니었다.

그러니 불만을 품을수록 자신만 상처받는다는 걸 아는 유자운은 모든 것을 받아들였다. 그리고 심복이 유화궁을 떠난 지 채 일각도 지나지 않아 환백은 오늘의 일을 고스란히 보고받고 있었다.

"큭, 멍청한 것들! 내가 독에는 만성이 돼 있다는 걸 모르나 보군."

"차라리 유창운의 목을 바로 취하는 게 더 빠를 것 같습니다."

"아직이다. 이번 일로 완벽한 기회를 잡아야지. 그리고 금광하고 사병이 어느 정도인지 정확히 모르는 상황에서 섣불리 움직일 수는 없다. 우선 예정대로 가지부터 모조리 쳐 내되, 시기를 늦춘다."

"그렇게 되면 자렴황비 쪽에서 손을 쓰지 않겠습니까?"

"바로 그걸 노려야지. 내가 중독됐다고 생각하면 마음 놓고 거사를 벌일 테니 빌미를 스스로 제공해 줄 것이다. 물론,

그전에 유창운의 계획을 흘려 우승까지 끌어들여야겠지. 아!
이참에 금위대장군도 처리해. 시간을 번 이상 내실부터 확실
히 다지는 것도 좋겠군."

"제가 직접 손을 쓰겠습니다."

"큭큭, 늙은 여우 놈 반응이 볼만할 거야."

힘으로 권력을 잡은 자들은 그들의 눈에 거슬리는 것을 용
납하지 못한다. 특히 유창운같이 압도적인 세력을 구축한 인
물은 뜻대로 움직이지 않는 황제라면 반드시 갈아 치울 것이
고, 효헌까지 끌어들이기로 한 이상은 독살이 진행되며 조만
간에 들고 일어날 것이다.

그러나 그건 오히려 환백이 바라는 일이었다. 안 그래도
다소 부족했던 시간을 번 것뿐만 아니라 환백의 지시로 한날
한시에 묵가의 암살자들이 유창운의 세력들을 모조리 숙청할
것이다.

그렇게 되면 혼자 남은 유창운은 조급함을 느끼고 마지막
수를 던질 것은 뻔한 일, 그걸 빌미로 환백은 우문성중과 우
승 하우유권을 앞세워 유창운을 잡을 생각이었다.

그러기 위해서 이미 후궁들의 세력까지 구분해 놓은 상태
였고, 황궁 안팎으로 자신의 군사로 채워 놓았다. 이제 황실
금위대만 틀어쥐면 완벽하게 내실을 다지는 것이다.

이 사실을 온전히 눈치채지 못하는 유창운은 끝내 죽음으
로 향하는 파국을 맞이할 것이고, 자신은 무수히 흘린 피 위
에서 최후 승리자로 남을 거라는 게 환백의 생각이었다.

그리고 그 생각은 한 치도 어긋남 없이 흘러가고 있었다.

그 사실에 환백은 기분이 흡족하다는 듯이 상체를 젖혀 가며 웃었다.

"폐하, 궁의가 들었사옵니다."

"쯧, 들라."

궁의가 집무실을 찾은 이유야 뻔해, 환백은 기분이 순식간에 하락했다.

"벌써 완치가 됐을 리는 없고, 무슨 일이냐?"

"다름이 아니오라 황후마마께서 소신에게 더 이상 방문하지 말라 명하셨사옵니다."

"뭐라? 하! 왜? 이제야말로 죽을 생각이라더냐?"

환백의 빈정거림이 묻어나는 말에 궁의가 다급하게 부복하며 그 연유를 고했다.

"그, 그것이 아니오라 마마께서 직접 침술로 치료를 하시겠다고 하시어서……."

"그놈이 의술도 한다고?"

"예, 폐하. 마마께서는 대단한 실력을 갖추고 계셨사옵니다."

자신도 모르게 짐짓 자랑스럽다는 듯 늘어놓는 궁의의 말에 환백의 미간이 확 찌푸려졌다. 그와 동시에 호통을 치며 궁의를 내친 환백은 잊고 있었던 불쾌감이 다시 손끝에서부터 기어오르는 것 같아 짜증이 치밀었다.

휘연을 생각하면 불쾌했다. 아니, 더 정확히 말해, 자신도 이해하지 못할 정도로 휘연은 처음부터 참을 수 없는 불쾌감을 불러일으켰다. 그리고 그것은 날이 갈수록 정도를 더해

가고 있었다.

그러나 문제는 요즘 들어 이상하게 변질되었다는 점이다. 얼마 전까지만 해도 생각하는 것만으로도 불쾌감을 일으켰다면, 달포 전부터는 무언가 진득하고 불투명한 감정이 점점 더 그 수위를 높여 가고 있었기 때문이다.

그렇다고 그게 무엇이고, 무엇을 하고 싶은지조차 불분명한 기분이라 이미 넘칠 듯이 차오른 감정에 환백은 속수무책으로 끌려가고 있었다. 넘치기 전에 어떻게든 해야 하는데 그 답을 찾지 못하는 것이다.

그래서인지 환백은 보기 드물게 초조해하고 있었다. 이런 것에 신경 쓰고 있을 만큼 여유롭지 못하기에 일부러 일에 더 매달렸음에도 불구하고 마음을 놓으면 어느새 신경이 그쪽으로 쏠리는 걸 막을 수가 없었다.

그것이 비록 불분명하고 끈적하고 뜨겁다 못해 절대로 유쾌하지 못한 감정이라 하나 환백은 그것을 떨구어 내지 못하고 빠져들었다. 그리고 지금 또다시 머릿속을 채우는 불쾌한 감정에 환백은 나지막이 욕설을 내뱉으며 자리를 박차고 일어났다.

"주군?"

"황후궁으로 갈 것이다!"

짜증과 분노가 고스란히 묻어나는 목소리에 묵혼이 나지막이 한숨을 내쉬고 모습을 감췄다. 본궁과는 숭오문 하나만을 사이에 두고 있어 얼마 지나지 않아 도착한 환백은 짜증의 원인인 휘연과 마주할 수 있었다.

"어인…… 일이시옵니까?"

갑작스러운 환백의 등장에 휘연은 숨기지 못한 두려움이 엄습해 왔다. 또 무엇으로 트집을 잡을지 몰라 불안한 것이다. 그 때문인지 그나마 지난 달포 간 추슬렀던 몸이 또다시 무너질 것만 같았다.

그런 휘연을 한동안 아무 말도 하지 않은 채 환백은 그렇게 관찰하듯 내려다보고 있었다. 그 시선은 날카롭고 불편하기만 해 휘연은 차라리 다시 육체적인 고통 속에 빠지는 것이 나을 것 같다는 생각마저 들었다.

그 정도로 환백과 단둘이 마주하고 있는 현실이 휘연을 숨 막히게 하는 것이다. 그렇게 무거운 침묵이 두 사람 사이로 흐르고 일각여가 지나서야 환백은 무거운 입을 열었다.

"내게 무슨 짓을 한 것이냐?"

무슨 짓이라니? 무슨 말을 하는 것인가.

"큭, 그 요사스러운 얼굴로 후린 것이지."

말뜻을 이해하기도 전에 얼굴을 가린 면사를 걷어 내는 손길에 휘연의 몸이 움찔 떨리고 자신도 모르게 주춤거리며 한 발 물러났다. 그러나 그것도 잠시 곧바로 이어지는 말에 휘연은 두 눈을 휘둥그레 뜨고 환백을 올려다보고 있었다.

"벗어라."

"예?"

"못 들었나? 벗으라고 했다. 내게 다리를 벌리는 게 네놈이 할 일이 아니더냐? 하는 일도 없이 밥만 축내는 것보다는 제 할 도리는 다해야지?"

말의 내용만 아니라면 마치 다정한 연인에게나 할 법한 목소리로 속삭이는 환백의 모습에 휘연은 제대로 숨도 쉬지 못하고 뻣뻣하게 굳어 버렸다.

아무리 어린 나이라 하나 환백이 원하는 것쯤은 휘연도 알기 때문이다. 그래서인지 점차 애처롭게 떨리는 몸을 추스르지도 못하고 휘연은 고스란히 환백의 매서운 시선에 시달려야 했다.

비록 환백의 말이 틀린 게 없다고는 해도 휘연은 두려움과 수치심에 굳은 몸을 쉽사리 움직이지 못했다. 그런 휘연의 눈동자에는 흘러내리지 못한 눈물이 그렁그렁 맺혀 들었다.

그 모습에 환백은 하반신이 뻐근해지는 욕망을 느끼고 있었다. 창백한 얼굴에 상처투성이 붉은 입술, 눈물이 맺힌 모습은 환백의 가학성을 부추기는 것이다.

"벗어."

"폐하, 사내를…… 싫어하시지 않사옵니까? 그러니 제발…… 악!"

자신도 모르게 점점 더 초조해지는 환백의 다그침에 휘연이 결국에는 눈물을 떨구며 애원했다. 그러나 미처 말을 다 끝맺기도 전에 짝…… 하는 요란한 마찰음과 함께 휘연의 몸이 힘을 잃고 바닥으로 쓰러졌다.

무슨 일이 있었는지 정신을 수습하기도 전에 입안이 터진 것인지 붉은 핏줄기가 입가로 흘러내렸다. 휘연은 화끈거리는 뺨을 감싸 쥐고 입을 꾹 다물었다. 속절없이 터져 나오는 눈물만이 휘연의 심정을 대변하고 있었다.

"네놈이 아직 주제를 모르는군. 너는 내 말에 토를 달 자격이 없다. 아니면, 네놈이 아끼는 두 놈을 처참하게 찢어 죽여야 말을 들을 건가?"

그러면서 침상에 털썩 주저앉아 입가를 비틀며 거만하게 내려다보는 환백의 모습에 휘연은 망연자실, 흐트러진 눈길을 가누지 못한 채 입술을 질끈 깨물었다.

그런 휘연의 암담하고 서럽고 지독하게 슬펐던 눈빛은 어느 순간 서서히 빛을 잃어 가고 있었다. 새삼 자신의 위치를 깨달은 것이다.

모진 운명에 맞서 한 사람은 의식조차 하지 못한 채 일방적으로 상처 입히기에 급급하고, 또 한 사람은 모든 것을 알면서도 그 상처를 당연하게 받아들인다.

그것이 두 사람의 차이였다. 그리고 운명에서 벗어나지 않는 이상은 설사 이보다 더한 일이라 해도 휘연은 거부할 수가 없었다. 자신이 태어난 이유가 오직 운명에서 비롯된 것을.

거부해서는 안 되기에 휘연은 다시 한 번 무너지는 마음을 다잡았다. 그렇게 휘연은 스스로를 다독이며 심기를 가라앉힌 끝에야 비틀비틀 일어났다.

매섭게 따라붙는 시선에 나지막한 한숨을 내쉬며 눈을 질끈 감고 겹겹이 껴입은 옷을 벗는 휘연의 손이 심하게 떨리고 있었다.

"……폐하."

휘연의 작은 소리는 환백의 귀에 들리지 않았다. 이미 옷가지를 벗어 나갈 때부터 저도 모르게 입안에 고인 침을 꿀꺽 삼키며 눈을 떼지 못하던 환백이었다. 그리고 얼마 지나지 않아 드러난 나신은 환백의 욕망을 더더욱 자극하고 있었다.

여인의 몸보다 더 유려한 선이나 잘록한 허리, 미세한 잡티 하나 없는 백옥 같은 피부는 남성의 상징이 달려 있음에도 역겨울 거라는 생각과는 달리 절로 감탄이 나올 정도였다.

그래서인가, 환백은 이끌리듯 휘연에게 다가갔다. 그 가벼운 움직임에 자신도 모르게 흠칫 뒤로 물러나는 휘연의 허리를 낚아채는 환백의 두 눈에 이채가 번뜩였다.

팔 안에 쏙 들어오는 허리와 딱히 향유를 사용하지 않았음에도 욕망을 부추기는 체향은 달콤하기 그지없었다. 천천히 손을 뻗어 목덜미를 거쳐 판판하기만 한 가슴팍에 손을 얹어 느릿하게 쓸어내렸다.

그 생경한 감촉에 움찔거리며 애처로우리만치 흐르는 눈물을 막지 못하는 휘연이었다. 그런 휘연을 내려다보는 환백의 눈길은 차가우면서도 불길처럼 뜨겁게 타오르고 있었다.

"너도…… 쓸 만한 게 있군."

❖

"보잘것없다. 계집보다 못해."

짐짓 투덜거리면서도 환백은 휘연의 모습에서 시선을 떼

지 못했다. 섬세하고 우아한 손을 가만히 만지작거리다가, 가는 팔목과 하얀 팔뚝을 지나 도자기 같은 어깨를 타고 고운 목과 작은 턱, 입술과 코를 순서대로 진득한 욕망을 담고 음미하듯이 쓰다듬었다.

품 안에 안긴 휘연의 여린 몸은 도자기처럼 매끄럽고 긴장하고 있다는 걸 여실히 드러내듯이 소름이 돋아 있어 손바닥에 닿은 피부가 파닥거렸다. 온몸으로 거부하는 것 같은 그 반응에 환백은 왠지 속이 뒤틀려 자신도 모르게 입술로 휘연의 입을 막아 버렸다.

마주친 휘연의 물기로 그렁그렁한 눈이 휘둥그레졌지만, 환백은 상관하지 않았다. 환백은 한 손으로 휘연의 허리를 잡아당기고 다른 한 손으로는 머리채를 잡아 고정하며 더욱 깊이 입술을 탐닉했다. 입술은 상처투성이임에도 놀랄 정도로 부드러웠다.

마치 깊이를 알 수 없는 늪으로 끌려 들어가는 몽롱한 느낌. 반면 달콤한 과즙을 입안 가득 베어 문 것 같이. 서서히 퍼져 가는 열기가 손끝 발끝으로 번져 온몸이 욱신거리며 두근거리게 하고 혀끝에서 느껴지는 피 맛조차 환백의 피를 더욱 들끓게 하고 있었다.

"하아…… 흡!"

휘연은 멈춘 숨을 간간이 내쉴 뿐 여전히 굳어 있었으나 정신만은 아득한 나락으로 빨려 들어가는 듯한 아찔함을 느꼈다. 시야에 아른거리는 순백의 머리카락 사이로 잡아먹을 듯 강렬하게 타오르는 붉은 눈동자가 자신을 사로잡고 있었기 때문이다.

그 거부할 수 없는 위압감에 휘연은 당혹감과 두려움에 눈동자를 일렁이며 환백과 마주했다. 환백의 혀가 강렬하면서도 은밀하게 쓰다듬다가도 격렬하게 애무하며 거침없고 능숙하게 자극해 오자 그제야 휘연은 감당하지 못하고 눈을 감았다.

그렇게 난생처음 해 보는 입맞춤에 쾌감을 느낄 틈도 없이 집요하게 파고드는 환백의 움직임에 휘연이 까무룩 정신까지 놓을 지경이 되어서야 떨어져 나간 것도 잠시, 미처 숨을 고르기도 전에 환백이 고개를 기울여 피에 물들어 요사스럽게 빛나는 입술을 찾았다.

상처투성이 도톰한 아랫입술을 힘껏 빨자 휘연의 몸이 부러질 듯이 휘어졌다. 처음과는 달리 조금 더 여유 있게 반듯하고 고른 치열을 훑고 따뜻한 혀를 잡아당겼다. 그와 동시에 목 안쪽 깊은 곳에서 억눌린 신음이 울렸다.

젖어서 갈라진 그 음성은 환백의 심장을 더욱 뜨겁게 달구었고, 타액은 달콤했으며 혀는 말랑했다. 도톰한 입술은 과일주처럼 취하게 했고 단단한 치아는 혀끝의 열기를 식혀 줄만큼 시원했으며 뜨거운 숨결이 환백을 전율하게 했다.

그렇게 끝이 없는 입맞춤에 빠져 정신을 차리지 못하는 사이, 환백은 휘연의 허리를 더욱 자신에게 밀착시켰다. 그 와중에도 다시 한 번 휘연의 가는 허리에 놀라며 과즙보다 더 달콤한 입술의 관능에 취해 더욱 깊이 탐닉해 들어가고 있었다.

"하아……."

"너는…… 요물이다. 왜 너 같은 게……."

말을 미처 끝내지 못하고 나지막하게 욕설을 뱉으며 휘연의 몸을 으스러지도록 끌어안고 매끈한 목덜미에 입을 맞췄다. 마치 냄새라도 맡듯이 킁킁거리다가도 목을 깨물기도 하고, 가볍게 입을 맞추기도 하며 힘껏 빨아들이기도 했다.

연약한 살이 씹히고 집요하게 빨리는 동안 휘연은 고통과 낯설기만 한 감각 속을 오가며 몸을 떨었다. 지금 무슨 일이 일어나고 있는지도 제대로 인지하지 못한 채 휘연은 의지를 잃고 환백에게 매달리다시피 몸을 맡긴 것이다.

그건 비단 휘연뿐만이 아니었다. 환백 또한 난생처음 느껴보는 생소한 기분에 빠져 자신이 무엇을 하고 있는지도 의식하지 못하고 있었기 때문이다. 지금껏 사내라면 치를 떨었던 자신이 아닌가. 생각하는 것만으로도 역겨워했던 환백이었다.

그런 자신이 유자운을 비롯해 황비와 후궁 중 그 누구에게도 느껴보지 못했던 기분을 다른 누구도 아닌, 증오해 마지않는 휘연에게 느끼고 있는 것이다. 그 기분은 말로 다 표현하지 못할 만큼 환백을 혼란스럽게 만들고 있었다.

"죽여야……."

"……하아……."

"죽여 버려야 하는데…… 하."

환백은 진심으로 휘연을 증오했다. 왜, 무엇 때문이라는 이유는 없었다. 어찌 보면 사내라는 것 하나만으로도 이유가 될 수도 있었으나, 환백은 그 이상으로 휘연이 자신의 반려로 정해진 그 순간부터 그를 증오했다.

딱히 사내라는 것이 그 이유가 되지는 않은 것이다. 왜 그러한지는 환백 자신도 알지 못했다. 그 정도가 심해 두 사람의 목숨이 연결되어 있음에도 휘연을 마주할 때는 죽이고 싶은 충동이 부지불식간에 자신을 사로잡았다.

어릴 때부터 모든 감정을 죽였고 그게 당연할 수밖에 없는 세월을 보낸 환백은 어떤 일에도 냉정할 수 있었지만, 유일하게 휘연에게만은 그 감정이 격해지는 것이다. 그럼에도 돌아서면 스스로도 이상하게 여긴 일이 한두 번이 아니었다.

그렇게 끔찍하면 차라리 없는 사람 취급하고 마주하지 않으면 그만인 것을. 그도 아니면 아무도 모르는 곳에 가둬 두고 죽은 듯이 살라고 하면 그만인 것을. 환백은 잡다한 이유를 붙여서라도 그리하지 못한 것이다.

그리고 휘연의 얼굴을 처음 본 순간을 환백은 잊지 못하고 있었다. 핏기조차 없이 창백하게 질린 얼굴로 상처투성이 붉은 입술을 열어 물었을 때, 환백은 자신도 모르게 달려가 그 사라질 듯한 몸을 품에 안아 달래 주고 싶다고 생각할 만큼 안타까웠다.

죽어 버리라고 그런 처벌을 내린 자신이 그런 기분을 느꼈다는 자체가 모순이 아닌가. 단순히 그 어느 여인보다 아름다운 얼굴 때문이 아니었다. 그 얼굴을 마주한 순간 환백은 저도 모르게 가슴을 강타하는 통증을 느낀 탓이었다.

그런 생각을 하는 자신에게 더 화가 나 매정한 말을 쏟아

냈으나, 지난 달포간 한시도 휘연에 대한 생각이 머릿속을 떠나지 않았었다. 괜스레 초조하고 불안하고 숨통을 죄어 오는 불쾌한 감정을 떨치려 무던히도 노력했었다.

그러나 부질없는 노력에 그치지 않았고, 더 기가 막힌 건 궁의가 찾아왔을 때 불쾌하면서도 마음 한편으로는 작은 기대심리도 있었다는 점이다. 그래서인가 평소의 자신이라면 외면해야 함에도 일말의 망설임도 없이 황후궁으로 달려온 것이다. 마치 오매불망 기다렸다는 듯이.

그리고 자신의 내면에 있는 욕망을 끌어냈다. 난생처음 느껴보는 들끓는 갈증을 해소하고자 목마른 이가 우물을 찾아 벌컥벌컥 들이키듯이.

이렇게 마주 안았을 때야 환백은 알 수 있었다. 자신은 휘연을 죽도록 증오함에도 그를 죽일 수 없다는 사실을. 무엇 때문인지는 모르겠으나 죽이고 싶어 하는 만큼 갖고 싶은 마음 또한 깊다는 것을 환백은 인정할 수밖에 없었다. 그 모순에 환백은 실소를 흘렸다.

"큭큭, 기가 막히는군."

"읏⋯⋯."

바로 귓전에서 들리는 나지막한 웃음소리와 음울한 목소리에 휘연은 자신도 모르게 신음을 흘렸다. 그 작은 신음 소리에 환백은 몸을 움찔 미세하게 떤 후 품 안에 있는 몸을 살짝 떼어 놓고 휘연을 내려다봤다.

하얀 피부가 홍조를 띠고 상처투성이 입술은 물기를 띤 채 부풀어 있었고, 여전히 물기가 어려 있는 눈동자가 혼란스럽게 흔들리고 있었다. 매끄러운 목에는 빨갛게 애무의 흔적이 남아 있어 그 모습이 미치도록 요염했다.

환백은 너무나 관능적인 휘연의 모습에 몸이 후끈 달아올랐다. 미처 삼키지 못한 타액이 입가로 흘러내리자 환백이 다시 고개를 숙이고 혀로 게걸스럽게 타액을 핥으며 턱을 타고 내려가 목을 맛보았다.

이미 자신이 만들어 놓은 붉은 자국에 다시 입을 맞추고 덧그리듯 가볍게 빨아들이며 작고 탄력 있는 엉덩이를 강하게 움켜쥐고 등을 쓸었다. 그 순간 느껴지는 거친 등의 느낌에 환백의 미간이 미미하게 찌푸려졌다.

자신이 남긴 각인과도 같은 상흔(傷痕). 영원히 지워지지 않을 그 상처에 환백은 또다시 가슴을 욱신거리게 하는 통증을 느끼고, 어눌한 신음을 흘리며 부드럽게 등을 쓰다듬었다. 마치 미안하고 안타깝다는 듯이.

상처를 치료하듯 쓰다듬는 그 손길에 휘연이 경기라도 하는 듯 가느다란 몸을 바들바들 떨기 시작했다. 제아무리 부드러운 손길이라 하나 한 번 각인된 두려운 공포를 떨쳐 내기에는 지금 휘연의 정신이 온전치 못한 것이다.

"싫……어. 흐윽…… 싫습니다!"

숨이 막힐 듯한 적막이 흘렀다. 비명과도 같은 거부의 말과 함께 순간적으로 환백을 밀어내고 힘없이 주저앉아 부들부들 떠는 휘연은 알지 못했으나, 충격이라도 받은 듯 굳어 있는 환백의 기세가 점차 험악해지고 있었다.

"……싫다? 네놈이 감히, 싫다고 했나?"

한참의 침묵 끝에 흘러나오는 낮고 음울한 목소리에 부들 부들 떨고 있던 휘연의 얼굴이 순식간에 창백해졌다. 그제야 자신이 환백을 거부하고 밀쳐 냈다는 사실을 깨달은 것이다.

"……폐하."

"내가 싫다? 이익! 감히, 너 따위가 나를 거부해?!"

그동안 자신의 행동이 어떠했다는 걸 알기에 휘연의 거부 는 당연했다. 그럼에도 환백은 직접적인 말과 행동으로 거부 당했다는 사실에 정도 이상의 충격을 받았다. 그와 동시에 가슴의 통증이 한층 더 지독해져 환백의 얼굴은 더할 나위 없이 일그러졌다.

격양된 감정과 분노를 다스리지 못하고 머리 꼭대기까지 화가 난 모습으로 씩씩거리는 환백의 모습에 휘연은 눈을 질 끈 감았다. 이 자리에서 목이 떨어져 나간다고 해도 저항할 수 없는 처지인 휘연으로서는 아무런 변명의 말도 하지 못하 는 것이다.

"내가 싫다고? 나 같은 놈은 끔찍하게 싫다는 건가?"

휘연은 대답하지 못했다. 자신도 모르게 엉겁결에 튀어나 온 말이라 오해라고 해야 했지만, 왠지 그런 말도 환백에게 통하지 않을 것 같아 포기한 것이다. 그러나 그 모습이 환백 의 심사를 더 뒤틀리게 하고 있다는 걸 휘연은 모르고 있었 다.

"큭큭, 그렇단 말이지? 하, 상관없다. 네놈의 마음이 어떻 든, 내가 무엇을 하든, 네놈은 나를 거부할 수 없다는 것을 똑똑히 기억해 두라고."

"악!"

조금 전의 부드러움은 온데간데없이 사라지고 험악한 기세 그대로 주저앉아 있는 휘연의 머리채를 거칠게 휘어잡고 침상까지 끌고 갔다. 두피가 모조리 벗겨질 듯한 고통에 휘연의 입에서 억눌린 비명이 터져 나오고 있었다.

그러나 아랑곳없이 휘연을 들어 침상 위로 패대기친 환백이 화려한 용포를 찢어발길 듯 벗어 던졌다. 순식간에 단단한 나신을 드러내고 다가오는 환백의 모습에 휘연이 그제야 다가올 끔찍한 고통에 두려움을 느끼고 주춤거리며 물러섰다.

"엎드려. 엎드려서 다리를 벌리고 엉덩이를 들어라. 앞으로 내 앞에서 네놈이 취할 자세다."

비소를 흘리며 내뱉는 지독히도 모욕적인 말에 휘연이 뻣뻣하게 굳었다. 마치 저잣거리의 창기 취급을 하는 것 같지 않은가. 아니, 지금 환백은 휘연을 그리 취급하고 있었다.

그 사실에 휘연은 참담한 기분을 느끼고 힘없이 두 눈을 감았다. 처음으로 느낀 부드러움 때문인지 어느새 마음 한편을 차지한 일말의 희망조차 산산이 부서져 내린 것이다.

휘연은 입안을 깨물어 간신히 눈물을 삼키며 천천히 몸을 움직여 부들부들 떨리는 몸을 환백이 원하는 대로 엎드렸다. 무릎을 세운 채 다리를 벌리고 엉덩이만 들어 올린 채로 고개를 숙였다.

그 자극적인 모습에 환백이 저도 모르게 꿀꺽 침을 삼켰지만, 그 차가운 표정에는 변화가 없었다. 오히려 작정이라도 한 듯 환백은 휘연을 구석까지 몰아가고 있었다.

"잘 어울리는군. 이제 알겠나? 이게 네놈의 위치다."

"흐윽……."

"네놈은 내게 다리만 벌리면 돼. 그 이상은 쓸모가 없다."

그러면서 근육으로 무장한 다리가 그에 비해 반도 되지 않은 새하얀 다리 사이로 파고들었다. 빼곡하게 들어선 등의 흉터가 신경에 거슬렸으나 환백은 미미하게 미간만 찌푸렸을 뿐 더 이상의 반응은 보이지 않았다.

되레 조급한 듯 탐스러운 엉덩이를 무작정 벌리고 작디작은 비부에 낮은 신음을 흘리며 자신의 거대하게 발기한 양물을 들이밀었다. 그 순간 휘연의 두 눈이 경악하며 휘둥그레지고 절로 벌어지는 입에서는 찢어지는 비명이 흘러나오고 있었다.

"아악……!"

"큭!"

누군가에 의해 단 한 번도 열린 적이 없었던 몸을 강제로 찢어발기며 파고드는 환백의 움직임에는 아무런 배려심이 없었다. 환백은 좁디좁은 비부에 통증을 느끼면서도 멈추지 않고 피에 젖은 양물로 휘연의 몸을 갈랐다.

창백하게 질린 채 뻣뻣하게 굳은 휘연을 의식하면서도 환백은 움직임에 용서가 없었다. 일수유와도 같은 찰나가 지나서야 비로소 자신의 하반신을 모두 묻은 환백의 입에서 몹시 흡족한 신음이 흘러나오고 있었다.

그러나 그것으로 끝난 게 아니었다. 서서히 움직이기 시작

하고 그에 따른 끔찍한 고통에 꺽꺽대며 호흡곤란 증세까지
보이는 휘연을 보면서도 환백은 하얀 살결에 손자국이 남을
만큼 강하게 끌어안은 채 자신의 들끓는 욕구만을 채웠다.

그런 환백의 표정은 살얼음을 품은 듯 차가웠으나 몸은 뜨
겁기 그지없었다. 그렇게 두 사람의 시간은 상반되게 흘러가
고 있었다. 언제 끝이 날지 모를 이 시간이 휘연에게는 끔찍
하게만 다가왔다면, 환백에게는 더할 나위 없이 만족을 주었
기 때문이다.

환백은 그 기분을 마음껏 만끽했다. 좀처럼 끝나지 않는
정사에 휘연이 몇 번에 걸쳐 혼절하고 깨어나기를 반복하다
가 끝내 더는 버티지 못하고 온전히 정신을 잃을 때까지. 환
백은 휘연의 몸이 주는 극한의 쾌감에 취해 모든 것을 잊고
정신없이 빠져들었다.

❖

"폐하! 호부상서와 참지정사를 임의로 투옥하셨다고 들었
사옵니다! 이는 있을 수 없는 일이옵니다!"

"있을 수 없는 일이다?"

"그러하옵니다! 품계를 받은 신료를 판결 없이 처벌하시다
니요! 이 같은 일은 수나라 역사 그 어디에도 선례가 없었사
옵니다!"

형부상서 장혁관의 말에 유창운의 세력들이 불쾌한 기색
을 숨기지 않고 앞다투어 동조하고 나섰다. 그 바람에 순식

간에 대전이 소란스러워지고 있었지만, 환백은 시종일관 태연한 표정을 유지하며 유창운에게 물었다.

"승상의 생각도 그러한가?"

"폐하, 정확한 죄명도, 그에 합당한 추궁도 없이 처벌을 가한다면, 어느 누가 폐하를 진심으로 따르겠나이까? 이는 폐하께도 결코 좋지 않은 일로 사료되옵니다."

"큭, 승상이 나를 이리도 생각해 주다니. 이거야 원, 기뻐서 춤이라도 춰야겠군."

유창운의 얼굴이 더할 나위 없이 일그러졌다. 누가 들어도 환백의 비꼼을 알아차릴 수 있었기 때문이다. 그러나 그것도 잠시, 곧바로 흘러나오는 음산한 한기를 품은 환백의 말에 유창운과 몇몇 기색에 긴장이 어릴 수밖에 없었다.

"정확한 죄명과 그에 합당한 추궁이라. 내 안 그래도 그대들의 의견을 듣고 싶어 처벌을 미루고 있던 참이지."

그렇게 말하며 입꼬리를 올린 환백이 지난번 내린 황명으로 인해 빗발치듯 날아든 상소문 중 조양과 왕국한의 것을 들어 올려 독소(讀疏)했다.

환백의 나지막한 목소리가 대전에 울려 퍼지고, 그와 동시에 소란스럽던 장내가 이내 숙연해지며 몇몇이 부들부들 떨고 있었다.

"흐음, 황명을 내렸음에도 불구하고 보란 듯이 사병을 기르고 있다? 거기다 죄상이 말도 못 할 정도군. 이거야 원, 나를 허수아비로 보는 것이 아닌가? 안 그런가?"

웃음기가 묻어나는 목소리와는 달리 대신들을 돌아보는

환백은 결코 웃고 있지 않았다. 적안이 짙게 변하며 살기를 품은 강렬한 눈빛과 마주친 대신들은 저도 모르게 시선을 피하며 고개를 숙였다.

이미 판은 완벽하게 준비해 놓은 상황에서 자신들이 광대놀음을 했다는 걸 뒤늦게 깨달은 것이다. 그러니 누가 이 상황에서 선뜻 나설 수 있겠는가.

유창운의 얼굴은 딱딱하게 굳어 있었고, 다른 이들은 어느샌가 자신의 안위부터 챙기기에 급급했다. 어이없게도 상황은 순식간에 그렇게 흘러가고 있었다.

단지 이해가 안 가는 것은 지난번 일로 철저히 조심을 기했는데도 이렇듯 두 사람이나 쉽게 걸려들었다는 사실에 기가 막힐 지경이었다. 그래서인가 할 말을 잃고 망연자실할 때 한 사람이 앞으로 나섰다.

"폐하! 신, 좌참정 이정 아뢰옵니다. 사병을 키울 시 역모죄를 묻겠다고 했음에도 사병을 4천이나 키웠다는 것은 그들이 역모를 꾸미고 있다는 명명백백한 증거이옵니다. 또한, 한두 사람이 그 같은 일을 벌이지는 않았을 것이오니 철저히 조사하시어 동조한 세력을 찾아내 합당한 중벌로 다스려야 할 줄로 아옵니다!"

유창운과 세도가들의 살기가 담긴 눈총을 받으면서도 이정은 소신을 굽히지 않고 당당하게 자신의 뜻을 밝혔다. 이정은 이제 갓 25세의 젊은 나이로 좌참정의 자리에 오른 인물로, 세도가의 편이 아닌 완전한 환백의 편이었다.

비단 이정뿐만이 아니라 새로 교체된 병부시랑과 좌승, 이

부상서, 추밀부사 또한 매한가지였고, 이정의 말이 끝나자마자 기다렸다는 듯 하나둘 같은 죄를 청하며 뜻을 밝혔다.

그들을 돌아보는 유창운과 그 일파의 시선이 점차 매섭게 변하고 있었다. 그런 그들을 돌아서며 미미하게 입꼬리를 올리던 환백이 이내 두 사람에게로 시선을 돌렸다.

이 와중에도 자신과 상관없다는 듯 나서지 않고 방관하고 있는 우문성중과 초조한 듯하지만 유창운과 보이지 않는 대립을 하고 있는 하우유권이었다. 그리고 그 두 사람을 따르는 세력들은 하나같이 침묵을 지키고 있었다.

오직 참담하게 일그러진 것은 유창운의 세력뿐이었다. 그에 환백의 얼굴 위로 만족한 웃음이 빠르게 스치고 지나가고, 이미 결정이 났음에도 마치 유창운을 신경 쓴다는 듯 의견을 물었다.

"흐음, 승상의 생각은 어떤지 궁금하군. 내 처사에 잘못된 점이나 불만이 있는가?"

뻔한 물음에 뻔한 답은 하나였다.

"……없사옵니다. 폐하의 뜻대로 하시옵소서."

"큭, 그래? 그렇다면 처벌을 해도 무방하겠군. 호부상서 조양, 참지정사 왕국한은 역모죄를 물어 궁문에 효시하고, 그들의 구족을 멸한다! 또한, 재산은 몰수하고 군사는 압송한다!"

"황명을 받자옵니다!"

당연한 결말이었고, 어느 누구도 토를 달지 못했다. 이렇게 유창운의 든든한 수족이 아차 하는 사이에 또다시 떨어져 나가고 있었다.

"어사대부는 명을 받으라."

"하명하시옵소서, 폐하."

"그대에게 감찰 권한을 줄 것이니, 죄인들과 결탁한 세력을 샅샅이 조사하라."

"신, 어사대부, 황명을 받자옵니다!"

감찰 권한까지 준다는 말에 우문성중과 그 일파의 얼굴에 화색이 돌았다. 그 말인즉슨 환백이 우문성중을 완벽하게 자신의 편으로 인정하며 날개를 달아 준 것이나 매한가지기 때문이다. 이 일로 우문성중은 마음 한편에 자리한 불안감을 온전히 씻어 낼 수 있었다.

"좌참정."

"하명하시옵소서, 폐하."

"죄인들의 가문에서 강제 노역하는 백성들의 노예 문서를 없애고, 그 피해를 소상히 조사해 그에 합당한 피해 보상을 해 주어 민심을 살펴라."

"신, 좌참정! 황명을 받자옵니다!"

그렇게 대전회의가 끝나고 참담한 얼굴로 돌아서는 유창운의 세력과는 달리 우문성중의 세력은 한껏 들뜬 얼굴로 대전을 나갔다. 그런 그들의 뒷모습을 보며 피식 웃음을 흘린 환백이 남아 있는 이정을 비롯한 몇몇에게 몇 가지 지시 사항을 내려놓고야 개인 집무실로 향했다.

"우승이 아닌가? 퇴궐한 게 아니었나?"

"폐하께 알현을 청하고자 기다렸사옵니다."

"흐음, 그래? 우선 들어오지."

이미 하우유권이 찾아올 것을 예상하고 있었던 환백이었지만, 짐짓 모르는 척 앞장서 집무실로 들어서자, 머뭇거리며 뒤따른 하우유권의 안색이 초조하게 일그러져 있었다.

"그래, 내게 할 말이라도 있는 것인가?"

환백의 물음에 선뜻 대답하지 못하던 하우유권이 나지막한 한숨을 내쉰 후에야 결심을 굳힌 듯 환백의 앞에 부복했다. 그런 하우유권을 보며 환백의 입꼬리가 슬며시 올라갔다.

"이게 무슨 짓인가? 개인적으로 내게 장인이 되는 사람이 사석에서 부복이라니."

"폐하, 그리 생각해 주시는 것만으로도 신은 감읍하옵니다."

"그래도 어디 그런가. 내 완진을 어여삐 여기고 있어 그대의 이런 태도는 심히 부담스럽네. 그러니 어서 일어나게."

자신의 딸인 완진의 이름이 나오자 순간 하우유권은 어깨를 굳혔다가 풀며 조금 전보다는 확연히 긴장이 덜한 모습으로 일어났다. 그동안 완진에게 나름대로 다정히 대한다고 들은 말이 있어 긴가민가하던 참이었다.

물론, 환백이 세 명의 황비에게 날짜를 정해 일정하게 찾아간 것은 같았으나 생각 외로 자신의 딸에게 다정하게 대할 줄 상상도 못 한 것이다. 그저 욕심으로 황태자를 회임해 더한 권력을 쥐고자 했던 것이나 실상은 그것조차 기대하지 못했었다.

그 이유야 유창운의 손녀가 제1황비로 버티고 있었기 때문이다. 무엇보다 유자운의 미모는 자신의 딸과 우문성중의 딸보다 더 아름다웠고, 세력 또한 비교가 무색했다. 그렇다 보니 자신에게는 기회가 찾아오지 않을 거로 생각하고 포기한 것이다.

그러나 지금은 경우가 달라졌다. 우문성중을 어떤 식으로 끌어들였는지는 모르나 환백의 세력이 커지는 반면 유창운의 세력이 쇠퇴하고 있는 이 상황에서는 하루라도 빨리 줄을 서야 했다. 그리고 하우유권이 잡은 줄은 환백이었다.

"폐하, 부디 승상을 조심하시옵소서. 숨은 세력이 많사옵니다."

"나를 걱정하는 것인가?"

"폐하의 신하로서 당연하옵니다."

얼굴색 하나 변하지 않고 당당하게 늘어놓는 하우유권의 말에 환백은 속으로 코웃음을 치면서도 겉으로는 고개를 끄덕였다.

"잘됐군. 내 안 그래도 우승에게 할 말이 있었던 참이나, 솔직히 그동안은 우승을 확실히 믿지는 못했지."

"폐하, 신을 믿어 주시옵소서!"

"아아, 알겠네. 내 완진을 봐서라도 우승을 믿어 보지. 아, 그런데 알고는 있나?"

"무엇을 말이옵니까?"

"흐음, 믿지 못할 수도 있네만, 그대도 알고는 있는 게 좋겠군. 얼마 전부터 자렴황비가 승상의 지시를 받고 내게 독을 사용하고 있지."

독이라니? 경악할 내용과는 달리 너무도 태연하게 말하는 환백을 보며 하우유권은 할 말을 잃고 멍하니 바라봤다. 자신이라고 예상하지 못한 건 아니었다.

유창운이 고스란히 당할 성격도 아니었고 어떤 식으로든 움직일 거라고는 생각했지만, 자신의 손녀를 시켜 황제를 직접 시해할 거라고는 생각지 못한 것이다.

그러나 정작 하우유권을 경악하게 한 것은 그들이 아닌 환백의 태도였다. 여차하면 한순간에 유명을 달리하는 건 고사하고 현재 독을 사용하고 있다면 중독을 의심해야 하는 것이 아닌가? 헌데도 어찌 이리도 태연자약할 수 있는지, 하우유권은 경악할 수밖에 없었다.

"나를 걱정하는 거라면 괜한 걱정이네."

"예?"

"쿡쿡, 내 몸은 제아무리 지독한 거라도 백독이 불침하지."

환백의 말에 또 한 번 경악한 하우유권이 나지막하게 안도의 한숨을 내쉰 것도 잠시, 다시 이어지는 말에 급격하게 눈살을 찌푸렸다.

"그런데 말이야. 왜 단번에 나를 독살하지 않고 중독만 시키는 줄 알고 있나? 승상이 잔머리를 굴리고 있지. 나를 비롯해 두 사람까지 잡으려는 속셈으로."

"두 사람이라면, 설마 어사대부와 신을 말씀하시는 것입니까?"

"그대들 외에 누가 있겠나? 뻔한 일이 아닌가. 나를 독살한 죄를 그대들에게 뒤집어씌우려는 속셈이지."

환백이 말이 끝나자마자 하우유권이 유창운을 향해 이를 빠득…… 갈며 노골적인 적의와 증오를 드러냈다. 지금 하는 말을 온전히 믿어서는 안 되지만, 하우유권은 그 말을 믿었다.

그동안 봐 온 유창운이라면 당연히 그런 일을 벌이고도 남았기 때문이다. 그건 자신이라도 같은 결정을 내릴 것이 뻔했기에 더 신뢰가 가는 말이었다.

그 덕분에 하우유권은 일말의 망설임을 떨쳐 낸 채 적아(敵我)를 구분했고, 나중에야 어찌 된다 하더라도 지금은 완벽하게 환백의 편으로 돌아서고 있었다.

이대로 멍청하게 당할 수도 없고, 그렇다고 혼자 상대하기에는 유창운은 너무 거대하지 않은가. 지금은 하나로 힘을 합쳐 유창운이 수십 년 간 쌓아 올린 벽부터 허무는 게 우선이었다.

그렇게 하나로 뭉쳐진 세도가의 세력이 하나둘 틈새를 벌리며 갈라서고 있었다. 그리고 그것은 환백의 의도한 바였고, 제일 처음 희생양이 유창운이었다.

세도가의 중심인 유창운만 제거한다면 그 이후로는 일사천리로 해결될 것이었다. 그러자면 이용할 수 있는 패는 모두 이용한다.

그것이 환백의 계획이었고, 지금까지는 한 치도 어긋남 없이 흘러가고 있었다. 이제는 느긋하게 기다리며 기회를 잡으면 그만. 그런 생각에 환백은 여유로운 웃음을 흘렸다.

"주군, 저자를 믿으십니까? 욕심이 과한 자입니다."

하우유권이 돌아가자마자 모습을 드러내는 묵혼이 닫힌 문을 보며 미간을 찌푸렸다. 유창운 만큼이나 하우유권도 탐욕적인 인물이라 믿을 수 없기 때문이다. 물론, 환백 또한 그 사실을 익히 알고 있었다.

"어차피 저놈도 이용물에 지나지 않아. 그보다 오늘이 혜원에게 가는 날인가?"

"예. 가시겠습니까?"

묵혼의 물음에 환백이 피식 웃음을 흘리며 자리에서 일어났다. 그동안 번갈아가며 의무적으로 세 명의 황비를 일주일에 두 번은 찾고, 틈틈이 후궁들의 처소도 빠트리지 않는 이유도 그들을 이용하기 위함이었다.

자신의 목적을 이루기 전까지는 확실히 그녀들만큼 이용 가치가 높은 패도 없었기 때문이다. 이 황궁에서 유일하게 쓸모없는 패가 황후인 휘연 단 한 사람이었다. 그러나 환백은 휘연을 떠올리는 것만으로도 격한 반응을 보이고 있었다.

"제길."

울컥 화가 치밀어 오르면서도 순식간에 몸 안에 열기가 휘돌고 하반신이 뻐근해지는 통에 나지막하게 욕설을 내뱉으며 비설의 처소인 회운궁(徊韻宮)으로 향하는 발길을 빨리했다.

정작 자신을 동하게 하는 이는 휘연이었으나 환백은 그 생각을 접었다. 처음 휘연을 안으며 그 극한의 쾌감에 정신없이 탐했던 일이 있은 지 오늘로 이십 일에 접어들었지만, 그동안 단 한 번도 휘연을 찾아가지 않은 것이다.

아니, 더 정확히는 환백 스스로가 필사적으로 피하고 있었다. 그렇지 않았다면 자신은 하루도 빼놓지 않고 마치 무언가에 홀리기라도 하듯이 황후궁을 찾았을 것이다.

그리고 또다시 같은 결과가 나올 거라는 사실에 환백은 어김없이 가슴을 가로지르는 날카로운 통증을 느끼며 억눌린 신음을 목 안으로 삼켰다.

아직도 생생한, 잊히지 않은 모습. 미친 듯이 허우적거리다가 여명이 밝아오고야 정신을 수습했을 때는 이미 휘연의 모습은 처참할 지경이었다.

하반신은 온통 피범벅이 되어 있었고 창백하게 질리다 못해 숨을 쉬지 않는 것 같은 휘연의 모습에 환백은 심장이 덜컥 내려앉아 숨을 쉴 수가 없었다.

겨우 정신을 차리고 맥을 짚어 보았을 때 미약하게나마 뛰는 심장에 그제야 안도하면서도 그 격하고 생소한 감정에 어찌할 바를 몰라 두 손을 부들부들 떨었다.

심장이 생으로 뜯겨 나가는 듯한 고통이 그보다 더할까. 그러나 정작 환백을 더 고통스럽게 하는 것은 휘연을 잃을지도 모른다는 공포에 가까운 두려움이었다.

그건 결코 목숨이 연결되어 있어서가 아니라 말 그대로 휘연을 잃고 두 번 다시 못 본다는 사실이 환백은 진심으로 두려웠다. 그래서 필사적으로 피했다.

지금 자신이 느끼는 감정이 정확하게 무엇인지 모르는 채로. 다만 또다시 그때 그 기분을 느낄 것이 두려워 하루에도 몇 번씩 달려가고 싶은 마음을 억누르고 생각을 떨치려고 무던히도 노력한 것이다.

하지만 그조차도 이젠 한계에 달하고 있다는 걸 알기에 환백은 더더욱 혼란스러웠다. 여전히 증오해 마지않은 상대임에도 자신은 그 상대에게 모든 초점을 맞추고 있다. 그 기가막힌 사실에 환백은 실소를 흘리며 이를 갈았다.

"폐하!"

"비설, 왜 나와 있느냐?"

어느새 회운궁에 도착하자 반색을 하며 다가오는 비설을 보고 환백은 찌푸린 미간을 풀고 웃음을 머금었다. 그런 환백의 아름다운 미소에 비설이 얼굴을 붉게 물들이며 수줍게 답했다.

"폐하께서 오실 시간이라 신첩이 마중 나와 있었나이다."

"날씨가 차다. 그러다 고뿔이라도 걸리면 어쩌려고? 다음부터는 안에서 기다려라."

그러면서 부드럽게 비설의 어깨를 끌어안고 안으로 들어가는 환백의 얼굴이 차갑게 굳어 있었지만 그건 찰나도 지나지 않았다. 곧 그는 비설과 마주하고 앉았다. 그런 두 사람 앞에 미리 준비하고 있었던 듯 술을 곁들인 요리들이 차례차례 들어왔다.

"웬 술이냐?"

"폐하를 위해 준비한 와송주(臥松酒)이옵니다. 약주 삼아 몇 잔 마시는 건 피로를 푸는 데 좋다고 해서 준비했사옵니다."

"역시 내 생각을 해 주는 건 너밖에 없구나, 비설."

"신첩 부끄럽사옵니다."

수줍게 얼굴을 붉히며 내미는 술잔을 들어 망설임 없이 마시는 환백을 보며 비설의 미소가 한층 더 밝아졌다. 그동안에는 환백이 처소에 들더라도 간단한 차 외에는 일절 하지 않았고, 언제 어느 때고 암살의 위험이 있는 환백의 입장에서는 그게 또 당연한 일이었다.

그렇다 보니 다른 곳도 상황은 매한가지였지만, 비설은 오늘 우문성중에게 막중한 권한을 일임했다는 말을 듣고 이리 준비한 것이다. 그리고 아무런 의심조차 하지 않고 자신을 향해 웃으며 술을 마시는 환백을 보며 비설은 자신이 환백의 마음을 얻었다고 철석같이 믿고 있었다.

"아버님께 소식 들었사옵니다. 황은이 망극하옵니다, 폐하."

"어사대부가 다녀갔느냐?"

"예. 폐하를 잘 모시라 신신당부하시고 가셨사옵니다."

"하하, 그래. 내 앞으로도 너를 위해서는 무엇이든 해 줄 것이다."

감격에 겨워 환하게 웃으며 가슴으로 파고드는 비설을 끌어안고 등을 쓰다듬는 환백의 얼굴이 미미하게 찌푸려졌다. 그러나 그것도 잠시 내관이 주 요리를 들고 들어오자 부끄러운 듯 떨어지는 비설을 보며 환백이 아쉬운 기색을 내비칠 때였다.

"우웁……! 욱!"

"헉! 마마!"

탁자 한가운데 요리를 놓자마자 격하게 헛구역질을 하며

당황한 듯 입을 틀어막는 비설의 행동에 환백의 얼굴이 순간적으로 굳어 버렸다. 그나마 다행히 계속되는 구역질에 비설은 그 모습을 보지 못했고 환백은 이내 당황한 듯 언성을 높였다.

"비설! 뭣들 하느냐?! 당장 궁의를 불러라!"

"명을 받자옵니다!"

내관이 다급하게 뛰쳐나가고, 환백은 요리들을 치우라 이르고 비설을 안아 침상 위에 눕혔다. 그제야 조금은 진정이 된 듯 비설의 하얗게 질린 얼굴 위로 혈색이 돌아오고 있었다.

"괜찮으냐?"

"송구합니다, 폐하. 신첩이 갑자기 속이 불편하여……."

"괜찮으니 그대로 누워 있어라. 곧 궁의가 들면 연유를 알 수 있겠지."

부드러운 목소리와는 달리 환백의 눈은 차갑기 그지없었다. 연유가 무엇인지 짐작했기 때문이다. 언젠가는 반드시 필요한 일이라 하나 그렇게 반가운 것도 아니었다.

아니, 더 정확히는 그것에 대한 일말의 애정도 없었다. 단지 그 또한 필요한 이용물에 지나지 않을 뿐. 환백은 그 이상도 이하도 느끼지 못하고 있었다.

사랑받고 자라지 못한 환백이 사랑을 베풀 줄 모르는 것 또한 어쩌면 당연한 것이리라. 그래서인지 궁의의 확신에 찬 말을 듣고도 환백은 겉으로만 미소 지었다.

"감축 드리옵니다, 폐하. 황비마마께서 회임을 하셨사옵니다."

혜원황비의 회임으로 인해 세력권이 각각 다른 반응을 보이며 분위기는 심상찮게 흘러갔다. 먼저 비설의 부친인 우문성중과 그 일파는 세상을 다 얻은 것처럼 기뻐했고, 하우유권과 그 일파는 잠시 주춤하는 기색을 보였다.

　반면 유창운 쪽은 짐짓 겉으로는 태연한 것 같았으나 실상은 달랐다. 지금 유창운의 상황은 한마디로 최악이었다. 각고의 노력 끝에 오랜 세월 쌓아 올린 탑이 너무도 쉽게 무너져 내리고 있었기 때문이다.

　설사 황제라 해도 무소불위의 절대적인 권력의 정점에 있는 자신을 넘지 못할 거라는 자만에 빠져, 한낱 스치는 바람에도 무너질 모래 위에 누각을 세운 사실을 유창운은 몰랐던 것이다.

　제아무리 많은 재물을 가지고 막강한 권세를 휘두른다고 해도 수백만 백성들의 지지를 받지 못하면 뿌리가 없는 사상누각(沙上樓閣)에 지나지 않다는 것을. 지금의 처지에 놓이고 나서야 유창운은 뼈저리게 실감하고 있었다.

　어찌 상상이나 했겠는가. 어리다고 무시한 황제가 유창운이 무시하며 간과하고 넘어간 백성들을 내세워 방어와 공격을 적절히 이용할 줄 상상도 못 한 것이다. 그러나 비단 그것뿐만이 아니었다.

　유창운이 미처 손을 쓰기도 전에 호부상서와 참지정사 자리까지 이미 만반의 준비를 하고 있었던 듯 환백의 사람이 치고 들어와 며칠 사이에 자연스럽게 자리를 잡아 버린 것이다. 거기다 엎친 데 덮친 격으로 우문성중까지 설치고 다닌다.

비설의 회임으로 날개까지 단 우문성중이 감찰 권한을 내세워 유창운의 세력들을 휘젓고 다니고 있었기 때문이다. 그로 인해 황명이 떨어진 지 단 며칠 만에 유창운의 곁가지들이 떨어져 나간 데다 주 세력은 몸까지 사려야 했다.

어제의 친구가 오늘은 적으로 돌아선 판국이기에 유창운은 구석까지 몰려 더는 물러날 수도 없는 상황까지 간 것이다. 이런 마당에 유창운이 할 수 있는 대응은 오직 한 가지였고, 만일을 위해 자신이 할 수 있는 모든 대응을 꺼내 놓았다.

"계획을 바꿔 황제부터 처리한다."

"아! 잘 생각하셨습니다. 진작 그리하셨어야지요. 황제만 처리하면 모두 제자리로 돌릴 수 있을 것입니다."

"그러자면 황제에게 접근을 해야 하는데 옆을 지키는 놈들의 정체를 도저히 알 수가 없습니다."

그 말대로였다. 대전회의 때도 봤지만, 묵가가 있는지도 몰랐고, 그들이 몇 명인지, 어느 정도 무위를 지니고 있는지도 모르는 상황이었다. 처음에는 단순한 호위로만 봤지만, 지금은 그것조차도 의심스럽다.

듣지도 보지도 못한 환백의 인물들이 권력의 틈바구니로 치고 들어오는 것도 그렇고, 지금까지 돌아보면 경악할 만한 정보력도 갖추고 있다고 봐야 하는 것이다. 그런 데다 가장 골치 아픈 점은 환백에 대한 정보가 터무니없이 부족하다는 것이다.

얼마나 더 많은 세력을 갖추고 있는지도 비밀에 싸여 있는 지금, 자칫 잘못하다가는 이 한 번의 기회가 되레 독이 되어 돌아올지도 모를 일이기 때문이다. 그러나 상황이 상황이니만큼 그걸 알면서도 해야만 한다.

어차피 궁지에 몰릴 대로 몰린 이상은 이대로 손 놓고 기다릴 여유가 없었다. 멍청하게 앉아서 당하느니 단번에 판을 뒤집어야 하는 것이다. 그런 자신의 처지에 유창운은 이를 갈며 심기를 가라앉혔다.

"자렴황비에게 시켜야겠지."

"의심하지 않겠습니까?"

"지금껏 독을 사용하고 있는데도 전혀 의심하지 않는다는군."

"아! 그렇다면 걱정 없겠습니다."

유창운이 미미하게 고개를 끄덕였다. 처음 유자운에게 독을 건네준 게 벌써 달포가 다 되어 간다. 그동안 보고를 받으면서 의심하는 기색이 전혀 없었다고 했다.

그렇다는 건 예정대로 어느 정도 독이 체내에 쌓여 있다는 말이다. 여기서 그 독과 상극인 극독을 먹이면 제아무리 독에 면역성이 있다고 해도 견디지 못할 것이다.

그 같은 결론이 나오자 유창운의 입가에 비릿한 웃음이 걸렸다. 이미 끝을 보기로 한 이상 망설일 이유가 없었다.

"그 일은 내가 알아서 할 테니 자네들은 걱정하지 말게. 그보다 만약을 위해 우승은 끌어들이는 게 좋겠군."

"우승이라니요. 그건 좀 위험할 것 같습니다. 지난번에 침묵을 지키는 걸 보지 않았습니까?"

"그렇습니다. 이미 우승도 황제 편으로 돌아섰을 것입니다."

"그렇겠지. 그러나 혜원황비가 회임을 한 이상은 기회는 있네."

유창운의 말에 모두의 시선에 의문이 어렸다. 그런 그들을 보며 유창운은 또다시 비릿하게 웃었다. 만약 암살에 실패할 경우 모든 걸 뒤집어엎을 생각이었기 때문이다.

그렇게 하지 않는다면 자신이 죽는다. 그걸 모면하기 위해서는 실패할 때를 대비해 자신이 직접 사병들을 이끌고 황궁을 점령하는 게 최선책인 것이다.

그러자면 지금의 세력만으로는 부족한 감이 없잖아 있었기에 우승의 세력까지 이용해 끌어들일 생각이었다. 이용할 수 있는 패는 모두 이용한다. 유창운 또한 그리 생각하는 것이다.

"생각들 해 보게나. 지금 어사대부가 어쩌고 있나? 지금이야 나를 목표로 하고 설치고 있지만, 딸이 회임까지 한 이상 우승을 그대로 둘 것 같나?"

"가만두지 않겠지요."

"그렇지! 무릇 욕심이란 끝이 없다고 했네. 먼저 나와 자네들을 쳐 내고 그다음은 우승을 쳐 내려 하겠지. 그걸 우승도 알고 대비를 할 것이고. 그러니 지금은 적을 끌어들여 황제하고 우승을 처리하자는 말이네."

"그렇게만 된다면야 좋겠지만."

"아아, 자네들은 나를 믿고 사병들 관리나 잘하고 있게. 내가 때가 되면 연락할 터이니 그동안은 자중하고. 아, 그리고 혹시 모르니 황후도 미리 처리하는 게 좋겠군. 뭐든지 든든할수록 좋지!"

말끝에 유쾌하게 웃음을 터트리는 유창운을 보며 모두가 고개를 끄덕였다. 이들에게 다른 사람의 목숨이란 생각할 가치가 없었고, 자신들의 앞길을 가로막는 게 있다면 그것이 무엇이든 깔아뭉개고 올라설 것이었다.

그렇게 유창운과 그 세력들이 상세한 계획을 세워 나가며 자신들의 거사가 성공할 것이라 철석같이 믿었다. 그 모든 게 환백에게 고스란히 보고되고 있는지도 모르는 채로. 그들은 마지막 수를 던지고 있었다.

그리고 이러한 심상찮은 분위기에 휩쓸리지 않은 황후궁은 여느 때와 마찬가지로 조용하기만 했다. 그러나 근심 걱정이라도 있는 듯 휘연의 표정은 좋지 않았다. 그런 휘연을 걱정스럽게 지켜보는 세 사람이었다.

"후우, 내가 해야겠지. 아소, 사설감에 가서 아기옷 두 벌을 만들 수 있게 옷감을 준비해오너라."

"예? 아기 옷이요?"

"혜원마마의 회임 때문이옵니까? 헌데 왜 두 벌이나……."

두 사람의 물음에 휘연은 선뜻 대답하지 못했다. 아니, 대답할 수가 없었다. 한 벌은 회임을 했다는 비설에게 건넬 것이나 한 벌은 다른 이에게 건네야 했기 때문이다.

"때가 되면 알게 될 터이니 그렇게 알고 다녀오너라. 그리고 무영아, 내 유한에게 긴히 할 말이 있으니 너는 잠시 나가 있어라."

"예, 마마. 저도 형님하고 같이 다녀오겠사옵니다."

"그래."

두 사람이 나가고 문이 닫히자 나지막하게 한숨을 내쉰 휘연이 유한을 불렀다. 그러자 휘연의 앞에 한쪽 무릎을 꿇은 채 유한이 모습을 드러냈다.

"유한, 부탁이 있습니다."

"부탁이 아닙니다. 명을 내려주십시오."

"아닙니다. 내 개인적인 부탁이니 유한이 거부하셔도 되는 일입니다. 다름이 아니라, 유한이 봤을 때 무영 저 아이의 골격이 어떻습니까? 무인에 적합한지 묻는 것입니다."

휘연의 말에 유한이 방금 나간 무영을 떠올리고 수긍하며 짧게 대답했다. 그에 휘연은 부드럽게 미소 지었다.

"내가 저 아이의 몸에 침을 놓는 걸 보셨겠지요?"

"예, 마마."

"본시 저 아이 집안은 무가입니다. 저 아이도 타고나기를 무골을 타고났으나 제대로 먹지 못해 그 빛을 발하지 못하는 것이지요. 해서 내가 꾸준하게 몸을 손본 것입니다."

"그 말씀은……."

"유한이 괜찮다면 저 아이에게 무공을 가르쳐 주세요. 아소는 어릴 때부터 학문과 의술을 배워 그 길로 나선다면 훗날 크게 이름을 떨칠 것이나, 안타깝게도 아소는 무골을 타고나지 않았습니다. 반면 무영은 머리는 뛰어나고 학식 또한 가르치는 대로 흡수하지만, 의술에는 재능이 없습니다. 대신 무공을 배운다면 얼마 지나지 않아 그 성과가 나타날 것입니다. 해서 부탁하는 것입니다."

말을 끝내고 단아하게 미소 짓는 휘연의 모습에 유한은 묘한 위화감을 느꼈다. 휘연의 명이라면 설사 자신이 죽는다고 해도 반드시 들어줄 것이다. 하물며 어린아이 하나 가르치는 일이 무엇이 어렵겠는가.

그럼에도 느껴지는 묘한 기분에 유한은 대답하는 것도 잊은 채 멍하니 휘연의 얼굴만 올려다봤다. 마치 두 사람의 앞날을 준비해 주고 휘연은 어딘가로 훌쩍 떠나 버릴 것만 같은 느낌을 지울 수가 없었기 때문이다.

그런 유한의 복잡한 심경이 흔들리는 두 눈에 고스란히 드러나고, 그 모습에 휘연은 조용히 미소 지었다. 유한의 의문에 답해 줄 수 없기에 휘연은 침묵을 지키는 것이고, 그걸 알아차린 유한이 나직하게 한숨을 내쉬었다.

"성심껏 가르치겠습니다."

"고맙습니다, 유한. 그대만 믿겠습니다."

"예."

유한이 다시 모습을 감추자 휘연은 창밖으로 시선을 돌리며 어젯밤을 떠올렸다. 더 정확히는 전날 꾸었던 범상치 않은 꿈이었다. 비설의 회임 소식이 들린 지 고작 일주일이 지나며 꾼 꿈에 휘연은 놀라움을 금치 못했다.

달빛에 취해 정원에 서서 하염없이 달만 바라보던 자신의 앞에 거대한 금빛 광채를 두른 황룡이 모습을 드러내고, 마치 예를 갖추는 것같이 자신을 향해 고개를 숙였다. 그런 연후에 황룡이 몸을 돌려 향한 곳은 유화궁이었다.

본시 황룡은 황제를 뜻하는 상징이고, 그게 다음 대 황제를 가리키는 태몽이라면 어찌해서 회임을 한 비설이 있는 회운궁이 아닌 유자운이 있는 유화궁으로 들어간 것인가.

그건 곧 유자운도 회임을 한다는 의미다. 그것도 다음 대황제를. 그 사실에 휘연은 답답한 듯 한숨을 내쉬었다. 아무리 휘연이 황후궁에만 있다고는 해도 상황이 어떻게 흘러가는지는 알기 때문이다.

조만간 유창운이 어찌 나올 거라는 것도 충분히 짐작할 수 있는 일이었다. 그리고 무수히 많은 피를 뿌리며 보란 듯이 환백이 승리를 거둘 것이다. 그렇게 운명이 흘러가고 있었고 아무도 그걸 거스르지 못한다.

문제는 회임을 한 유자운이다. 유자운 또한 역모죄에서 벗어나지 못하는 것이다. 환백의 성격상 회임을 했다고 분란의 씨를 남겨 두지 않을 것은 자명한 일.

그렇다고 다음 대 황제를 품고 있는 유자운을 죽음으로 내몰 수는 없지 않은가. 절대 그러한 일이 있어서는 안 된다. 설사 환백을 또다시 거스르는 일이라고 해도 휘연은 막아야만 했다.

"후우……."

생각할수록 두려웠다. 이미 달포 가까이 흘러 이제는 상처가 다 나았음에도 휘연은 그날을 떠올리는 것만으로도 고통스러웠다. 잊을 수 없는. 끔찍한 고통에 몸도, 마음도 모두 망가져야 했던 그날의 일을.

휘연은 되새길수록 참담한 기분을 느껴야 했다. 그러나 그
또한 자신이 타고난 운명인 것을. 휘연은 그 일 이후 상처받
지 않기 위해, 스스로 모든 욕심을 버리기 위해 감내하고 또
감내하며 무던히도 노력을 기울였다.

그럼에도 무너질 때면 호협을 떠올렸다. 이런 자신을 나약
하다 혼내며 더 마음을 굳건히 하라고 말하는 것 같은 호협
의 단호한 목소리가 들려오는 것만 같았다.

그래서 더 그리워졌지만, 그렇게라도 하지 않았다면 휘연
스스로 견디지 못했을 것이다. 그만큼 휘연의 참담한 심경은
한마디로 형용하기가 어려웠다.

그나마 그때 이후로 더 이상 황후궁에 오지 않는 환백이기
에 이렇게라도 몸을 추스를 수 있다는 사실에 휘연은 안도하
면서도 마음 한편으로는 씁쓸함을 감추지 못했다.

본시 사내를 경멸하는 환백이었으니 한순간에 동해서 안
았다고는 해도 막상 돌아서자 역겨웠으리라. 어차피 동했다
는 것조차도 타고난 상극의 모진 운명에 자신도 모르게 끌려
다니며 상처 입히고자 시작한 일일 것이다.

자신에게 수치심을 심어 주고 폭력을 행사하는 것도 환백
의 의지에서 비롯되나, 그 또한 스스로의 의지가 아니기 때
문이다. 그걸 알기에 휘연은 원망할 수 없었다.

다만, 휘연을 더 힘들게 하는 것은 자신의 혼란스러운 마
음이었다. 상처 주는 일에만 급급한 환백을 향하는 휘연의
마음은 안타까운 두려움이었다.

육체적인 공포를 극한까지 느꼈기에 그 끔찍한 기분을 떨

쳐 낼 수 없었고, 타고난 운명이 안타까워 지금껏 일말의 원
망도 하지 않은 것이다. 그런데 지금은 어떤가.

여전히 환백을 떠올릴 때면 그 상반되는 기분을 고스란히
느끼면서도 휘연은 어느샌가 또 다른 감정에 혼란스러워하고
있었다. 자신도 모르게 은애(恩愛)하는 마음을 품은 것이다.

그 생각만으로도 휘연은 뱃속부터 끓어오르는 낮은 침음
성을 토해 냈다. 제아무리 운명으로 연결되어 있다고는 하나
이 무슨 운명의 장난인지. 참으로 모질지 않은가.

육체의 고통은 죽지 않는 이상은 참으면 그만이고, 정신적
인 고통 또한 받아들이고 감내하면 그만이다. 그러나 마음만
은 달랐다. 어긋나는 끝이 뻔히 보이는 것을.

어찌 자신의 마음조차 옭아매려 하는 것인지. 휘연은 처음
으로 운명에서 도망치고 싶을 정도로 천제가 원망스러웠다.
다른 모든 고통은 감내한다 하더라도 그것만큼은 피하고 싶
었기 때문이다.

그것이 유일한 휘연의 바람이었으나 이미 끊으려야 끊어
낼 수 없는 두 사람의 운명은 거부하고 거부함에도 한 번 시
작된 감정은 미처 마음을 다스리기도 전에 틀을 단단히 잡아
가고 있었다. 그 사실에 휘연은 또다시 암담한 절망을 느껴
야 했다.

八章
변화

"앞으로 보름이라. 큭, 변방에 있는 군사를 미리 부른 이유가 있었군. 제대로 연통을 했겠지?"

"예. 이미 모든 준비는 차질 없이 끝마쳤습니다."

환백은 만족하며 고개를 끄덕였다. 자신이 변방으로 몰아낸 유창운의 군사 세력 우두머리가 바뀐 것은 황도를 떠난 그 순간부터였다. 본시 군은 절대적인 명령에 움직이고, 그 명령을 내릴 권한만 틀어쥐면 손쉽게 움직일 수 있는 법이다.

지금까지야 군사 세력을 유창운이 틀어쥐고 있어 황권이 몰락에 가깝게 내려앉았다면, 앞으로는 상황이 다른 것이다. 무엇보다 유창운이 한 수 앞을 내다보고 패를 던졌다면, 환백은 세 수 앞을 내다보고 있다는 걸 유창운은 간과한 게 오

판이었다.

그 때문에 유창운의 부름을 받고 황도로 오고 있는 50만 대군이 오히려 자신의 목줄을 끊으러 오는 사신이라는 걸 유창운은 생각지도 못하고 있었다. 또한, 황도에 남아 있는 대군의 반 이상을 이미 환백이 틀어쥔 상태였다.

"하루 전이다. 금위대장부터 모조리 죽여."

"존명!"

이제 모든 여건은 갖춰졌다. 자신이 대비한 이상은 암살이 실패할 거라는 건 뻔한 일이고, 그 직후 유창운은 세력을 이끌고 황궁으로 쳐들어올 것이다. 그러나 그조차 자신이 세운 계획의 일환에 지나지 않았다.

"모조리 씨를 말려 버리겠다. 큭큭, 그날이 기다려지는군."

낮게 웃음을 흘리며 섬뜩하게 중얼거리던 환백이 묵혼과는 다른 기척을 느끼고 고개를 들었다. 곧 모습을 드러낸 이는 암영제의 수장인 교령이었다.

"주군."

"무슨 일이지?"

"황후궁에 사람을 더 보내야 할 것 같습니다."

황후궁이라는 말에 환백의 몸이 움찔 미세하게 떨리고 짐짓 태연한 척 물었지만, 그 표정은 딱딱하게 굳어 있었다.

"벌써 손을 쓴 건가?"

"독살을 시도하려고 했던 것 같습니다만, 여의치 않아 물러나는 걸 그대로 뒀습니다."

"여의치 않다니?"

교령은 선뜻 대답하지 못하다가 나지막하게 한숨을 내쉬고 말문을 열었다.

"황후마마께서 드시는 음식에 문제가 있었습니다."

"무슨 말이냐?"

"유한의 보고를 듣기로는, 지금껏 황후마마께서는 나물 찬두세 가지 이외에는 일절 다른 것을 드시지 못하고 계셨습니다. 그것도 재료가 최하급으로 어린 시관들이 겨우 공급해와 그걸로 준비했던 것 같습니다. 그 때문에 저쪽에서도 독을 쓰지 못하고 돌아간 상황입니다."

교령의 말을 들으며 환백의 표정이 점점 더 차갑게 굳어갔다. 어찌해서 황후인 휘연이 그같이 천한 음식을 먹고 있는 것인지 의문이 들다가도 이내 당연하다 여겼다.

그러다가도 또다시 그것만 먹고 견디는 휘연이 안쓰럽고 걱정이 되었다. 그리고 그런 걱정을 하는 자신에게 짜증이 치밀었다. 자신은 분명히 휘연을 싫어한다.

아니, 그보다 더 깊이 증오한다. 왜 그렇게까지 치를 떠는지는 환백 자신도 이해하지 못하고 있었다. 다만 휘연만 생각하면 화를 가늘 수가 없다는 것이다.

그런 데다 그 감정이 휘연을 안은 후부터 더 극심해지고 있었다. 마치 태어난 그 순간부터 반드시 죽여야 하는 철천지원수라도 되는 것처럼. 휘연만 생각하면 환백은 살기가 치밀었다.

그러나 환백을 당황하게 하는 것은 정작 따로 있었다. 지금도 여전히 휘연만 생각하면 살기가 치밀면서도 그와 동시에 몸이 감당할 수 없이 뜨거워졌기 때문이다.

비단 그뿐만이 아니었다. 아팠다. 그때만 생각하면 환백은 끔찍한 가슴의 통증에 자신도 모르게 고통의 신음을 흘려야 했다. 차라리 죽여 버리면 속이 풀릴 것 같지만, 그런 생각만 해도 환백은 되레 자신이 죽을 것 같았다.

그래서 죽이지 못한다. 아니, 도저히 죽일 수가 없는 건 고사하고 또다시 상처 입히는 게 두려워 피하고 있는 것이다. 그런 자신을 돌아볼 때면 환백은 실소를 흘리면서도 이를 갈았다.

그럼에도 하루가 다르게 자라나는 상반되는 감정에 환백은 지칠 대로 지쳐 있었다. 차라리 이쯤에서 찾아가자고, 눈앞에 두고 가지라고.

죽을 것 같아도 상관하지 말고 자신을 뜨겁게 만드는 휘연을 안고 마음껏 갈증을 풀고 싶었다. 할 수만 있다면 그 여린 몸을 끌어안고 쉬고 싶었다.

생각이 거기까지 미치자 환백은 낮은 침음성을 흘리며 비척비척 일어나 집무실을 나섰다. 아직 훤한 대낮임에도 불구하고 환백은 더 이상 아무 생각도 할 수가 없었다.

오히려 한 번 마음먹고 나니 환백은 더 조급해져 발길을 빨리해 황후궁으로 향했다. 그런 환백을 뒤따르는 교령과 묵혼의 얼굴 위로 걱정이 묻어나고, 곧 나지막한 한숨 소리가 흘러나왔다.

"……오셨사옵니까."

환백의 갑작스러운 방문이라고는 하나 이미 황후궁에 들어온 순간 유한이 알려 준 덕분에 마음을 진정시켰음에도 휘연은 당황해 눈도 마주치지 못한 채 안절부절못했다.

안 그래도 혼란스러운 마음을 가누지 못하던 차에 환백이 찾아온 것이다. 그런 휘연을 보며 환백은 문 앞에서 꼼짝도 하지 않은 채 굳은 듯 서 있었다.

휘연을 본 순간 달려들고 싶은 반면에 자신을 반기지 않는 모습에서 속이 뒤틀리는 것 같아 환백은 필사적으로 심기를 가라앉히고자 옷자락 사이로 주먹을 끌어 쥐었다.

휘연으로서는 당연한 반응임에도 환백은 들끓는 마음을 가누지 못했다. 그렇게 짧다면 짧고 길다면 긴 대치가 끝나고, 환백이 성큼 다가서자 반대로 움찔거리며 물러나던 휘연이 곧 흘러나오는 차가운 말에 입술을 꾹 깨물었다.

"네놈도 쓸 만한 게 있더군. 벗어라. 오늘도 나를 만족시켜야지."

그러면서 입꼬리를 비틀어 올리는 환백을 올려다보며 휘연은 가만히 눈을 감았다가 뜨고 천천히 옷을 벗었다. 겹겹의 옷이 사라지고 마지막으로 면사까지 떼어 내자 그 모습을 지켜보는 환백의 표정이 더할 나위 없이 구겨졌다.

몸에서 미쳐서 날뛰는 열기에 온몸이 타오를 것 같으면서도 환백은 할 수만 있다면 휘연의 목을 조르고 싶다는 충동에 무섭게 빠져들고 있었기 때문이다. 그리고 어김없이 가슴의 통증을 호소하며 스스로를 조소한다.

환백은 미칠 것 같았다. 차라리 온전히 미쳐 버린다면 편

하겠건만. 이런 상황에도 정신을 잠식해 가는 충동을 억누를
수 있다는 것이 이제는 되레 신기하기만 했다. 이미 휘연에
한해서는 제어할 수 없다는 것을 알면서도 아무런 판단도 내
리지 못하는 것이다.

"……벗겨."

한마디 하는 것조차 힘겨운 듯 환백의 목소리가 낮게 갈라
져 흘러나왔다. 그러나 그런 걸 생각할 만큼 휘연도 정신없
기는 매한가지였다. 끔찍했던 그날을 온몸이 기억하고 있어
절로 떨리는 몸을 가누는 것도 힘에 부칠 지경이었다.

그렇다고 거부할 수도 없는 일. 휘연은 두려움으로 경직되
어 있음에도 애서 눈물을 삼키려는 듯 입술을 깨물고 떨리는
손을 움직여 환백의 옷을 벗겼다. 하나둘 옷가지가 바닥으로
떨어져 내리고 마침내 단단한 나신을 드러내자 휘연은 차마
볼 수 없다는 듯 눈을 질끈 감았다.

"네놈이 할 일은 알고 있겠지? 나를 만족시키려면 제대로
봉사부터 해."

어느새 침상에 걸터앉아 하는 말에 그제야 휘연이 눈을 뜨
고 바라보자 환백이 입가를 비틀며 앉은 그대로 다리를 벌렸
다. 그 사이로 이미 존재를 여실히 드러낸 거대한 양물에 휘
연은 순간 눈앞이 새하얗게 변하는 것만 같았다.

"뭐하는 거지? 싫은 거냐? 내게 봉사하자니 끔찍한가 보
군."

비꼬는 게 분명한 말에 휘연은 아무런 말도 하지 못했다.
지금 휘연은 휘청거리려는 몸과 암담하게 무너지는 마음을

동시에 붙잡는 것만으로도 버거웠기 때문이다. 그런 휘연의 침묵에 환백의 미간에 깊게 골이 파이고 목소리는 한층 더 살벌함을 띠고 흘러나왔다.

"네놈의 위치를 똑바로 알라고 했을 텐데?"

잔뜩 갈라져 독이 오른 듯한 목소리에 휘연이 휘청 떨리는 몸을 간신히 움직여 환백의 다리 사이로 무릎을 꿇었다. 그제야 만족한 웃음을 띠고 환백이 다시 짧게 명령했다.

"빨아."

애초부터 거부하지 못하는 것을. 휘연은 눈을 질끈 감고 떨리는 손을 들어 양물을 감싸며 그 끝부터 천천히 혀로 핥아 갔다. 그런 휘연의 얼굴 위로 고여 있던 눈물이 기어코 애처롭게 흘러내리고 있었다.

그 모습에 환백의 가슴 위로 날카로운 통증이 스치고 지나갔지만, 환백은 그보다 민감한 양물에 닿아 오는 뜨겁고 촉촉한 혀가 주는 쾌감에 더 빠져들었다. 서툰 움직임에도 상대가 휘연이기에 환백의 흥분은 빠르게 온몸을 점령해 가고 있었다.

"하아, 입 벌려."

더는 흥분을 참지 못하고 어눌하게 입을 벌리는 휘연의 입술을 가르고 거대한 양물이 꾸역꾸역 파고들었다. 그 바람에 입이 찢어질 듯 벌어지고 목젖을 건드릴 때는 구역질까지 치미는 통에 휘연은 괴로움에 힘겹게 헐떡였다.

그러나 그건 시작에 불과했다. 목구멍 안쪽까지 파고들고 얼굴 위로 거친 음모가 닿고야 찰나간 멈칫거린 것도 잠시,

환백의 입에서 만족한 신음이 흘러나오며 휘연의 머리채를 거칠게 휘어잡고 그대로 용서 없이 움직임을 시작했기 때문이다.

"우읍…… 욱!"

"하아…… 더……읏! 더 벌려."

입을 최대한 벌렸는데도 만족할 수 없다는 듯 더 깊게 파고드는 환백의 행동은 말로 다 할 수 없을 정도로 거칠었다. 잡힌 머리채는 뽑힐 듯 고통스러웠고 얼굴이 얼얼한 만큼 퍽퍽 부딪히며 파고들 때는 정신을 차릴 수가 없었다.

휘연은 눈을 감은 채 힘없이 흔들렸다. 괴로움에 끊임없이 흘러내리는 눈물 외에는 휘연은 아무런 의지조차 없는 모습이었다. 그렇게 거친 움직임이 계속되고, 어느 순간 깊숙이 파고들며 멈칫거린 환백이 몹시 흡족한 신음을 흘리며 그대로 정을 쏟아 냈다.

미처 흘러내릴 것도 없이 액을 삼킨 휘연이 자신을 괴롭히던 양물이 서서히 빠져나가고야 거친 숨을 토해 내며 힘겹게 고개를 들어 올렸다. 그런 휘연을 보는 환백의 표정이 복잡하게 일그러져 있었지만, 결코 자신의 들끓는 욕망을 멈추지는 않았다.

"마음에 안 들어. 똑바로 다시 해."

거짓이다. 고작 벗은 몸 하나에도 발정해 미치기 직전이면서도 환백은 짐짓 아무렇지도 않은 척 입을 열었다. 그에 휘연이 보기 드물게 얼굴을 일그러트리면서도 힘겹게 양물을 입안으로 머금었다.

그 모습을 내려다보며 환백은 입가를 끌어 올렸지만, 단단히 끌어 쥔 주먹은 펴질 줄을 몰랐다. 고통에 허덕이는 휘연이 신경 쓰이는 것이다. 그럼에도 환백은 멈출 생각이 없는 듯 휘연을 몰아붙였다.

숨도 제대로 쉬지 못하고 얼굴은 발갛게 달아올라 수치심에 뒤범벅되어 있으면서도 그런 감정을 표 내지 않으려는지, 그도 아니면 정신없이 봉사를 강요당한 탓인지 휘연은 환백이 명령하는 대로 움직였다. 조금의 거부도 없이.

그것이 오히려 환백을 자극하고 있다는 걸 모르는 채로 그렇게 휘연의 괴로운 시간은 이어졌고, 몇 번의 사정 끝에야 겨우 얼굴을 떼도록 허락받자 오랫동안 벌어진 입술을 다물지 못하고 뜨거운 김을 토해 냈다.

"하아……읏……."

"확실히 잘 어울리는군. 다시 한 번 말하지. 네놈의 위치를 똑똑히 기억해라. 앞으로도 너는 일절 거부할 수 없다."

냉정하게 몰아가는 말을 내뱉으면서도 환백의 몸은 뜨겁게 타올랐다. 낯 뜨거움과 스스로에 대한 수치감으로 달아오른 몸도 자극적이었다.

붉은 입술로 토해 내는 힘겨운 헐떡임이 역시 그러했다. 겉으로는 초연한 듯하며 휘연이 무척이나 노력하고 있음에도 그것을 감추지 못한다는 것에 환백은 만족한 것이다.

그래서 지체하지 않고 휘연을 침상 위로 눕히고 그 위로 올라 뜨거운 숨결을 토해 내는 붉은 입술에 입을 맞췄다. 목구멍 깊숙이 밀려오는 뜨겁고 질척한 혀에 휘연이 잠시 몸서리를 쳤지만, 환백은 봐줄 용의가 없는 듯 거칠게 휘저었다.

그와 동시에 불분명한 신음이 막힌 입안에서 흘러나오고 환백을 뜨겁게 만드는 작은 헐떡임이 쏟아져 나오고 있었다. 그것만으로도 환백은 조급함에 시달려야 했다.

감당할 수 없을 정도로 열기가 무섭게 타올랐다. 갈수록 더 거칠어지는 혀에 숨이 막혀 저도 모르게 본능처럼 버둥거리다 환백의 붉은 눈과 마주하자 곧 체념으로 바뀌며 눈을 감았다.

그런 휘연이 마음에 안 들었지만, 환백은 자신의 것을 품었던 붉은 입술과 혀를 마음껏 유린했다. 그러나 환백은 곧 심장을 옥죄는 통증과 그에 따른 격한 감정에 제어할 수 없는 화가 치밀었다.

이렇게 휘연을 탐하고 있다 보면 자신은 극한의 쾌감을 맛보면서도 무언가 채워지지 않는 허탈한 기분을 동시에 느끼는 것이다. 죽이고 싶으면서도 한편으로는 가지고 싶어 하듯이.

환백은 스스로도 자신을 구석까지 몰아가는 이해할 수 없는 집착에 좌절했다. 자신은 무엇을 원한단 말인가. 사람을 미치게 하는 이 요물 같은 몸이 아니었던가.

그것뿐이라면 열이 오른 몸과 쾌감에 빠진 몸은 앞으로도 교육시켜 만들거나 가질 수 있을지도 모른다. 그러나 그런 것과는 다른 것 같았다. 그게 정확하게 무엇인지는 모른다.

하지만 확실한 건 자신이 원하는 진정한 무언가가 허무하게 손가락 사이로 빠져나가는 기분이었다. 탐하고 또 탐하며, 깊숙이 입을 맞추며 빨아들이고 거세게 깨물어 버려도 해결되지 않는 것이다.

그게 무엇이든 어떤 경우에도 가질 수 없다고 경고하는 것만 같아 환백은 속이 뒤틀릴 대로 뒤틀렸다. 모자란 것이 훤히 보이는데도 채워지지 않은 허탈함이 그랬다.

"헉……하아……."

"요물. 하…… 네놈은 요물이다. 너 같은 건 죽여야 하는데…… 왜……."

왜 죽일 수 없는 것인가. 자신을 이토록 괴롭히는데. 자신의 계획에 하등의 쓸모도 없는 인간인데도 어째서, 어째서 죽이지 못하는 것인지. 환백은 몸이 열기에 미쳐 갈수록 정신은 더 또렷해지는 것 같아 머리까지 지끈거렸다.

이해할 수 없는 감정. 수치심에 붉게 물든 피부와 도발하는 붉은 입술, 눈물에 일렁이는 눈동자도, 사람을 극한까지 몰아가는 이 육체도, 이렇듯 자신이 원하는 대로 가지는데도 왜 극히 일부분인 껍데기를 끌어안고 있는 기분을 느끼는 것인지.

환백은 안고 있음에도 채워지지 않은 갈증에 낮은 신음을 삼키며 휘연을 내려다봤다. 붉게 물든 얼굴로 어쩔 줄 모르며 입술을 깨무는 모습에 다시 덮치듯 파고들며 머릿속을 어지럽히는 생각들을 몰아냈다.

지금은 즐기면 되는 것이다. 만족하지 못한다면 만족할 때까지. 과즙보다 더 달콤한 이 몸을 가진다면 곧 목마름도 사라질 것이다. 그리고 풀길 없는 화도 가라앉을 것 같아 환백은 다시 짐승처럼 휘연을 유린해 갔다.

"읏!"

가차 없이 휘연의 다리를 넓게 벌리자 대낮의 밝은 빛이 고스란히 비부를 비추고, 놀란 것인지 신음을 참으려 입술을 굳게 다무는 모습에 심술이 나 이젠 자국조차 남아 있지 않은 하얀 목덜미를 콰직 깨물었다.

짧은 비명과 함께 흘러나오는 핏물을 샅샅이 핥으며 또다시 자신의 흔적들로 채워 나간다. 부드러운 살결 위로 붉은 자국들이 늘어나고, 작은 돌기를 덥석 물었을 때는 휘연의 입에서 지금과는 다른 신음이 터져 나오고 있었다.

"흐윽……."

작은 신음에도 그것이 고통이 아닌 흥분을 나타내는 걸 알고 찰나간 멈칫거린 환백의 차갑던 얼굴이 미세하게 풀어졌다. 그와 동시에 입안의 돌기를 집요하게 괴롭히기 시작했다.

부드럽게 혀끝으로 굴리다가도 잘근잘근 씹기도 하며, 양쪽 돌기를 번갈아 가며 게걸스럽게 탐하던 환백이 작은 돌기가 퉁퉁 부어올랐을 때야 흡족한 듯 천천히 입술을 내렸다.

배꼽에 한참이나 머무르던 혀가 가늘고 부드러운 음모에 닿자 주저하던 것도 잠시, 구석구석으로 혀를 미끄러뜨렸다.

"거, 거긴…… 윽!"

생각지도 못한 곳에서 환백의 혀가 스스럼없이 움직이자 당황스러움에 그것을 거부하듯 다리를 자꾸만 오므렸다. 그러나 그런 작은 반항도 다시 거칠게 다리를 벌리는 환백의 행동에 이내 힘을 풀었다.

혀끝이 음모와 허벅지 안쪽까지 움직이며 자국을 새길 때마다 휘연이 움찔움찔 몸을 떨자, 그때마다 휘연의 반응을 살피다가도 또다시 그것을 신경 쓰여 하는 자기 자신에 환백은 실소를 흘리며 분노했다.

자신은 즐기면 되는 것이다. 단순히 자신의 만족을 위한 일에 왜 휘연의 반응을 궁금해하는지. 울컥 치밀어 오르는 짜증에 진정 휘저어 놓고 망쳐 놓고 싶었지만, 그럴수록 떠오르는 그때의 일에 환백은 망설일 수밖에 없었다.

그 뚜렷한 연유도 모르면서, 환백은 찢어발기는 고통 대신 휘연의 흥분에 겨운 신음 소리를 듣고 싶었다. 그것에 화가 나지 않은 것은 아니지만 단순히 생각하기로 한 것이다.

영원히 잃는 것보다는 두고두고 괴롭히면 된다고. 휘연에게 다정해지고 싶을 때마다 환백은 스스로를 강하게 나무라며 낯선 쾌감에 어찌할 바를 몰라 부들부들 떠는 휘연의 다리를 있는 힘껏 벌렸다.

밝은 빛 아래 휘연의 수치를 자극하고 부끄러운 비부를 들여다보았다. 움찔거리며 살짝 열렸다가 굳게 닫히는 모습에 환백의 숨이 거칠어지고, 손가락을 휘연의 입안에 넣고 몇 번 휘저어 빼낸 후 단번에 비부 안으로 밀어 넣었다.

자신도 모르게 고통에 도망치려고 버둥거리는 휘연을 간단하게 제압하고 빠르게 비부를 넓혀 갔다. 지난번처럼 피를 보는 대신 집요할 정도로 파고들며 손가락을 늘려 갔다.

체액과 타액으로 찐득찐득해지는 비부와 일그러지는 휘연

의 표정을 살필수록 환백은 점점 더 조급해지는 마음을 필사적으로 억누르며 손가락을 깊숙이 찔러 넣을 때였다.

"하앗!"

지금까지와는 확연히 다른 신음이 터져 나왔다. 억누르지도 않고 고스란히 터트리는 그 소리에 정작 소리를 지른 휘연도, 믿을 수 없다는 듯 살짝 눈을 크게 뜬 환백도 그대로 굳어 버렸다.

사내 또한 느끼는 부분이 있다는 걸 두 사람이 알 리가 없었기 때문이다. 그렇게 찰나간 혼란과 충격에 멍하니 굳어 있던 환백이 휘연의 표정을 세심히 살피며 다시 한 번 손가락을 깊숙이 밀어 넣었다.

그리고 어김없이 간드러진 신음이 흐르고, 내벽이 뜨겁게 긴장해 달라붙는 감각에 환백이 손가락을 거칠게 빼내고 다급하게 자신의 양물을 밀어 넣기 시작했다.

"아흐윽……!"

"으윽!"

양 발목을 잡아 한껏 벌리고 단번에 파고드는 거대한 양물에 휘연이 자지러지는 비명을 내질렀다. 그에 반해 환백은 아프도록 조여 오는 내벽에 만족한 신음을 흘리며 미처 호흡도 가다듬기 전에 빠져나오고 다시 깊숙이 파고들었다.

휘연이 느꼈던 그 지점을 향해. 처음부터 거침없이 몰아가는 환백의 움직임에 창백하지만 아름다운 휘연이 꽃봉오리가 만개하듯이 활짝 피어나며 흐드러진다. 그런 휘연을 내려다보는 환백의 표정은 더 이상 차갑지 않았다.

다른 생각을 할 여유가 없었기 때문이다. 휘연의 입에서 계속해서 흘러나오는 간드러진 신음은 환백의 귀를 만족시키며 심장을 울렸고, 달콤한 육체가 주는 쾌감은 복잡했던 머릿속을 새하얗게 만들었다.

온몸의 세포 하나하나가 쾌락의 범람으로 일제히 들끓었다. 이대로 미쳐도 좋을 만큼. 강제로 찢어발겼던 지난번보다 더한 쾌감에 환백이 거침없이 몸을 움직일 때, 휘연이 과한 쾌감을 견디지 못하고 팔을 들어 환백의 목을 끌어안았다.

"너…… 으읏……."

휘연 스스로 자신을 안았다는 사실에 환백은 두 눈을 휘둥그레 떴다. 그 바람에 멈췄던 움직임이 휘연이 정신을 차리고 팔을 빼내려 하자 다시 미간을 찌푸리며 그대로 밀어붙였다.

더더욱 매달려 오게. 자신이 아니면 아무것도 하지 못하게. 자신을 밀어 넣고 새기면 새길수록 점점 더 심해지는 갈증에, 채워질 듯 말 듯 안타까운 마음에 환백은 새까맣게 애가 탔다.

그러다가도 어느새 허리를 두 다리가 감아 오고, 여린 두 팔이 목을 끌어안으며 품 안으로 파고들듯 안겨 오자 언제 그랬느냐는 듯 환백은 만족한 신음을 흘렸다.

좋았다. 이대로 미쳐도 좋을 만큼. 가냘픈 팔로 힘겹게 안아 오는 이 느낌이 좋았고, 끌어안은 작은 몸이 주는 극한의 쾌감이 미치도록 좋았다.

할 수만 있다면 이대로 언제까지고 품에 안고 있고 싶을 정도로 환백은 지금 이 순간이 더할 나위 없이 만족스러웠다. 지금만큼은 심장의 통증도 사라지고 허탈했던 기분도 사라졌기 때문이다.

그렇게 정신적으로나 육체적으로나 모두 만족을 느끼며 환백은 끊임없이 휘연을 탐하고 또 탐했다. 마치 허기진 배를 채우려는 듯이. 오늘이 아니면 사라질 꿈이라는 듯이.

환백은 또다시 휘연이 몇 번의 혼절을 반복하는 동안에도 멈추지 않았다. 결국, 정무까지 내팽개치고 몇 시진이 훌쩍 지나갔을 때야 비로소 지친 듯 멈추고, 그대로 휘연을 끌어안은 채 잠에 빠져드는 환백의 얼굴에 지금껏 단 한 번도 보이지 않았던 편안한 미소가 자리하고 있었다.

❖

어느새 날이 저물고, 처음으로 편안한 휴식 같은 단잠에서 깨어난 환백은 나른하게 미소를 짓다가 이내 자신의 옆에서 잠들어 있는 휘연을 돌아보고는 작게 혀를 찼다.

이미 어둑해져 달빛에 의지한 침실 안인데도 휘연의 얼굴색이 영 좋지 않았기 때문이다. 하얗게 질린 그 얼굴을 보자 한숨만 터져 나왔다.

그와 동시에 정무까지 내팽개치고 몇 시진을 안은 사실을 떠올리고 환백은 자신도 모르게 미간을 찌푸리며 손을 뻗어 흑단 같은 머릿결을 쓸어 넘겼다.

그 부드러운 손길에도 휘연의 입에서 나지막한 앓는 소리가 흘러나왔다. 환백은 마음이 착잡해졌다. 처음 만났던 그 순간부터 환백은 자신조차 이해하지 못할 정도로 뒤틀린 감정을 주체하지 못했다.

처음에는 그저 사내라는 이유만으로도 치가 떨렸고, 그 이후로는 하등의 쓸모없는 휘연의 존재 자체가 거슬렸다. 이용할 수 있는 세력이 있는 것도 아니고 후사를 볼 수 있는 것도 아니다.

긴히 쓸데라고는 쾌락을 선사하는 육체가 전부였다. 그러나 자신의 성정을 너무도 잘 알고 있었던 환백은 결코 휘연을 안을 생각은 하지 못했다.

오히려 그 생각만으로도 역겹다고 치를 떨었던 자신이 아닌가. 마주하는 것만으로도 짜증과 동시에 살기까지 치밀었다.

제아무리 목숨이 연결된 반려라 해도 그런 건 머릿속에 떠오르지 않을 정도로 자신은 휘연에게 악감정을 품었었다. 그런데 어느 순간 상황이 변했다.

마치 머릿속 한구석에 단단히 박힌 것처럼 거슬리고 짜증이 치미는 와중에도 신경이 쓰였기 때문이다. 그러다 얼굴을 봤을 때 그 충격은 말로 다하지 못했었다.

그건 결코 아름다운 외모 때문만은 아니었다. 그 이유가 정확하게 무엇인지도 모르는 채 난생처음 신경이 오싹할 정도로 도발당해 버렸다.

그것이 단순한 욕구라고 치부하면서도 자신은 조금의 거

부감도 없이 이끌리듯 휘연을 안았다. 잔인한 고통을 새기면서 강제로 가지고 만족했다.

분명 자신은 돌이켜 보면 황당할 정도로 만족했었다. 그러나 그 만족 이면에 뒤따르는 혼란과 가슴을 휘젓는 고통은 휘연을 상처 입히는 것만큼 자신 또한 상처 입는다는 걸 알아야 했다.

그리고 자신은 어찌했는가. 두려워서 피했다. 또다시 상처 입힐 것이 두려웠고, 그 상처로 인해 휘연을 영원히 잃을 것을 무서워했다.

조금만 신경에 거슬리면 반드시 죽이겠다고 언제나 날을 곤두세우고 있었던 자신이 낯선 감정 둘 곳을 찾지 못하고 전전긍긍한 것이다.

하루 종일 머릿속을 잠식해 가는 혼란에 치를 떨면서도 결국은 견디지 못하고 다시 찾았다. 또다시 상처 입히고 그 이상으로 자신도 상처 입어가면서도 환백은 갈증에 허덕이며 정신을 차리지 못하고 빠져들었었다.

"처음에는 이렇지 않았는데."

왜 이렇게 된 것인가. 환백은 어쩐지 혼란스러운 마음이 더 복잡하게 얽힌 듯했다. 그런 환백의 목소리는 힘 하나 들어가지 않아 낮게 가라앉아 있었다.

"나는 네가 싫다. 끔찍해…… 죽이고 싶은데……."

그리하지 못한다. 이제는 죽인다고 생각만 해도 생소한 고통에 심장이 아릿하게 울린다. 그렇다고 비정상적인 악감정이 사라진 것도 아니었다. 여전히 휘연만 생각하면 화가 나고 살기가 치솟기 때문이다.

도대체 이것을 무어라 한단 말인가. 지금껏 느껴보지 못했던 낯설기만 한 감정들이 조금씩 가슴 깊숙한 곳에서부터 스스로도 통제하지 못하고 배어 나오는 것 같았다.

죽이고 싶은데 그보다 더 갖고 싶고, 화가 치밀다가도 여린 팔이 안아 주는 작은 움직임에도 자신은 더할 나위 없이 만족의 탄성을 내질렀다. 단순히 가지고 싶었던 게 아니었던가.

가지는 걸로 충분하다고 자만하고 유린하다시피 가졌는데도 갈증은 계속해서 더해 간다. 모두 가졌는데도, 머리카락 한 올까지도 가졌는데도 자신은 더 구하고 있다.

보잘것없고 자신의 이익에 아무런 도움도 되지 않는 쓸모없는 존재가 분명함에도 환백은 더 이상 휘연을 배척할 수만은 없었다.

그 사실에 환백은 치가 떨렸으나 혼란스러운 마음을 정리하기 위해서라도 인정할 건 인정해야 했다. 언제 어느 때고 냉철함을 유지했던 자신이 단 한 사람에게는 속수무책으로 무너지는 것이다.

끔찍하게 싫은데도 그 손길을 원하고, 상처 입히면서도 안타까움에 손을 뻗어 안아 주고 싶은 기분이 그랬다. 이런 상황에 무엇을 할 수 있단 말인가.

환백은 난생처음으로 패배감마저 느끼고 있었다. 무시했던 상대이기에 더할 것은 자명한 일이라고는 하나 자신이 무언가를 느끼는 건 휘연 단 한 사람이었다.

지독한 갈증과 처음 느껴보는 패배감도, 모난 자존심과 강제로라도 자신의 앞에 꿇려 엎드리게 만들고 싶은 비틀린 욕망까지. 결코, 다른 이에게는 단 한 번도 느끼지 못했던 감정들이었다.

'……감정이라."

너무도 생경한 말이다. 어릴 때부터 흔들림 없는 목표를 세우고 오로지 그것만을 보고 성장해 왔다. 그 외에는 아무 의미도 없었다. 단지 자신을 제외한 모든 것은 이용물에 지나지 않은 것이다.

그런 자신이 정상이라고는 생각하지 않는다. 분명히 자신은 어딘가 잘못되었다. 그건 자신 또한 익히 알고 있는 사실이었다. 하지만 그렇다고 고칠 의향은 없었다.

자신은 그렇게 자라 왔고, 결여된 부분이 삭막한 환경에서 오히려 자신을 지탱해 주고 있었기 때문이다. 그렇지 않았다면 지금껏 자신이 살아남을 수 있었겠는가. 아닐 것이다.

하루에도 몇 번씩 이어지는 암살에 어디 한군데 의지할 곳 없이 자신은 버텨야 했고, 그 고통이 지속될수록 자신은 인간으로서 모든 것을 잃어 갔다.

그건 지극히 당연하였으며 지금에 와서는 그에 따른 감각조차 사라졌다. 그런 자신이 낯선 감정에 이리저리 휩쓸리며 허덕이는 것이다.

밉고 화가 나고 끔찍하다가도 그보다 더 안타깝고 불안하고 문득문득 가슴 한쪽이 저린 것처럼. 갖고 싶어 가졌는데도 갈증에 목말라 한다.

분명히 원하는 대로 손에 넣었는데도 어딘가 텅 빈 느낌을 지울 수가 없다. 자꾸만 손안에서 빠져나가 사라져 버릴 것 같이. 불안하고 초조함에 마음이 새까맣게 타들어 가는 기분 이다.

왜 이리도 불안한 것인지. 설사 평생을 함께하더라도 자신 이 끝내 가질 수 있는 것은 휘연의 모든 것이 아니라 극히 일 부분인 껍데기에 불과한 것 같아 그것은 자신에게 만족감이 아니라 깊은 상실감을 더해 주기 때문이다.

가지면 가질수록 가슴 한쪽이 텅 비어 가는 기분이 그랬 다. 그러면서도 그것마저 놓치는 것이 두려워 매달리는 모습 이라니.

문득 환백은 기가 막혔다. 이런 생각을 하는 자체가 우습 지 않은가. 죽인다고 설칠 때는 언제고 이제는 온전히 가질 수 없는 것이 불안해한다.

황당한 마음에 실소를 흘리면서도 환백은 확실히 알 수 있 었다. 이 감정의 정체가 무엇이든 처음과는 다르다는 것을. 이미 돌이키기에는 늦었다는 것도.

뚜렷한 감정의 실체는 알지 못하나 상황이 변한 만큼 자신 의 혼란도 더 커졌지만 환백은 더 이상 부정하고 싶은 마음 은 없었다.

"너를…… 어찌해야 할까."

죽일 수는 없다. 이미 죽이기에는 늦어 버렸다. 자신도 의 식하지 못한 사이에 휘연의 존재는 가슴 깊이 박혀 버렸다. 설사 그것이 이물질에 지나지 않는다고 해도 이제 와서 손을 놓는다는 것은 생각도 하기 싫은 일이다.

그렇다고 이런 말도 안 되는 감정에 휘둘리는 것은 더더욱 싫다. 지금은 낯선 감정에 갈피를 못 잡고 있었지만, 언젠가는 확실한 결단을 내릴 것이다. 적어도 그때까지는 마음껏 가지면 되는 것이다.

"그때까지만 내 곁에 있어. 너는 그러면 돼."

조심스럽게 휘연의 얼굴을 쓰다듬으며 낮게 중얼거리는 환백의 표정이 미미하게 일그러졌다. 눈을 감은 창백한 얼굴이 답답해 억지로 흔들어 깨워서라도 깨끗한 눈동자가 자신을 보는 걸 확인하고 싶었다.

그러다가도 막상 눈을 마주한다면 또다시 격한 감정에 사로잡힐지도 몰라 환백은 망설여졌다. 그러나 그걸 감수하고라도 휘연의 눈을 마주하고 싶은 기분. 환백은 자신의 품에 얌전히 안겨 있는 휘연을 내려다보며 나지막이 한숨을 내쉬었다.

"하아, 요물이다, 너는……."

휘연은 잠결에 닿아 오는 차가운 손에 살포시 미간을 찌푸렸다. 그 손이 뺨을 스치고 머리카락을 쓰다듬는다. 살짝 어깨를 스치는 손의 움직임이 조심스러워 휘연은 누군지 확인하고자 눈을 뜨려 해도 눈을 뜰 수가 없었다.

그 손길은 몹시도 조심스럽고 다정해서 눈물이 날 정도인데도 이상하리만치 몸은 천근만근 무거웠기 때문이다. 그런 휘연의 몽롱한 의식 사이로 뚜렷하지 않은 목소리가 드문드문 들려왔다.

귓가에 스치듯 작게 읊조리는 낮은 목소리. 왜인지 힘 하나 들어가지 않는 그 목소리에 휘연은 가슴 위에 묵직한 돌덩이라도 얹은 듯 안타까웠다.

왜인지도 모르면서 휘연은 몽롱한 의식 사이로 마치 아득한 꿈을 꾸는 기분에 빠져들었다. 깊은 물속에 빠진 채 한없이 가라앉는 꿈. 그러나 그건 악몽은 아니었다.

물속은 더없이 편하고 고요했으며 오히려 그 고요함이 휘연의 불안정한 마음을 차분하게 한 것이다. 비록 그게 한낱 꿈에 지나지 않는다고 해도 현실에서 지친 휘연은 그렇게라도 깨어나기를 거부했다.

하지만 그것도 잠시, 안락함에 빠져 달게 자고 있던 휘연은 자꾸만 와 닿는 뜨거운 숨결을 느끼고 서서히 깨어나는 중에 무의식적으로 호협을 불렀다. 자신의 뺨을 감싸고 있는 손이 너무 생생했기 때문이다.

"……아……버님."

그렇게도 그리워하던 호협이 자신의 옆에서 상처를 달래 주고 있는 것 같은 기분이 들었다. 그래서 웃으며 자신의 뺨을 쥔 손을 잡아 보았다.

이게 꿈이라는 사실을 알면서도 잡아 보고 싶다는 유혹을 떨칠 수가 없었다. 현실에서 마주할 수 없다면 꿈에서라도 호협에게 위로받고 싶었던 것이다.

무거운 팔을 들어 뺨을 감싼 손을 쥐자 그 손이 흠칫 떨린다. 그와 동시에 바로 위에서 들려오는 음성에 휘연은 아득하니 가라앉았던 정신이 화들짝 깨어났다.

"아직 어리군."

눈을 번쩍 뜨고 앞을 바라보자 자신의 옆에 환백이 비스듬히 누워 있었다. 벗은 몸 그대로 밀착해 손으로 자신의 뺨을 만지고 있는 환백의 붉은 눈을 보는 순간, 휘연은 재빨리 손을 뿌리치고 벌떡 자리에서 일어났다.

"흐윽!"

몸을 일으킨 순간 허리부터 뒷목까지 한 번에 강타하는 지독한 통증에 휘연은 짧은 비명을 지르며 식은땀을 흘리고 있었다. 그 모습에 갑자기 내동댕이쳐진 자신의 손을 씁쓸하게 바라보던 환백이 작게 혀를 차며 강경하게 말했다.

"다시 누워라."

강제로 눕히는 환백의 손에 휘연은 다시 침상에 반듯하게 누워 잦아드는 고통에 눈을 감았다가 떴다. 그런 휘연의 표정이 묘하게 굳어 있었다.

불편한 환백의 옆에서 나란히 누워 있다는 건 휘연에게 이만저만 고역이 아니기 때문이다. 무엇보다 지난 정사를 떠올리자 순간 휘연의 얼굴이 창백하게 질렸다가 이내 더할 나위 없이 붉게 물들었다.

처음 관계를 맺었을 때 같은 고통이 아닌 상상도 못 했던 쾌감을 느꼈다는 사실에 당황스러운 것이다. 차라리 고통뿐이라면 오히려 의식이라도 하지 않을 것을.

어찌 사내가 여인들이나 홀릴 법한 신음을 내지르며 스스로 매달릴 수가 있었는지, 휘연은 그 상황이 선명하게 떠오를수록 머릿속은 아득해져만 갔다.

"뭘 생각하는 거지?"

갑작스러운 환백의 물음에 흠칫하던 휘연이 이내 아무것도 아니라는 듯 쓸쓸하게 웃었다. 그러다 문득 어둑해졌다는 사실에 휘연이 화들짝 놀라 다시 자리에서 일어나려 하자 환백이 가볍게 내리눌렀다.

"……폐하, 정무는 어찌하셨사옵니까?"

어렵사리 꺼내는 휘연의 물음에 환백은 미간을 구겼다. 자신이 돌아갔으면 하는 바람을 담아 하는 말로 들린 것이다. 그래서인지 환백은 기분이 상했다.

"내 일에 간섭하지 마라. 나는 앞으로도 너를 안고 싶을 때마다 안을 것이다. 너는 할 도리만 다하면 돼. 어차피 네가 가진 건 이 몸뚱아리밖에 없지."

또다시 상처를 헤집는 말을 하면서도 환백의 행동은 지극히 부드러웠다. 휘연의 부드러운 머릿결의 향을 맡으며 망설임 없이 입을 맞췄다. 그런 환백의 행동에 휘연은 어떻게 반응해야 할지 몰라 난감한 얼굴로 눈을 감고 있었다.

"특별한 일이 없는 이상은 잠은 이곳에서 잘 것이다. 그리 알고 준비하고 있어라."

휘연에게는 청천벽력 같은 말을 태연하게 하면서도 환백은 다시 한 번 휘연의 머릿결에 입술을 묻었다. 그러고는 천천히 입술을 내려 이마 위로, 콧등으로, 붉게 부풀어 오른 입술까지 차례대로 입을 맞춘다.

마치 진짜 연인에게 하듯 다정한 인사를 남긴 환백이 조용히 침상에서 일어나 의복을 갖춰 입었다. 그 모습에 휘연이

일어나 도우려고 하자 짧게 누워 있어라, 말하고 어느새 말
끔하게 옷을 입고야 문을 향해 걸어갔다.

그런 환백의 뒷모습을 바라보던 휘연은 문이 닫히는 소리
와 함께 긴장했던 몸이 풀리며 다시 가물가물한 의식을 놓고
잠에 빠져들고 있었다. 갑작스러운 환백의 변화를 제대로 느
끼지 못할 만큼 휘연은 온몸이 무겁고 노곤했다.

더 이상 눈을 뜨고 생각을 이어 갈 만큼 버틸 기운도 없었
던 것이다. 그렇게 휘연이 다시 정신을 잃다시피 잠에 빠져
있을 때, 환백은 오늘 하루 밀린 정무를 보면서도 나쁘지 않
은 듯 간간이 미소를 드러내고 있었다.

언제부터인가 황궁 안에 쉬쉬하며 조심스러운 소문 하나
가 퍼지고 있었다. 침수만큼은 본궁 가장 깊숙한 곳인 자신
의 침전에서 했던 황제가 늦은 밤이면 황후궁을 찾아 새벽녘
에나 조용히 빠져나온다는 소문이었다.

그 소문이 퍼지기 시작한 지는 고작 사흘에 지나지 않았
지만, 실상은 일주일 전부터 있는 일이었다. 일주일 전 자신이
했던 말대로 환백은 하루도 빠짐없이 휘연을 찾았고, 몇 번
이고 자신이 만족할 때까지 욕정을 풀었다.

그러고는 어김없이 새벽이면 조용히 황후궁을 떠났다. 그
런 날이 계속될수록 극과 극을 달리던 두 사람 사이에도 미
미한 변화가 일어나고 있었다. 그러나 그 변화는 지극히 미

미해 두 사람의 측근 외에는 아무도 알아차리지 못했다.

정작 변화를 일으키는 당사자인 환백조차 의식하지 못하고 있었기 때문이다. 마치 하루 종일 심통맞은 어린아이가 따뜻한 어머니의 품을 찾아들듯. 환백은 하루 종일 냉철함을 유지하다가도 휘연을 찾을 때면 자신도 모르게 풀어졌다.

굳은 얼굴이 풀리고 날카로웠던 신경이 느슨해지며 불같이 들끓던 화기가 거짓말처럼 사라진 것이다. 그런 변화에 측근들이 쌍수 들고 환영하는 분위기라면 휘연은 오히려 하루하루 시일이 흐를수록 초조함에 착잡해졌다.

천살의 살기가 온전한 제 모습을 갖춘 이때에 그와 상극인 자신이 무탈한 생활을 이어 갈 거라고는 애초에 생각지도 않은 탓이다. 도리어 지금의 변화 또한 일종의 변덕에 지나지 않는다는 것을 휘연 자신만큼은 너무도 잘 알고 있었다.

모진 운명의 굴레 속에서 마음 한 조각조차 의지로 가누지 못하고 속수무책으로 끌려가야만 하는 것이다. 이런 상황에 자신이 무엇을 할 수 있단 말인가. 운명이라는 거대한 굴레 앞에 휘연이 할 수 있는 건 아무것도 없었다.

그래서 더 야속하기까지 했다. 차라리 모른다면 순응하고, 혹시나 하는 염원을 품을 수도 있다지만, 알면서도 끌려갈 수밖에 없는 운명에 이끌리듯 은애하는 감정이 커갈수록 그 마지막이 비참할 거라는 건 불 보듯 뻔한 것이다.

그 사실을 알기에 휘연은 하루에도 몇 번이고 거부하다가도 순응하고, 야속한 마음을 품다가도 모든 것을 포기해 버렸다. 어차피 자신의 의지로 막아설 수 없다면 휘연이 선택할 수 있는 건 오직 하나뿐이기 때문이다.

훗날 모든 실타래를 풀었을 때 조금이라도 덜 상처받기 위해 마음을 견고히 하는 것이다. 그렇게 휘연은 그 어떤 희망도 없이 모든 것을 포기하고 마음을 닫아 갈 수밖에 없었다. 그것만이 휘연이 할 수 있는 전부였다.

"후우……."

어두운 밤 창밖을 통해 오랫동안 하늘만 올려다보던 휘연은 결국 나지막이 한숨을 내쉬며 고개를 돌렸다. 천살의 살기가 빛을 발할수록 천기 또한 혼탁해 아무것도 읽을 수가 없었기 때문이다.

"두 사람은 잠시 나가 있어라. 내 잠시 유한과 할 말이 있다."

"예, 마마."

아소와 무영이 자리를 뜨고 조용히 문이 닫히자 유한이 모습을 드러내며 휘연 앞에 한쪽 무릎을 굽히고 명을 기다렸다. 그런 유한을 내려다보며 휘연은 잠시 망설이는 듯하다가 이내 마음을 먹은 듯 차분하게 말문을 열었다.

"유한, 오해 없이 들어주세요. 승상 측에서 정한 날짜가 얼마나 남았습니까?"

"예? 그, 그걸 왜……."

뜻밖의 말에 유한은 보기 드물게 두 눈을 휘둥그레 뜨고 휘연을 올려다봤다. 지금껏 그런 것에는 관심도 없었고 개입할 여지조차 없었던 휘연이 지금 비밀리에 벌어지고 있는 일을 어찌 알고 있단 말인가.

설사 돌아가는 상황이 뻔하다고 해도 단도직입적인 물음에서 휘연이 생각보다 더 많은 것을 알고 있는 느낌을 받은 것이다. 그래서인지 유한이 쉽사리 말을 잇지 못하고 당황하자 휘연이 나지막이 한숨을 내쉬고 다시 말을 이었다.

"유한은 알고 있을 것입니다. 아마도 그 날짜 또한 가까운 시일이겠지요."

"마마, 어찌 그걸 물으십니까?"

불경인 줄 알면서도 당황함을 지우지 못하고 되묻는 유한을 보며 휘연은 씁쓸하게 웃으면서도 망설이지 않고 답했다.

"자렴황비를 살리고자 합니다. 아니, 반드시 살려야 합니다."

"그게 무슨……."

말도 안 되는 일이다. 승상은 환백에게 최대의 적이 아닌가. 승상 하나를 상대하고자 환백은 어릴 때부터 오랜 세월을 준비했다. 군사를 키우고 자신이 속한 암영제와 묵가를 끌어들여 휘하에 두었다.

어린 나이라고는 생각지도 못할 만큼 치밀하게 자신을 감추고 비상하리만치 완벽하게 계획을 세워 나가, 이제야 비로소 그 목표를 이룰 수 있게 된 것이다. 그런데 다른 누구도 아닌 정적인 유창운의 손녀를 살린단 말인가?

"마마, 아니 될 말씀이십니다. 왜 그러한지는 마마께서도 아시지 않사옵니까?"

"예. 알고 있습니다."

유한은 답답했다. 알면서도 그런 말을 하는 의도가 무엇이란 말인가. 이건 결코 간단한 문제가 아니었다. 유창운의 구족을 멸해야 하는 환백이 그 손녀인 유자운을 황비라 해서 살려 줄 이유가 없는 것이다.

무엇보다 현재 유자운이 환백에게 독을 사용하고 있지 않은가. 그것 하나만으로도 죽음을 면치 못할 상황에 휘연이 나서 유자운을 살리고자 한다면, 지금에야 겨우 변해 가는 환백의 뒤틀린 화가 다시 휘연에게 향할 것은 자명한 일이기 때문이다.

"마마, 만약 주군께서 아시면 그냥 넘어가시지 않을 것이옵니다. 마마께서도 아시지 않사옵니까? 부디 그 말씀은 거두어 주십시오."

답답하고 안타까운 마음을 숨기지 않고 애원하듯 말하는 유한을 보며 휘연은 고개를 내저었다. 그런 휘연의 부드러운 표정 안에 드러나는 완강한 고집에 유한은 억장이라도 무너진 듯 눈을 질끈 감았다.

"왜, 왜 고통을 자처하시는 것이옵니까? 이번에는 무사하지 못할 것입니다."

지금이야 환백이 부드러워졌다고는 해도 기본 성정이 변하지 않은 이상은 어떤 결과를 가져올지 모를 일이었다. 하물며 의지할 곳 하나 없는 휘연이 아닌가. 황후라는 직책 또한 지금의 휘연에게는 아무런 보호막이 되지 못하기 때문이다.

"그렇겠지요. 그러나 이 또한 폐하와 수나라를 위하는 일인 것을 어찌하겠습니까."

"그게 무슨 말씀이십니까?"

환백의 뜻에 반하고자 하는 것이 아니었다. 유한의 말대로 유자운을 살리기 위해서는 휘연 자신이 희생해야 할 것이다. 그 사실에 휘연 또한 두려웠다.

그럼에도 해야만 한다. 유자운이 회임한 게 확실하고, 그걸 예지로 알게 한 것에는 천제의 뜻이 포함되어 있을 것은 자명한 일.

막아설 수도 없고 막아서도 안 된다는 것을 알면서도 막아서야 한다니, 이 얼마나 모순적인 운명이란 말인지. 휘연은 씁쓸하게 웃으며 한숨을 내쉬었다.

"후우, 훗날 알게 될 것입니다. 그러니 말씀해 주세요. 그날이 언제입니까?"

"꼭 그리하셔야 합니까?"

"예. 반드시 자렴황비는 살려야 합니다."

단호하게 답하는 휘연을 올려다보며 유한은 낮은 한숨을 내쉬고 한참을 머뭇거린 끝에야 말문을 열었다.

"칠 일 후입니다. 승상을 선두로 그 일파가 이끈 군사들이 황궁으로 들이닥칠 것입니다."

"이레라."

생각보다 더 빠르다는 생각에 씁쓸하게 중얼거리다가 착잡하게 일그러진 유한을 내려다보며 쓴웃음을 지었다.

"유한, 괜찮을 것입니다. 걱정하지 마세요."

어찌 걱정을 하지 말라는 것인지. 유한은 답답하고 안타까운 마음에 더 이상은 뭐라 하지도 못하고 고개를 숙여 버렸다. 훗날 알게 될 것이라 했지만, 그런 건 유한에게 중요하지 않았다. 지금 유한은 휘연을 지키지 못할 것이 두려운 것이다.

"마마, 주군께서 오십니다."

유한의 말에 휘연이 살포시 얼굴이 굳어진 채로 시선을 돌리며 나지막이 한숨을 내쉬었다. 평소 모두가 잠든 늦은 밤에나 오던 환백이 이른 저녁에 오는 것에 긴장한 것이다. 그러나 이내 표정을 갈무리하며 휘연은 망설임 없이 들어서는 환백을 조용히 맞이했다.

"오셨사옵니까, 폐하."

무표정하게 자신을 올려다보는 휘연을 힐끔거리며 환백은 성큼 걸음을 옮겨 탁자 앞에 자리해 앉았다. 그런 환백을 따라 내관들이 줄지어 들어와 탁자 위에 갖가지 화려한 요리들 올려놓았다.

"뭘 보고 있는 거지? 앉아라."

짐짓 퉁명스러운 말투에 휘연이 의문을 접고 자리에 앉자 환백이 작게 헛기침을 하며 젓가락을 휘연의 앞에 내밀었다. 그에 당황한 휘연이 두 눈을 휘둥그레 뜨자 환백이 살포시 미간을 찌푸리며 투덜거렸다.

"말라서 볼품없는 데다 너를 안을 때마다 뼈가 부딪히니 제대로 먹고 살이나 찌우라는 말이다."

"……하오나 너무 많사옵니다."

"멍청하기는! 누가 다 먹으라더냐? 알아서 먹어라."

짜증이 치민다는 듯 버럭 소리를 지른 것과는 달리, 휘연이 살짝 고개를 숙이고 나지막이 한숨을 내쉬자 환백의 커다란 몸이 미세하게 움찔거렸다.

그런 자신의 반응에 기분이 확 나빠진 환백이 미간을 구긴 것도 잠시, 조용히 소리 없이 먹기 시작하는 휘연을 보며 어느새 입가를 느슨하게 풀고 젓가락을 들었다.

그렇게 한동안 두 사람 사이에는 침묵만이 맴돌았지만, 그럼에도 분위기는 무겁기보다는 묘하게 흘러가고 있었다.

식사를 하는 와중에도 휘연이 고기 종류는 입에도 대지 않고 눈앞에 나물찬만을 찾는 것을 보고 환백이 은근슬쩍 고기를 휘연 앞에 내밀며 이것저것 챙긴 것이다.

그럴 때마다 휘연은 씁쓸하면서도 안도감이 묘하게 교차하였다. 자신이 그렇듯이 환백 또한 의지와 상관없이 이끌린다는 것을 알면서도 이 상황이 싫지만은 않았기 때문이다.

다만 무턱대고 끌려갈 수는 없는 노릇이라 휘연은 당황을 숨기고 마음을 더더욱 견고히 하고자 노력했다. 그러나 그게 말처럼 쉽다면 얼마나 좋겠는가.

환백의 작은 태도, 미세한 표정 하나에도 반응하는 자신을 돌아보며 휘연은 끝내 속으로 쓴웃음을 삼키며 식사를 끝마쳤다. 그런 휘연을 보며 환백이 마음에 안 든다는 듯 중얼거렸다.

"고작 그것 먹고 무슨 살을 찌운다고."

"……송구하옵니다."

"쯧, 씻어야겠다."

낮게 혀를 차며 환백이 자리에서 일어나자 내관들이 들어와 신속하게 탁자를 치우고 수욕 준비까지 끝내고 조용히 문을 닫았다. 그러자 휘연이 침상에 걸터앉은 환백의 의관을 벗기고 자신의 옷도 벗었다.

환백이 이곳에서 침수를 들고부터는 특별한 명령이 있기 전에는 시종장조차 침전 안으로 들어오지 못했다. 그렇다 보니 환백의 수발은 사소한 것 하나부터 모두 휘연이 들어온 것이다.

"들어와."

넓은 탕 안에 들어앉은 채 휘연을 무릎 위로 끌어안은 환백이 드러난 하얀 몸에 정신없이 입을 맞추었다. 길고 새하얀 목에. 가늘고 둥근 어깨에. 파르르 떨리며 점점 더 딱딱하게 굳어 가는 가슴의 돌기에.

전날 새겨 놓은 붉은 자국 위로 다시 한 번 자신의 흔적을 더 깊게 새겨 가며 환백의 입술이 휘연의 입술을 찾아 격렬히 맞부딪쳤다. 환백의 입맞춤은 언제나 이렇듯 절실했다.

마치 애정을 갈구하듯이. 짜증스럽게 투덜거리다가도 휘연의 몸을 탐할 때면 어린아이처럼 매달리는 것이다. 그런 환백의 성급함에 휘연은 이를 악물고 참았다.

익숙해지려야 도저히 익숙해질 수 없는 이 행위를 할 때면 휘연은 어김없이 자신을 주체하지 못하고 무너졌기 때문이다.

"흐으윽!"

"큭! 으읏…… 힘 빼."

손가락으로 거침없이 몇 번 휘젓는 걸 끝으로 아직 제대로 풀리지 않은 몸 안으로 뜨거운 물과 거대한 양물이 동시에 파고들자 휘연의 입에서 억눌린 비명이 흘러나오며 미처 의식하지 못한 사이에 자연스럽게 환백의 목에 매달렸다.

그런 휘연의 입술을 삼켜 버릴 듯 덮치며 포개진 입술 사이에서 혀가 강제로 입안으로 밀고 들어가 치열을 고르며 숨을 깊게 빨아들인다. 욕망에 탁하게 번들거리는 강렬한 시선만큼이나 먹혀 버릴 듯한 입맞춤이었다.

"흐읍…… 으응!"

어느새 내벽 안으로 가득 들어찬 양물의 압박감과 통증을 느낀 것도 잠시, 숨 쉴 틈도 없이 몰아치는 입맞춤에 숨이 차와 고개를 흔들자 그제야 겨우 환백의 입술이 떨어져 나갔다.

순간 거친 숨소리가 두 사람 사이로 흘러나왔다. 헉헉거리며 겨우 공기를 들이마시며 간신히 정신을 차리려는 찰나 환백이 거칠게 허리를 움직이기 시작했다.

욕정을 자제하지 못하는 환백의 다급한 움직임에 휘연은 혼마저 빼앗길 듯한 감각을 느꼈다. 머리가 어질어질해지는 것만 같았다.

"흐웃……."

"소리…… 웃…… 소리를 내."

"앗…… 하악!"

환백의 목에 매달린 채 허리는 커다란 손에 단단히 잡혀 거칠게 아래위로 몸이 흔들렸다. 정확히 한 부분만을 노려 움직이는 환백의 양물이 휘연의 몸 안을 헤집기 시작하고,

휘연의 정신 역시 사정없이 뒤흔들고 있었다.

휘연에게 있어 이 행위는 익숙해질 수 없는 쾌감이었다. 손끝까지 태울 듯한 강렬한 자극이 몸 안을 날뛰며 정신을 침몰시켜 간다. 수치를 잊은 채 환백의 움직임에 흔들리던 휘연은 어느새 억눌린 비명이 아닌 교성을 내지르는 것이다.

수치도 잊은 채 고통과 함께 찾아든 쾌감에 허리를 흔들며 안으로 들어온 양물을 꽉 조이고 환백의 어깨를 안고 매달렸다. 아무런 생각도 나지 않았다. 마치 온몸이 꽁꽁 묶여 버린 것처럼. 숨도 내쉴 수 없을 정도의 희열만이 있을 뿐이었다.

"하악!"

"큭……!"

한 차례 욕정을 풀고 나자 한결 여유가 생긴 환백이 힘없이 자신의 어깨에 기대어 오는 휘연을 번쩍 안아 들고 욕실을 나갔다. 방 안으로 희미한 달빛이 들고 물기도 닦지 않고 침상 위로 휘연을 눕힌 환백은 만족한 미소를 짓고 있었다.

"너는 진정 요물이다."

알 수 없는 묘한 어조로 중얼거린 환백은 온몸에 자신을 흔적을 달고 누워 있는 휘연의 허벅지 안쪽을 잡아 다리를 크게 벌리고 그 사이로 비집고 들어갔다.

이미 애액을 뚝뚝 흘리고 있는 환백의 양물이 휘연의 비부에 닿았다. 그와 동시에 휘연의 온몸이 파르르 떨리며 붉게 물들었다.

생생하게 닿아 오는 양물과 다리를 활짝 벌리고 있는 자신의 자세가 새삼 수치스러운 것이다. 그 자극적이면서도 애처로운 모습에 환백은 잔혹한 미소를 입가에 띠었다.

한두 번 안는 것이 아닌데도 매번 자신의 아래서 떨고 있는 휘연이 사랑스러웠기 때문이다. 마치 자신을 기다리는 것 같은 휘연이 너무나 사랑스러워 환백은 부드러운 손길로 휘연의 허벅지 안쪽을 쓰다듬으며 몸을 숙여 귓가에 속삭였다.

"네겐 이 모습이 어울려. 앞으로도 내게 거스르지 말고, 나만을 바라보고, 나만을 받아들여라. 그렇게만 하면 잔인하게 대하지 않겠다."

그렇게 말하면서도 환백은 휘연의 귓불을 아프도록 깨물었다.

"앗!"

찌르는 듯한 통증에 휘연이 신음을 내뱉자 환백이 입가를 비틀어 올리며 가슴을 더듬어 휘연의 턱과 목에 입을 맞추기 시작했다. 처음에는 부드럽게 시작한 입맞춤이 서서히 물어뜯는 듯한 느낌으로 바뀌어 간다.

마치 모조리 먹어치울 듯한 환백의 입맞춤에 휘연은 눈을 질끈 감았다. 환백의 손끝이 가슴을 쓰다듬고, 이내 딱딱하게 선 돌기를 손톱 끝으로 할퀴고 문지르다가도 세게 비틀었다.

고통과 함께 찾아든 기묘한 감각에 휘연은 입술을 깨물었다. 수치는 이미 사라진 지 오래였다. 그저 간질간질한 이 감각을 참을 수가 없는 것이다.

그런 휘연의 반응을 살피며 환백이 입술을 내려 가슴을 훑기 시작하고, 이로 살짝 깨문 뒤 축축한 혓바닥으로 돌기를 희롱한다. 그 와중에도 환백의 손은 부지런히 휘연의 몸을 쓰다듬어 갔다.

옆구리와 허리를 지나 아래로 내려간 손은 어느새 휘연의 엉덩이골 사이로 들어와 있었다. 앞서 쏟아낸 정액이 질척거리는 소리에 입가를 비튼 환백이 두 다리를 들어 올리며 단숨에 파고들었다.

"아흐으윽……!"

"으윽……."

아무리 풀어진 곳이라 해도 갑작스러운 거친 삽입을 감당하기에는 환백의 양물이 거대한 반면 휘연의 그곳은 너무나 좁았다. 그래서인지 충격에 휘연의 몸이 하얗게 질려 가고, 환백 역시 살짝 인상을 찌푸렸다.

"하아, 허리에 다리를 감아."

"흐윽……."

"너만 보면 갈증이 나. 읏…… 하아……."

그 말과 함께 몸 안 깊숙이 들어왔던 환백의 양물이 쑤욱 하고 빠져나갔다. 갑작스러운 움직임에 휘연이 짧은 비명을 내지르자 귀두 끝만을 남겨 두고 빠져나간 양물이 다시 한 번 깊숙이 안으로 파고들었다.

민감한 내벽이 거친 움직임에 긁히고 앞서 쏟아 낸 정액이 쿨쩍거리는 음란한 소리를 내고 있었다. 하체를 관통하는 지독한 통증에 휘연이 자신의 위에서 움직이는 환백의 팔을 잡고 매달리자, 그런 휘연을 내려다보며 환백은 더욱 세게 허리를 쳐올렸다.

다른 때보다 더 거친 움직임이었다. 조금도 멈춰 줄 생각이 없는 듯. 몸 안으로 박혀 오는 양물의 압박에 온몸이 떨렸다. 지나치게 과한 쾌감을 견디지 못하고 휘연이 환백의 팔을 움켜쥐자 환백이 휘연의 손목을 잡아 침대 위로 내리누른다.

"핫……!"

"으읏…… 너는 내 것이다. 헉! 요물, 으윽…… 내 것이다."

입안의 혀처럼 착착 감기는 그곳은 부드러웠다. 벼랑 끝으로 몰고 가는 극도의 쾌감에 죽을 것 같은 감각이 전신을 휘몰아치며 밤늦게까지 이어지는 정사로 인해 침전 안은 열기로 가득하고 환백의 욕정이 다할 때까지 그 행위는 멈추지 않았다.

시간이 지날수록 환백의 움직임은 더 거칠어졌다. 전신을 마비시켜 버리는 듯한 쾌감에 이성도, 의지도 전부 사라져 버린 것이다.

그런 환백의 욕정을 감당하지 못하고 몇 차례나 혼절을 거듭하면서도 휘연은 환백의 품에서 벗어나지 못하고 거친 움직임에 맞춰 흔들리고 있었다.

언제 깨어질지 모르는 불안한 하루가 그렇게 지나가고 있었다.

❖

유창운과의 전면전을 사흘 앞두고 황궁뿐만 아니라 황도 전체가 흉흉한 기운을 띠고 있었다. 모든 준비를 끝마친 환백에게 있어 흑과 백은 이미 구분 지어져 있는 상황이다.

특별한 일이 없는 이상은 자신이 세운 계획대로 일이 풀려 나갈 것이다. 그럼에도 환백은 지난 사흘간 제대로 된 휴식을 취하지 못해 짜증이 치밀었다. 결국, 나지막이 한숨을 내쉬며 눈을 감는 환백의 미간이 미미하게 찌푸려졌다.

"후우……."

눈을 감자 자연스럽게 떠오르는 휘연의 모습에 찌푸려진 미간이 슬며시 풀리고 어느새 단호하게 다문 입가가 느슨해 졌다. 스스로도 의식하지 못한 사이 환백의 표정은 더할 나위 없이 부드러워졌다.

그러나 그것도 잠시, 이내 무언가 마음에 차지 않는다는 듯 눈을 번쩍 뜨고 낮게 혀를 차는 환백의 얼굴이 묘하게 일그러졌다. 짜증이 치민 이유에는 휴식을 취하지 못한 탓도 있었지만, 지난 사흘간 황후궁을 찾지 못했기 때문이다.

그렇지 않아도 거의 막바지라 이런저런 일들로 바빠 새벽 녘에야 간신히 시간이 나는 터라 휘연을 찾을 여유가 없었다. 하지만 꼭 그것 때문만은 아니었다. 사실은 휘연과 얼굴을 마주하면 무슨 말을 할지, 이유 모를 두려움도 있었던 탓이다.

언제 이렇게까지 자신의 마음을 휘젓게 됐는지. 하루하루 시일이 흐를수록 빠른 속도로 무언가가 변해 간다는 걸 알면서도 환백은 그 혼란에서 좀처럼 헤어나지 못했다.

마치 무언가가 가로막고 있는 것같이. 여전히 휘연을 보면 느슨하게 긴장을 풀다가도 한순간에 화가 치밀다 못해 살기까지 일어나는 것이다. 그리고 어김없이 심장이 아팠다.

여린 몸으로 매달려 올 때면 사랑스러워 정신이 나갈 것만 같고, 나름대로 다정하게 대하는데도 무표정한 그 표정을 볼 때면 목 안에서 쓴물이 올라오는 것처럼 주체하지 못할 화가 치민다.

왜 자신에게 좀 더 매달리지 않는지. 마치 타인을 대하는 것처럼 아무것도 원하는 것이 없다는 듯 행동할 때면 환백은 묘한 불안감에 허덕였다.

혹여 자신을 싫어하는 것은 아닌지, 혹여 영원히 자신의 곁을 떠날 생각을 하는 것은 아닌지. 그동안 자신이 했던 행동을 돌이켜 보면 그런 반응이 당연함에도 환백은 그 생각만으로도 숨이 막히고 살기가 치솟았다.

애초에 그런 감정 자체가 말도 안 되는 것이다. 불안하다니. 무엇이? 도대체 뭣 때문에 불안한 것인가. 어차피 자신의 것이 아니던가? 자신이 황제인 이상 황후인 휘연은 오직 자신을 위해서만 존재하기 때문이다.

헌데도 이 알 수 없는 불안감은 뭐란 말인지. 아무리 생각하고 또 생각해 봐도 이 생소한 감각이 뭔지 알 수 없어 답을 얻으려고 할수록 머리만 지끈거렸다.

그래서 환백은 결국 스스로에게 질문하길 포기했다. 어차피 답이 나오지 않을 질문을 끌어안고 있어 봐야 시간 낭비일 뿐이다. 자신에게는 그보다 더 시급한 것이 있었다.

사소한 감정적 변화의 답을 찾기 위해 할애할 시간 따윈 없는 것이다. 어쩌면 생각지도 못한 결론이 나올 것이 두려웠는지도 모르나, 환백은 더 이상 생각하기를 꺼렸다.

자신은 그저 자신의 소유인 휘연을 가지면 그만이다. 그 이상 무엇이 필요하단 말인가. 안고 싶을 때마다 안다 보면 언젠가는 뿌연 안개 같은 혼란도 사라질 것이라 믿었다.

자신은 어차피 그런 인간이었다. 이 황궁에 태어난 순간부터 주어진 숙명처럼, 살아남을지 죽을지도 확실하지 않은 기로에서 하찮은 감정 따위의 해답을 찾을 수는 없었다.

지금은 우선 정적들을 쳐 내고 자신의 위치를 확고히 하는 것에 모든 것을 쏟아부어야 한다. 자신이 죽어 버리면 부질없는 고민 따위가 다 무슨 소용인가.

만인 위에 군림하고 힘으로 그들을 지배하는 것. 반항하는 자에게는 그만한 대가를 돌려주고, 협력하는 자에게는 그만한 포상을 돌려줄 것이다.

그리고 배신하면 죽이면 된다. 그게 자신의 방식이며 누구든 그것에서 벗어나지 못한다. 제아무리 황후인 휘연이라 해도 매한가지.

따지고 보면 자신에게 하등의 도움도 되지 않은 휘연은 아무것도 아니었다. 그저 흔하디흔한 인간일 뿐. 유독 단아한 그 아름다움도, 올곧은 맑은 시선도 인간인 이상 세월이 지나면 사라질 것이다.

단지 감정이라고는 없는 자신을 혼란스럽게 하는 유일한 존재라는 사실만이 다를 뿐. 단지 그것뿐이었다. 어쩌면 이러한 혼란 또한 일시적인 동요일 수도 있었다.

　단순히 욕정에 눈이 멀었을 수도 있고, 시간이 지나면 차츰 안정을 찾아 알 수 없는 집착도 흐려지고 언젠가는 보지 않아도 살 수 있을 것이다. 그때는 미련 없이 버릴 테니 그때까지만 자신의 옆에 살려 두면 된다.

　'그래, 언젠가는…… 그렇게 되겠지.'

　과연 그러한 날이 올지는 몰라도 환백은 그 이상 고민하고 싶지 않은 마음에 생각하기를 멈추었다. 그런 환백의 미간이 살포시 찌푸려졌지만, 곧 모습을 드러내는 두 사람을 보며 표정을 갈무리했다.

　"주군, 변방에 나간 군사들이 황도 주변으로 자리를 잡았습니다."

　"승상의 반응은?"

　"여전히 눈치채지 못하고 있습니다."

　"흐음, 이제 사흘 남았군."

　계획대로 빈틈없이 유창운만 처리하면 그다음부터는 일사천리로 해결될 것이다. 그 모든 것을 끝마쳤을 때는 감히 누구도 넘어설 수 없는 절대 권력의 정점에 자신이 있을 거라는 사실에 환백은 추호도 의심하지 않았다.

　"주군, 일을 해결할 동안은 황후마마를 이곳으로 모셔 오는 게 좋지 않겠습니까?"

　"뭐? 황후를 이곳에?"

　환백이 뜻밖의 말에 의아함을 담고 되물었다.

　"예. 만일을 위해서입니다. 계획대로만 된다면 몰라도 혹

시 모르지 않습니까? 다섯이 가 있다고는 해도 난전 속에서
는 자칫 위험할 수도 있습니다."

"그렇게 하시지요. 보고로는 오늘 아침나절에 궁의가 들었
다고 합니다."

궁의가 이유 없이 황후궁을 찾을 리도 없고, 환백은 자신
도 모르게 초조함을 느끼고 자리에서 벌떡 일어났다.

"아프단 말이냐?"

"그런 것 같습니다. 유한이 특별한 보고는 없었습니다
만……주군?"

교령의 말이 채 끝나기도 전에 집무실을 나서는 환백의 발
걸음은 초조한 마음만큼이나 빨랐다. 고작 아프다는 말만으
로도 중요한 일을 내팽개치고 이렇듯 동요하는 자신의 모습
에 환백은 실소를 흘렸다.

기껏해야 몸살이나 고뿔이라도 걸린 것일 텐데, 왜 자신이
신경을 써야 하는지 생각할수록 황당한 것이다. 그러다 걸음
이 멈춘 것은 황후궁 정원 한곳에 서 있는 휘연의 모습 때문
이었다.

며칠간 보지 못한 휘연이 까만 밤하늘 아래 서 있었다. 그
런 휘연의 모습을 보는 순간 환백은 가슴이 철렁 내려앉았
다. 고작해야 못 본 사흘 사이에 창백하리만치 새하얗게 질
린 얼굴이 슬픔을 가득 담고 하늘을 바라보고 있었다.

마치 당장에라도 사라질 듯 존재감이 없는 것처럼. 자신의
허락도 없이 면사를 벗은 사실에 화를 낼 생각도 하지 못한
채 달빛에 반사되어 빛나는 흑단 같은 머리카락도, 까만 눈

동자 속에 밤하늘을 가득 담은 듯 하늘을 바라보는 모습에서
도.

살아 있으되 생기라고는 전혀 느껴지지 않는 묘한 위화감
이 그랬다. 그래서인지 환백은 욱신거리는 심장께를 움켜쥐
며 천천히 시선을 맞춰 오는 휘연을 보고 걱정이라도 하는
듯한 말을 꺼낸 것은 자신도 모르게 튀어나온 행동이었다.

"아프다고 들었다. 괜찮나?"

"예, 폐하."

짧은 대답을 끝으로 더 이상 시선을 맞추지 않고 살짝 고
개를 돌려 버리는 휘연의 태도에 환백의 미간이 살포시 찌푸
려졌다. 기껏 걱정해서 달려왔는데 반색을 하기는커녕 이 무
심한 태도는 뭐란 말인가.

하다못해 당황하는 척이라도 할 것이지. 마치 마주하는 게
불편하다는 듯 무심한 표정으로 시선을 돌리는 휘연이 곱게
만 보이지 않는 것이다. 그러나 그런 짜증도 잠시 환백은 멍
하니 휘연의 모습에서 시선을 떼지 못했다.

오늘따라 왜 이리도 불안하고 작아 보이는 것인지. 어느
때보다도 작고, 어느 때보다 더 애처로워 보이는 휘연의 불
안정한 모습을 보며 환백은 자신도 모르게 손을 뻗어 안아
주고 싶은 충동에 사로잡혔다.

손을 잡고, 사라질 듯한 저 몸을 끌어안고 밤하늘을 향한
시선이 자신을 향해 주길 원하는 마음이 강하게 치솟았다.
그런 충동에 환백은 쓴웃음을 흘렸다. 도대체 자신의 감정은
무엇이란 말인가.

휘연과 있으면 환백은 언제나 혼란스러웠다. 마음을 나약하게 만드는 감정 따위 지금의 자신에게는 불필요한 것에 지나지 않음에도 환백은 어느 순간부터 한시도 머릿속에서 떠나지 않는 휘연의 존재를 갈구하게 됐다.

그게 당연하다는 듯이. 혼란을 감추지 못하는 와중에도 오직 한 가지만은 확실하게 해답을 찾고 있었다. 자신은 원하는 것이다. 갈증이 풀리기를 원하고 다른 무엇도 아닌 오직 자신만을 시선에 담기를 원한다.

생사의 기로에 서 있다는 사실도 망각한 채 감당하지 못할 정도로 뜨겁게 타오르는 갈망에 환백은 입안이 바짝 말라 가는 듯했다. 얼핏 보면 그저 차가워 보이는 적안이 감정을 고스란히 드러내고 환백은 조급한 듯 휘연의 손을 덥석 잡았다.

"폐하?"

"날씨가 쌀쌀하다. 그만 들어가지."

짐짓 퉁명스러운 목소리였지만 휘연은 그 안에 걱정이 담겨 있다는 걸 느낄 수 있었다. 그래서인지 씁쓸하게 웃으면서도 휘연은 마주 잡은 손을 내려다보며 울 듯한 얼굴로 나지막이 한숨을 내쉬었다.

이미 끝을 알고 있는 휘연으로서는 욕심을 부릴 수도 없는 것을. 생각지도 않게 이런 모습을 보이는 환백을 대할 때면 휘연은 안타까운 마음만 더해졌다. 차라리 처음처럼 잔인하기만 하다면.

생각하는 것만으로도 두려워 미워하고 원망할 수도 있을

것이다. 그러나 운명이라는 것이 참으로 모질지 않은가. 한낱 나약한 인간의 의지로는 끊으려야 끊어 낼 수도 없고 벗어날 수도 없다.

그저 자신이 할 수 있는 거라고는 순응하는 것만이 전부였다. 휘연은 새삼 자신의 처지를 되돌아보며 쓴웃음을 짓다가 어느새 문이 닫히고 둘만이 남게 되자 곧바로 표정을 갈무리하며 환백을 올려다봤다.

그런 휘연을 환백은 묘한 표정으로 응시하다가 오늘따라 유독 초라해 보이는 방 안을 돌아보며 미미하게 미간을 찌푸렸다. 화려해야 할 황후궁이 지나치게 초라한 것이다. 그동안은 왜 이런 것을 보지 못했는지 작게 헛기침을 하며 말문을 열었다.

"원하는 것이 있으면 말하라. 지위에 맞게 들어줄 수 있는 건 들어주지."

환백은 단순하게 생각했다. 감정이 무엇이든 간에 예전과는 확연히 달라졌으니, 이제부터라도 무언가를 해 주고 싶었기 때문이다. 본시 여인들은 화려한 걸 좋아하지 않은가.

물론, 휘연이 여인이라는 것은 아니나 위치상으로 다를 바가 없다고 생각한 것이다. 그리고 그 단순한 말에는 많은 것이 내포되어 있었다.

휘연이 원한다면 황후로서 직책에 맞게 대우해 주겠다는 환백의 의지나 매한가지기 때문이다. 그러나 막상 말을 뱉고 나니 멋쩍은 듯 고개를 슬며시 돌리는 환백의 얼굴이 미미하게 붉어져 있었다.

"폐하, 한 가지 간곡한 청이 있사옵니다."

"그래?"

청이라는 말에 고개를 휙 돌리는 환백의 얼핏 긴장한 듯한 얼굴이 단번에 풀어졌다. 자신에게 원하는 것이 있다는 사실에 기분이 좋은 것이다. 그런 환백을 보며 휘연은 가슴이 답답해 옴을 느껴야 했다.

자신에게 무엇이든 해 주고 싶어 하는 환백에게 감사하지는 못할망정 반하는 말을 꺼내야만 하는 자신이 처음으로 원망스럽기까지 했기 때문이다. 그러나 지금이 아니면 어쩌면 기회조차 찾아오지 않을지도 모른다.

거사 일이 고작해야 사흘 남은 것이다. 더 미룰 수도 없음에 휘연은 마음을 단단히 먹었다. 어차피 자신과 환백의 마지막은 이미 정해져 있는 것을. 평생을 함께하지 못한다면 차라리 미움을 받는 것도 나쁘지 않으리라.

그 같은 결론에 휘연은 못내 씁쓸해져 착잡함을 숨기는 대신 무표정을 고수하며 환백의 앞에 무릎을 꿇었다. 그런 휘연의 난데없는 행동에 환백의 미간이 깊게 골이 파였다. 분위기가 자신이 원하는 방향으로 흘러가지 않는 것 같아 마음에 안 드는 것이다.

"무슨 짓이냐?"

"폐하, 부디 마음을 넓게 하시어 자렴황비를 구명해 주시옵소서."

"……뭐?"

생각지도 못한 휘연의 말에 뒤통수라도 맞은 듯 환백은 멍한 표정으로 되물었다. 왜 여기서 유자운이 나오는 것인가? 자신은 이제라도 황후로서 대우해 줌으로 좀 더 부드러운 관계로 발전되길 원했다.

그러다 무심한 표정이 아닌 자신을 향해 진심으로 웃어 주면 더할 나위 없이 만족할 수 있었다. 많은 것을 바라지 않았다. 그저 미소 한 번 보고자 한 것이 전부인데. 헌데 어찌해서 두 사람 사이에 유자운의 존재를 운운하는 것인가.

다른 누구도 아닌 유자운이라니. 기가 막혔다. 자신의 정적인 유창운의 손녀가 아닌가. 지금도 자신을 독살하려 눈도 깜짝 안 하고 독을 먹이는 유자운이었다. 그런 유자운을 구명해 달라? 다른 사람도 아닌 자신에게?

"하……하하…… 큭."

환백은 황당함에 말을 잇지 못하고 한동안 실소만 흘렸다. 서서히 그 웃음을 멈췄을 때는 환백의 표정은 더 이상 아무것도 내비치지 않고 있었다.

얼음처럼 차가운 적안은 살기를 담은 채 휘연을 직시했다. 제아무리 좋게 생각하려고 해도 지금 환백은 온전한 정신을 유지할 수가 없었다.

무엇 때문에. 어찌해서 유자운을 살리려고 한단 말인가. 자신을 죽이려는 적을 살려 달라니. 생각할수록 환백은 머릿속이 새하얗게 변하는 것만 같았다.

"지금, 유자운을 살려 달라고 했나? 나를 죽이려는 자를 살려 달라?"

낮은 음성, 싸늘한 어투. 그리고 냉랭하기 그지없는 시선.

환백은 잔뜩 갈라진 목소리로 한 마디 한 마디에 힘을 주었다. 차마 말을 하는 것조차 힘겹다는 듯 그렇게 환백은 감정을 모두 담아내고 있었다.

터무니없는 걸 알면서도 별의별 생각이 다 드는 것이다. 혹여 자신 몰래 휘연이 유자운을 만난 것은 아닌지. 자신의 소유이면서 유자운을 마음에 품은 것은 아닌지. 그래서 자신에게 구명해 달라고 청을 하는 것은 아닌지.

휘연이 던진 말은 비수처럼 환백의 심장에 박혀 들었다. 시퍼렇게 날이 선 칼날이 심장을 난도질하는 것 같은 고통에 환백의 차가운 얼굴이 서서히 흉포하게 일그러지기 시작했다. 왜 대답을 못 하는 것인가? 뭣 때문에!

"말해. 이유를 말해!"

화를 억누르지 못하고 소리를 지르는 환백의 변화하는 표정을 보며 휘연은 심장이 옥죄어오는 것 같은 고통에 손톱이 파고들도록 주먹을 쥐면서도 진득하게 살기를 토해 내는 적안을 똑바로 응시했다.

조금의 흔들림도, 일말의 망설임도 없이. 여기서 물러설 수는 없었기에 휘연은 잠깐 사이에도 몇 번이고 무너지려는 자신을 다잡았다. 그 올곧은 시선에 환백은 숨이 막혀 왔다.

백 마디 말보다도 더 많은 말을 하는 듯한 시선이었기 때문이다. 그러고는 얼음처럼 굳어 버렸다. 손끝에서부터 차가운 냉기가 독처럼 스멀스멀 퍼져 갔다.

두 다리가 굳어 가고 움직일 때마다 쩌적 금이 갈 것처럼 기괴하게 갈라지는 소리를 냈다. 그대로 얼어 버린 듯이 휘연을 바라보는 환백의 눈은 시리도록 차갑게 빛나고 있었다.

"폐하, 부디 자렴황비를 살려 주십시오. 이 모든 것은 폐하와 이 나라를 위하는 것이오니 부디 제 간절한 청을 들어주시옵소서."

"하! 나와 나라를 위하는 일이다? 큭큭, 그게 아니겠지. 그년을 살리려는 이유는 따로 있겠지!"

환백의 말에 휘연이 안타까운 표정으로 눈을 질끈 감았다. 이미 환백은 스스로 생각하고 결론을 내린 듯 휘연의 말을 들으려고 하지도 않았다. 그런 환백을 올려다보며 휘연은 초조하게 말을 이었다.

"폐하, 하다못해 궁의의 진료라도 받게 해 주시옵소서. 비록 자렴황비가 역모죄를 지었다고는 하나 황족을 회임한 이를 죽여서는 아니 될 것입니다."

"뭐?"

회임이라니. 이 무슨 얼토당토않은 말인가. 설사 그게 사실이라고 해도 당사자인 유자운도 모르는 것을 휘연이 어찌 알고 있는지 생각할수록 의심스러웠다. 무슨 말을 해도 곱게 들리지 않는 것이다.

"하! 이제는 말도 안 되는 소리를 변명이라고 하는 건가?"

"폐하, 변명이 아닙니다. 한 점 부끄러움 없는 사실이오니 제발 자렴황비를 살려 주시옵소서. 반드시 그리하셔야 하옵니다."

"닥쳐라!"

환백은 더 이상은 참을 수가 없었다. 너무 아프고 화가 치밀어 미쳐 버릴 것 같았다. 말도 안 되는 걸로 자신을 뒤흔드는 휘연이 미치도록 원망스러웠다.

없애야 한다. 자신에게 반하고 거스르는 휘연의 존재를. 자신의 것이면서 자신을 보지 않는 휘연을. 하등의 쓸모없는 존재이면서도 갖기를 원했었다.

온전히 가질 수만 있다면 평생이라도 옆에 둘 생각이었다. 그런데 가질 수 없다. 오직 자신을 흔들려고만 한다. 온전히 가질 수 없다면 차라리 죽여야 한다.

그렇게 하면 적어도 자신의 옆에 있을 것이다. 자신이 아닌 다른 누구도 보지 않을 것이라는 결론에 환백은 광기에 번뜩이는 눈을 하고 휘연의 가는 목을 조르기 시작했다.

"큭……."

가느다란 목을 두 손으로 쥐고 세게 짓누른다. 호흡이 멈췄다. 고통스러울 정도로 목을 눌러 오는 악력에 손을 들어 환백의 손을 밀어내려 했지만, 이내 휘연은 두 눈을 크게 뜨고 얌전히 손을 내렸다.

자신의 목을 조르고 있는 환백의 눈이 공허하게 비어 있었기 때문이다. 조금 전까지만 해도 쑥스러운 듯 안타까운 듯 반짝이며 예쁘게 빛을 발하던 적안은 깊이 가라앉아 오로지 살기 어린 광기만이 번들거릴 뿐이었다.

그건 상처 입은 눈이었다. 상처받은 걸 숨기지도 않은 채 본능만이 남은 그런 눈빛이었다. 자신이 낸 상처. 점점 숨이 막혀 오는 고통보다 환백의 눈빛이 휘연을 더 고통스러웠다. 차라리 죽는 게 낫다고 생각할 정도로.

어쩌면 이대로 죽어 사라지는 것도 나쁘지 않을 거라는 생각에 휘연은 어떤 반항도 없이 눈을 감았다. 서서히 고통스러워졌다. 컥컥거리는 소리가 입 밖으로 터져 나오고 점점 의식이 아득하게 멀어져간다.

그리고 점차 고통도 사그라진다. 아무 저항 없이 늘어지는 휘연의 목을 더욱 세게 조르던 환백은, 다급하게 모습을 드러내는 유한을 비롯해 묵혼, 교령이 동시에 외치는 벼락같은 소리에 문득 멍한 정신을 차렸다.

"주군!"

"안 됩니다, 주군!"

세 사람의 외침에 그제야 환백은 이성을 찾았다. 그리고 자신의 손안에서 힘없이 늘어진 휘연을 보고 환백의 얼굴이 하얗게 질렸다.

"내, 내가 무슨 짓을…… 안 돼!"

흠칫 놀라 휘연의 목을 잡고 있던 손을 놓자 맥없이 무너져 내리는 휘연의 모습에 환백이 비명처럼 소리를 내지르며 다급하게 무너지는 몸을 부축했다.

"커헉! 헉……."

마치 구명줄이라도 되는 듯 환백의 옷자락을 잡고 발작적인 기침을 하며 막힌 숨을 한꺼번에 토해 내는 휘연의 모습에 환백은 더할 나위 없이 일그러진 얼굴로 가슴을 쓸어내렸다.

죽은 게 아니었다. 천만다행히도 죽은 게 아니었다. 환백은 진심으로 다행이라고 생각했다. 어떻게 죽일 생각을 했는지. 만약 휘연이 죽었다면 자신은 견디지 못했으리라.

이번 일로 환백은 그 사실만은 절실히 깨달았다. 그러나 그런 내색을 할 수도 없어 환백은 손마디가 하얗게 불거지도록 주먹을 쥐고 잔인한 말을 쏟아 냈다.

"살려 주지. 네가 원하는 대로 그년을 살려 주겠다. 그러니 너도 살아남아라. 내가 질려서 너를 버릴 때까지, 오직 내 옆에서 끈질기게 살아남아. 만약, 나 아닌 다른 것들을 본다면 그 두 눈을 뽑아 버리고, 만약 내게서 도망친다면 두 다리를 잘라 버리겠다. 내가 질릴 때까지는 절대 놔주지 않아. 큭, 이디 끔찍한 놈 옆에서 평생을 살아 보라고."

상관없다. 자신을 보면서 웃어 주지 않아도, 자신을 안아 주지 않아도, 평생을 증오하며 살아간다고 해도 환백은 상관하지 않을 생각이었다. 이렇게라도 옆에 두면 그만이니까.

마음 따위 주지 않아도, 육체만을 가진다고 해도 상관없었다. 왜 이렇게까지 화가 치미는지, 왜 이다지도 원망스러운 마음이 드는 것인지. 이런 격렬한 감정의 해답이 무엇인지 환백은 몰랐다.

어쩌면 알 필요도 없을지도 모른다. 자신은 말 그대로 질릴 때까지 강제로라도 옆에 두기만 하면 되는 것이다. 그런 결론에 도달하고도 환백은 심장에 구멍이라도 뻥 뚫린 듯 허탈하고 고통스러웠다.

그래서인지 환백은 여전히 바닥에 쓰러진 채 목을 잡고 숨을 토해 내는 휘연을 바라보지 않고 몸을 돌렸다. 도저히 바라볼 수가 없었다. 목에서 쓴물이 올라올 것 같다가도 어이

없게 눈이 시큰해졌기 때문이다.

마치 눈물이라도 흘러내릴 것같이. 그 생각에 환백은 자조하듯 허탈한 웃음을 터트렸다. 나약한 눈물이라니. 이게 뭐란 말인가. 이런 걸 원한 게 아니었다.

"유혼, 황후를…… 금장전(禁藏殿)으로 데려와라."

"……존명."

금장전은 본궁에 있는 황제의 침전들 중 가장 깊숙한 곳에 숨겨진 비처로, 그곳에 휘연을 둔다면 위험할 일은 없을 것이다. 그리고 자신 이외에는 누구와도 만나지 못할 것이다. 오직 자신만이 볼 수 있다.

그 비틀린 광기와도 같은 집착에 환백은 치를 떨면서도 쓴웃음을 짓고 황후궁을 나왔다. 아직 손안에 가냘픈 목이 쥐어져 있는 것 같은 느낌이 들어 환백은 기묘하게 일그러진 얼굴로 자신의 손을 내려다보았다.

어릴 때부터 검을 쥐어 왔기 때문에 단단해진 손은 자신의 광기만큼이나 붉게 보였다. 그와 동시에 금방이라도 죽을 것처럼 창백해 보였던 휘연의 얼굴이 떠올랐다. 날갯짓도 못하는 어린 새를 손으로 쥐고 죽일 때처럼.

그 가느다란 목을 비트는 것은 너무나 쉬운 일이었다. 반항조차 하지 못하는 약하디약한 그 몸을, 자신을 거스르고 뒤흔드는 유일한 존재를 죽이는 것 또한 어렵지 않은 일이다. 그러나 그리하지 못한다.

"큭, 못 해. 도저히…… 할 수 없다."

## 九章
## 도륙(屠戮)

　다른 날과는 달리 유독 무거운 침묵이 흐르는 와중에 환백이 짜증스럽게 욕설을 내뱉었다. 아무리 일에 집중하려 해도 집중할 수가 없었다. 하물며 이제 몇 시진 후면 유창운과의 전면전을 앞두고 있는 상황이 아닌가.

　조금만 실수해도 판도가 어떻게 달라질지 모르는 이때에 금장전에 있을 휘연의 생각이 도저히 머릿속에서 떠나지 않았다. 어떻게 해서라도 잊고 싶은데도 잊을 수 없는 자신이 너무 한심해서 환백은 견딜 수가 없었다.

　"후우……."

　결국, 나지막이 한숨을 내쉬며 눈을 감는 환백의 표정이 더할 나위 없이 일그러졌다. 눈을 감자 더 선명하게 떠오르는 얼굴. 그 올곧은 눈동자를 떠올리자 또다시 숨이 막혀 오다가도 목을 조르던 손안의 감촉을 떠올릴 때면 낮은 침음성을 뱉었다.

자신이 왜 이러는지 환백은 답답함을 감추지 못했다. 그래서인지 휘연이 금장전으로 옮긴 지 오늘이 사흘째에 접어드는데도 환백은 단 한 번도 휘연을 찾지 않았다. 아니, 얼굴을 볼 자신이 없어 찾아갈 수가 없었다는 게 더 맞는 말일 것이다.

휘연의 시중을 들어줄 아소와 무영을 제외한 그 누구도 출입을 엄금했다. 유한조차도 금장전 안으로는 들어가지 못하고 외곽을 지키도록 명령해 놓고도 환백은 시간이 흐를수록 점점 더 커지는 불안감을 떨쳐 버릴 수가 없었다.

"주군."

두 사람의 기척에 그제야 환백이 눈을 뜨자 묵혼과 교령이 번갈아 가며 상황을 보고했다.

"암영제의 배치가 끝났습니다."

"자정을 기해 3군이 후방을 맡고, 황궁 안에서 금위대와 우승이 협력하는 걸로 정해졌습니다."

"좋아. 계획대로 묵가는 유자운의 신병을 확보하고 본궁을 지켜라. 암영제는 한 시진 전에 일제히 움직이되, 유창운과 우승을 제외한 나머지는 모조리 죽이고 각자 맡은 곳으로 향한다."

"존명!"

두 사람이 순식간에 모습을 감추고 환백은 두 손을 깍지 낀 채 턱을 괴고 생각에 빠졌다. 자신의 계획대로만 된다면 많은 피를 흘리지 않고도 승리를 거둘 수 있을 것이다.

유창운은 상상도 하지 못했던 함정을 준비해 놓았기 때문이다. 죽을 날을 잡아 불나방처럼 뛰어들 유창운을 떠올리며 환백은 기분이 풀림과 동시에 진득하게 웃었다.

유창운이 철석같이 믿고 있는 3군. 바로 환백이 변방으로 보냈던 유창운의 군사 세력이었으나 이미 자신의 편으로 끌어들인 지 오래였다. 그 사실을 모르고 어리석게 3군에게 자신의 뒤를 맡긴 꼴이었다.

또한, 세력이 많이 줄어든 이상은 처음부터 우승을 끌어들일 걸 예상하고, 우승에게 못 이기는 척 타협을 봐 유창운과 동조하도록 명령한 게 환백 자신이었다.

물론, 겉으로만 동조일 뿐 막상 전투가 벌어지면 적으로 돌아설 것은 자명한 일이었다. 거기에 완벽을 더해 자신의 군사들이 이미 포진해 있는 데다 한 시진 전에 암영제의 일원들이 유창운과 우승을 제외하고 그 일파를 이끄는 이들을 모조리 암살할 것이다.

시간을 그렇듯 촉박하게 잡은 이유도 물러설 틈을 주지 않으려는 이유에서였다. 설사 중간에 함정에 빠진 사실을 눈치챘다 하더라도 군사를 일으킨 유창운의 죄가 명명백백히 밝혀진 이상 계획은 차질 없이 진행될 수밖에 없기 때문이었다.

"이제 시작이다. 유창운, 네놈을 시작으로 모조리 죽여 버리겠다."

음산하게 중얼거리는 환백의 몸에서 시퍼렇게 살기가 돌고 있었다. 천살성의 완전한 혈광(血光)이 빛을 발하는 것이다. 본시 천살성은 피를 부르는 겁난(劫亂)을 예고하는 별이다. 천살이 뜨면 파괴와 혼돈이 뒤따르며 격변(激變)을 의미하기 때문이다.

모든 것을 뒤바꾸는 완전한 파괴. 기존의 것을 부정하고 소멸시키는 것으로 반드시 엄청난 피의 희생을 필요로 한다.

그것을 막을 수 있는 것은 아무것도 없었다. 단지 삼태성의 보호를 받는 자미성만이 그 살기를 조금씩 잠재울 수 있었다. 그러나 직접적인 개입을 하지 못하는 이상은 반드시 겁난이 따를 것은 자명한 일.

오랜 세월 하늘을 발아래 두고 어리석은 인간들이 허영이나 부화뇌동으로 이리저리 날뛰었던 죄의 대가로 온전히 천살의 살기를 벗기 전까지는 오직 생(生)이 아니면 사(死)의 심판을 받아야 하는 것이다.

"폐하, 창룡검(蒼龍劍)을 가져왔사옵니다."

시종장이 환백의 애검인 창룡검을 공손히 내밀었다. 화려한 황룡이 새겨진 검집에서 스르릉…… 날카로운 푸른 예기를 발하는 검이 빠져나오자 환백이 흡족한 듯 입가를 올렸다.

"폐하, 만일을 대비하시어 피해 계시는 것이……."

"말도 안 되는 소리. 이런 재미를 놓칠 수는 없지."

"하오나, 폐하."

"그만! 물러가라."

단호한 환백의 말에 시종장이 초조한 얼굴로 마지못해 물러나고 환백은 깨끗한 천을 들어 정성을 들여 검신을 닦았다. 자신이 직접 나서지 않는다면 몸 안에서 미쳐 날뛰는 살기가 어디로 튈지 모를 일이었다.

무엇보다 그 살기가 다시 휘연에게로 향하는 것을 환백은 원하지 않았다. 죽일 수는 없기에. 죽여서는 안 되기에 환백은 살기의 방향을 돌리고 자신을 위로했다. 자신은 아무렇지도 않다. 아무 일도 없었던 것이다.

평소와 같은 시간이 흘러갈 뿐이라고. 어차피 변하지 못한다면 처음으로 돌아온 것뿐이었다. 단지 극한의 쾌감을 주는 그 육체만 가지면 그만이라고. 그렇게 스스로를 위안하는 환백의 입에서 한순간 허탈한 웃음이 흘러나왔다.

다시 휘연을 떠올리는 것만으로도 심장이 욱신거리다 못해 한 점 빛조차 보이지 않는 것처럼 막막했기 때문이다. 그렇다고 이제 와서 변화를 원하기에는 이미 늦어 버렸다. 또 죽이려고 했다. 그런 자신에게 무언가를 내주겠는가?

아닐 것이다. 내주기는커녕 아마 앞으로도 영원히 자신을 바라보지 않을지도 모른다. 그 올곧은 눈동자 안으로 자신이 비치는 일도 없고 웃어 주는 일도 없을 거라는 사실에 환백은 쓸쓸함을 감추지 못하고 나지막하게 호흡을 가다듬었다.

"……상관없어."

아무래도 상관없다. 어차피 무엇을 원하는지도 뚜렷하지 않았었다. 그저 작은 욕심을 부렸을 뿐. 애초에 자신과는 어울리지 않는 욕심이었다. 어릴 때부터 단 한 순간도 마음을 놓은 적이 없었고 누군가를 온전히 믿지도 못했다.

뭔가를 얻기 위해 애원하는 방법도 모르고 잘못을 비는 방법도 몰랐다. 오직 목숨을 지키는 방법 외에는 아무것도 배운 것이 없었다. 그리고 이젠 황제의 자리를 굳건히 하는 데 필요하다면 수십만이라도 그 자리에서 죽일 수 있었다.

그게 자신이다. 새삼스러울 것도 없지 않은가. 그러니 괜찮다. 손해 볼 것도 없으므로. 적어도 자신의 손안에 있으니 그 육체가 갖고 싶으면 언제 어느 때고 가지면 된다.

분명히 변하지 않는 진실은 휘연이 자신의 것이라는 점이다. 자신을 원망하든 말든 결코 휘연을 손에서 놔줄 생각이 없었고, 결국에는 자신의 손아귀 안에 머물 것이다.

반드시 수단 방법을 가리지 않고 자신이 그렇게 만들 것이다. 필요하다면 죄다 쓸어버리고 아무것도 없는 공간에 휘연 혼자만을 두면 된다. 그리하면 이 불쾌감도, 원인 모를 답답함도 모두 사라질 것이다.

그도 아니면 바람대로 언젠가는 질려 버리는 날이 올지도 모른다. 그때는 미련 없이 버리면 그만. 그 사실을 몇 번이고 스스로에게 주지시키면서 환백은 자신을 억눌렀다.

지금은 유창운을 상대하는 것만을 생각하자고. 나름대로 마음을 다잡고 결론을 내린 환백은 나지막이 한숨을 내쉬고 못내 채워지지 않는 허탈함에 주먹을 감아 쥐었다.

그러나 단단한 손바닥에는 자신의 손가락 외에는 아무것도 느껴지는 것이 없었다. 그렇게 환백이 혼란과 위안을 거듭하는 사이, 금장전에 머물게 된 휘연 또한 괴롭기는 매한가지였다.

유자운의 구명을 입에 올린 순간 환백의 반응을 충분히 예상하고 있었음에도 환백의 상처받은 눈빛이 잊히지 않아 휘연은 괴로운 것이다.

'나로서는 어찌할 수 없다.'

자신이 뭘 할 수 있단 말인가. 앞뒤 분간도 없이 뻔히 그 끝을 알면서 마음 가는 대로 무방비하게 드러낼 수는 없지 않은가. 그렇게 된다면 이보다 더 괴로울 것이다. 결국, 두 사람 다 비참해질 것이었다.

'그러니 제발…… 여기서 더는 안 돼.'

마음을 독하게 다잡아야 한다. 무너지지 않게. 자신은 주인이 아닌 잠시 머물다 갈 객에 지나지 않는 것을. 머물 수 없다면 결코 내색해서는 안 될 것이다.

제아무리 모진 운명이라 하나 그것 하나만은 반드시 지키고 싶었다. 어차피 자신의 결말은 정해져 있지 않은가. 애초에 고민할 이유가 없었다.

벗어날 수 없다는 걸 알기에 과한 욕심을 부려서는 안 되었다. 자신이 할 수 있는 건 그저 묵묵히 견디는 것뿐이다. 그리고 때가 되면 이 무거운 업에서 진정으로 벗어날 수 있을 테지.

적어도 작은 희망조차 품지 않는다면 미움만이 남을 테니, 언젠가는 치유할 수 있는 지금의 상처보다는 배신과 절망을 담은 남겨진 자의 고통을 휘연은 외면할 수가 없었다.

'괜찮아. 아직은…… 아직은 견딜 만하니까.'

자신의 고통쯤은 앞으로 사그라질 수많은 생명에 비하면 아무것도 아니었다. 고통 축에도 끼지 못하는 아주 작은 욕심에서 비롯된 것이기에 휘연은 애써 흐트러진 심기를 바로

하고자 필사적으로 노력을 기울이고 있었다.

"마마, 오늘따라 분위기가 이상한 것 같사옵니다."

"제가 살짝 나가서 동태를 살피고 오겠습니다. 길이 좀 복잡하기는 하지만 아무나 붙잡고 눈치껏 물어보면 될 것 같은데……."

"엉뚱한 짓 하지 마라. 둘 다 오늘은 이곳에서 벗어나지 말고 얌전히 있어라."

휘연의 의미 모를 단호한 말에 두 사람이 고개를 갸웃거리자, 그는 별일 아니라는 듯 고개를 내저었다. 굳이 어린 두 사람한테 진실을 말해 불안에 떨게 할 필요는 없었기 때문이다.

"후우, 잠시 혼자 있고 싶구나."

"괜찮으시겠습니까?"

"그래, 필요하면 부르마."

"예. 허면, 저희는 밖에 있겠습니다."

두 사람이 나가고 숨이 막힐 듯한 무거운 적막감에 다시 한 번 나지막이 한숨을 내쉬는 휘연의 눈빛이 불안하게 흔들렸다. 이 밤이 지나면 많은 생명이 사라질 것이다.

그 생각만으로도 뭐라 할 수 없는 감정이 가슴속을 휘몰아쳤다. 어차피 정해진 일인 것을. 막을 수도 없고 막아서도 안 되는 걸 알면서도 휘연은 덧없이 사라질 생명이 안타까웠다.

그러나 그보다 더 고통스러운 것은 이것이 고작해야 시작에 불과하다는 것이다. 천제에게 버림받은 인간들의 운명. 인간이기에 죄를 짓는다고 했던가.

자신의 타고난 그릇 이상을 욕심내고 추악한 욕망과 야심에 비열한 속임수를 서슴지 않고 사용한다. 강한 자에게는 아첨하며 매달리고, 약한 자는 경멸하고 멸시하며 짓밟는다.

권력과 부를 위해 자신의 가족마저도 희생시키며 사랑하는 이마저도 배신해 버리고도 죄악감을 느끼지 않고, 힘을 얻기 위해 타인의 것을 아무렇지 않게 빼앗을 수 있는 흉악함은 오직 인간에게만 있기 때문이다.

하늘을 발아래 두고 천방지축 날뛴 대가가 어떠한지를. 인간들 스스로 자처한 당연한 결과가 무엇인지를. 천기가 탁한 기운에 잠들고 오로지 혈광만이 번뜩이는 이때야말로 진정한 피의 굴레로 들어서는 시작이었다.

"후우."

과연 이런다고 인간의 악함이 사라질까. 어쩌면 천제가 자신들을 버린 이유조차 깨닫지 못할지도 모른다. 그러고는 당연하다는 듯 돌아보지 않는 천제를 원망할 것이다.

그 반복되는 어리석음에 앞으로 얼마나 더 많은 피가 대지를 적실지. 휘연은 암담한 마음에 나지막이 탄식을 터트렸다. 직접 눈으로 보지 않아도 충분히 짐작할 수 있었기 때문이다.

피 냄새가 가득하고 시체가 산처럼 쌓여 있는 모습. 모두 천살이 눈을 떴을 때에 뒤따르는 당연한 결과였다. 그리고 지금의 고요는 폭풍전야라는 건 오직 휘연만이 알고 있는 사실이었다.

그래서인지 짐짓 차분함을 가장하고 있었으나 휘연의 마주 잡은 두 손이 가늘게 떨리고 눈동자가 불안하게 흔들리는 것까지는 막을 수가 없었다.

그렇게 각자 복잡한 심경에 초조한 시간이 흐르는 가운데, 자정을 한 시진 앞둔 늦은 밤이었다. 새까만 어둠 사이로 추적추적 빗줄기가 쏟아져 내리고, 그 어둠을 살라 먹는 극히 미세한 움직임이 소리 소문 없이 시작되고 있었다.

각자 맡은 임무를 수행하기 위해 이미 몇 시진 전부터 완벽하게 자리를 잡고 있던 암영제의 움직임이었다. 그들의 암살 대상은 유창운과 환백의 편인 우승을 제외한 그 일파의 수장들과 그들의 책사들로 금위대장군을 비롯한 수십 명이었다.

때마침 쏟아지는 빗줄기에 그들은 각자의 구역에서 소리 없이 죽어 갔다. 흔적조차 남기지 않고 고작해야 일각여의 시간 안에 수십 명이 일제히 사라진 것이다.

그 결과 결전이 있을 한 시진 후면 유창운 측에 일대 혼란이 일어날 것은 자명한 일이었다. 그럼에도 군사를 일으켰다는 게 명명백백한 이상은 유창운은 환백이 파 놓은 함정에 스스로 걸어 들어갈 수밖에 없을 것이다.

한 번 빼어 든 칼날을 다시 갈무리한다는 건 그만큼 위험 부담이 크기 때문이다. 그렇게 수십 명을 시작으로 피의 서막이 조용히 오르고 있었다.

❖

유독 조용한 유화궁 안으로 기묘한 긴장감이 흐르는 가운데 유화궁의 주인인 자렴황비 유자운의 얼굴은 지극히 평온

했다. 그러나 그 안에는 숨길 수 없는 다른 기색 또한 얼핏 드러내고 있었다.

그동안의 환백의 행보대로라면 오늘 밤 반드시 유화궁을 찾았어야 했지만, 무슨 이유에서인지 환백은 오지 않은 것이다. 그 때문에 지금까지 사용했던 독과 상극인 극독으로 독살하려던 계획은 완전히 물거품으로 돌아갔기 때문이다.

그로 인해 유창운의 심기가 불편할 것은 자명했으나 유자운은 남몰래 가슴을 쓸어내리며 안도했다. 결코, 환백을 위하는 마음에서 그런 것이 아니라 혈육에게도 버림받은 자신의 마지막을 살인으로 장식하고 싶지 않아서였다.

"아무래도 올 것 같지도 않고, 너는 그만 돌아가 그대로 보고하는 게 좋겠구나."

"뭔가 이상합니다. 혹 눈치챈 건 아닐까요?"

유창운이 보낸 심복의 물음에 유자운은 힐끗 창밖에 시선을 두다가 이내 망설임 없이 고개를 내저었다.

"만약 눈치를 챘다면 그 성격에 곱게 넘어갈 리가 없지."

"그건 그렇지만. 주군께서 실망하실 것입니다."

"그렇겠지."

손녀를 죽이려는 조부이다. 하물며 손녀의 손에 피를 묻히라고 직접 명령을 내린 사람이 아닌가. 죽기 전에 유창운의 명령을 제대로 수행했다면 일말의 동정이라도 받을지 모르나, 실패한 이상은 유창운의 반응은 충분히 짐작할 수 있었다.

그리고 다가올 자신의 죽음까지. 자신의 계획에 그 무엇 하나도 도움되지 않은 손녀를 어찌 처리할지는 뻔한 일이기에 유자운은 목 안으로 쓴웃음을 삼키며 씁쓸하게 중얼거렸다. 그런 유자운을 본 심복이 나지막이 한숨을 내쉬며 자리를 털고 일어나 예를 갖췄다.

"마마, 끝까지 모시지 못함을 용서하십시오."

"……그래."

심복의 말이 뜻하는 것이 무엇이라는 걸 알기에 유자운은 피가 통하지 않도록 두 손을 마주 잡고 파르르 떨리려는 입가를 단호하게 다물었다.

애써 심기를 가라앉히고야 유자운은 잠시의 틈을 두고 짧게 대답했다. 처음부터 그랬다. 어쩌면 유자운이 유창운의 손녀로 태어난 그 순간부터였는지도 모른다.

자신의 의지로는 그 무엇도 하지 못한 채 오직 유창운이 원하는 대로 성장해 왔고, 이젠 그 마지막 쓸모없는 존재가 되어 사라져야 한다.

작은 희망조차 품지 못하도록. 일의 실패 여부를 떠나 유자운에게 그 결과는 같은 것으로 당연한 절차처럼 예정되어 있는 죽음이 그랬다.

스스로 목숨을 끊으라는 유창운의 또 다른 명령이나 매한가지기 때문이다. 애초부터 거부할 수도 없었고, 어차피 자신은 그렇게 길러진 것을.

심복이 순식간에 모습을 감추자 그제야 유자운의 얼굴이 일그러지고, 점차 차오르는 눈물이 더해질수록 입 밖으로 간헐적인 흐느낌이 흘러나오고 있었다.

새삼 죽음이 두려운 것이 아니었다. 다만 제아무리 자신의 처지를 받아들인다고는 해도 유자운의 나이 이제 갓 15세에 불과하기에 두려움을 온전히 감추지 못하는 것이다.

그리고 못내 지울 수 없는 유창운에 대한 작은 원망까지. 유자운은 처음이자 마지막으로 지칠 때까지 눈물을 쏟아 내고 있었다.

그렇게 심복이 떠난 지 약 한 식경이 지났을 때였다. 겨우 눈물을 그친 유자운이 작게 심호흡을 하고 품 안에서 작게 접은 약봉지를 꺼내 들었다.

"후, 차라리 나쁘지 않을지도."

유자운은 약봉지를 내려다보며 씁쓸하게 웃었다. 지금 죽지 않는다면 유창운은 암살자를 보낼 것이다. 새삼 자신을 가엽게 여겨 줄 것도 아니기에 유자운은 각오를 다지는 듯 눈을 질끈 감았다가 뜨고 약봉지를 펼쳤다.

바로 환백을 독살하려 했던 극독으로, 처음부터 자신의 것도 유창운이 같이 보냈다. 그 사실에 유자운이 또다시 쓴웃음을 짓고 약봉지를 들어 입에 막 털어 넣으려는 찰나였다. 환백의 명령을 받은 묵가의 일원들이 유화궁으로 들이닥쳤다.

"누구냐? 감히, 예가 어디라고 들어온 것이냐?!"

하나같이 복면을 한 묵가의 갑작스러운 침입해 유자운이 당황한 와중에도 침착함을 잃지 않고 대응했지만, 곧 뒤로 다가온 누군가에게 수혈이 짚어 그 자리에서 맥없이 쓰러질 수밖에 없었다.

"주군의 생각을 알 수가 없군. 왜 이 여자를 살리려는 거지?"

"그러게. 제일 먼저 죽여도 시원찮을 판에 이해를 못 하겠군."

"우리야 명령대로 움직이면 그만이다. 쓸데없는 소리는 그만하고 나는 곧바로 주군께 갈 테니 너희는 유화궁을 정리해."

사내가 말을 마치고 유자운을 검은 장포로 돌돌 말아 어깨에 걸친 채 모습을 감추자, 남은 네 사람도 곧 모습을 감추며 유화궁 내에 숨 쉬는 모든 이들을 소리 없이 죽여 나갔다. 이 같은 사실을 전혀 모르는 채 유창운은 심복의 보고를 듣고 있었다.

"어떻게 됐느냐?"

"실패입니다."

심복의 대답에 유창운의 미간이 확 찌푸려졌다.

"실패?"

"그것이…… 오늘 황제가 유화궁에 들르지 않았습니다."

지금껏 단 한 번도 거르지 않고 유화궁을 찾았던 환백이 정작 거사 일인 오늘 찾지 않았다는 사실에 유창운이 무언가 불길한 기분을 느끼고 되물었다.

"설마, 눈치챈 건 아니겠지?"

"그 부분은 아직 확실하지 않습니다. 다만 어제까지만 해도 전혀 이상한 낌새를 느끼지 못했다고 합니다."

"흐음, 황궁 내 분위기는?"

"다소 경직된 것 같기는 하지만 평소와 크게 다르지는 않았습니다."

심복의 대답에도 못내 불길함이 사라지지 않는지, 유창운은 무언가 골똘히 생각한 끝에야 미미하게 고개를 끄덕였다.

어차피 자신 앞에 펼쳐진 길은 외길뿐, 고민한다고 달라질 것은 없기 때문이다.

"그 애는?"

"별다른 말씀은 없으셨습니다."

유자운의 마지막 모습을 떠올리고 심복이 살짝 고개를 숙이며 답하자, 찰나간 미간을 찌푸리던 유창운이 이내 단호하게 명령했다.

"만약, 그 애가 명을 어기면 그때는 난전을 틈타 네가 직접 처리해라."

"존명!"

유창운은 단호했다. 조금의 거리낌도 없이. 자신의 피를 물려받은 손녀라 하나 어차피 처음부터 이용물에 지나지 않은 것이다. 자신의 야망에 걸림돌이 된다면 그 무엇도 서슴없이 치워 버릴 수 있는 게 유창운이다.

애초에 계획대로 황태자를 회임이라도 했다면 한평생 부귀영화를 누리게 할 수도 있었으나 그도 아닌 이상, 대를 이을 손자나 새것이라면 모를까 한 번 사용한 헛된 패를 다시 쓸 수 없는 이유이기도 했다.

그래서인지 잠시 잠깐 머뭇거림은 있었지만 그것뿐이었다. 유창운은 곧바로 유자운의 존재를 머릿속에서 지워 버리고 다시 한 번 계획을 점검했다. 이미 만반의 준비를 모두 끝마친 상황으로, 이제 채 반 시진도 남지 않았기 때문이다.

오늘따라 거센 빗줄기까지 쏟아졌다. 칠흑 같은 어둠은 오히려 자신의 계획에 도움이 될 것이라는 생각에 유창운은 진득하게 웃었다. 오늘을 기점으로 하늘이 뒤바뀔 것이다.

"이제 곧이다. 세상은 내 차지가 되는 것이다. 크흐흐흐흐."

한 치도 어긋남 없이 계획대로 진행되는 상황에 유창운은 전율까지 느끼는 듯 몸을 부르르 떨며 음산한 웃음을 터트렸다. 그러나 언제 어느 때고 뜻밖의 변수는 있다고 하던가. 그 점을 염두에 두지 못했던 유창운의 웃음은 결코 오래가지 않았다.

"주군! 아무래도 이상합니다. 신호가 올라오지 않고 있습니다."

"그게 무슨 말이냐? 신호가 올라오지 않았다니?"

"그것이 궁문이 열리는 때에 맞춰 신호탄을 쏘기로 했습니다만, 아직 어떤 신호도 없었습니다."

"이익! 하면 어찌 된 영문인지 연통이라도 넣었어야지!"

"송구합니다! 안 그래도 두 번이나 연통을 넣었는데도 답이 없어서."

"하! 답이 없다? 그 말은 설마, 다른 진영과 소식이 끊겼단 말이냐?"

생각지도 못한 소식에 유창운이 날 선 눈을 번뜩이며 되묻자 보고를 올렸던 창문관이 부들부들 떨며 고개를 숙였다.

"도대체 이게. 끄응, 당장 출발하고 각 진영에도 연통을 넣어! 궁문이 열리자마자 들어간다!"

"존명!"

빗소리 외에는 숨이 막히도록 고요한 밤. 황궁을 둘러싼 유창운의 일파가 키운 군사들이 이미 포진해 있고, 그 뒤를 자신이 이끈 군사와 마지막 후방은 기존 군사 세력이었던 3군에게 맡으라 지시를 내려놓은 상태였다.

그리고 이젠 자정을 코앞에 두고 있어 황궁 안에서 문이 열리는 순간 들이닥치기만 하면 되는 것을. 병사의 보고로는 황궁 주위에 포진한 병사들이 시간이 됐는데도 어떤 신호도 없다는 것이다.

그건 곧 움직이지 않았다는 걸 의미한다. 그런 데다 더 기가 막힌 건 그 수장들의 연락도 끊어졌다. 도대체 어찌 된 일이란 말인가. 조금 전까지만 해도 그 어떠한 변수도 없이 모든 일이 계획대로 진행됐다.

헌데 결전을 코앞에 앞두고 삐걱거리고 있다니. 짜증이 치미는 듯 주먹을 끌어 쥔 유창운의 손이 가볍게 떨렸다. 달싹거리는 그의 입술이 타는 듯 바싹 말라 있었다.

유창운은 이상한 예감이 들었다. 그게 무엇인지 정확히 잡히지 않았지만, 무언가가 틀어졌다는 건 확실히 알 수 있었다.

"설마, 이것들이 배신한 건 아니겠지?"

아닐 것이다. 만약 배신했다면, 황궁 안에서 함정을 파 놓고 기다린다면 몰라도 자신의 명령대로 범위가 넓은 황궁 주변으로 포진해 있을 이유도 없거니와 간사스럽기는 해도 자신을 배신할 만한 간이 큰 이도 없었다.

그렇다면 무엇이 틀어졌단 말인가? 어디서부터 무엇이? 설마 모든 것이 틀어진 것은 아닌지. 만약 그렇다면 이대로 밀어붙여도 될지. 빠르게 고민을 거듭하고도 딱히 떠오르는 부분이 없어 결국 나지막이 침음성을 토해 냈다.

사실상 고민한다고 해서 달라질 건 없었기 때문이다. 이미 화살은 시위를 벗어났다. 돌이키기에는 늦은 것이다. 그러니 이제 와서 물러선다는 건 곧 죽음을 의미하는 것으로, 하다 못해 싸워 보지도 않고 앉아서 당할 수는 없었다.

설사 무언가가 틀어졌고, 자신이 향하는 곳이 곧 죽음의 길이라 해도 상황은 같았다. 오늘의 거사에 자신의 야망을 담고 목숨까지 걸은 이상, 유창운은 복잡한 생각을 떨쳐 버리고 황궁 쪽을 힐끔거리며 곧바로 마차에 올랐다.

그런 유창운의 이마에 불안한 마음을 고스란히 드러내듯 진땀이 맺혀 있었지만, 그는 겉으로는 짐짓 아무 일 없었다는 듯이 군사들을 독려하고는 태연한 얼굴을 가장했다. 그렇게 출발한 유창운의 마차와 군사들이 황궁을 향해 나아가고 있었다.

"어떻게 됐나?"

"궁문이 열리면 같이 움직이라고 전했으니 곧 뒤따라올 것입니다."

유창운의 불길한 마음과는 달리 황궁 안은 지독히도 조용했고, 성문을 지키는 병사들 외에는 지키는 이들조차 없었다. 반면 유창운 쪽은 엄청난 대군이었고 만반의 준비 또한 갖추고 있었다.

이쯤 되자 유창운도 알게 모르게 가슴을 쓸어내리며 괜한 걱정을 한 것이라 생각했다. 하물며 황궁 안에는 자신을 도울 세력이 있다. 그들이 문을 열어 주면, 무혈입성(無血入城)하면 되는 것이다. 그 생각 끝에 비릿하게 웃던 유창운의 귓가로 우렁찬 목소리가 흘러 들어왔다.

"궁문이 열렸습니다!"

"좋아! 닥치는 대로 척살(刺殺)하라! 조금의 말미도 남겨 두지 마라!"

계획대로 황궁으로 통하는 세 개의 문 중 가운데 거대한 정문이 소리조차 없이 열리자, 가벼운 갑옷 차림의 병사들이 물밀 듯이 쏟아져 들어갔다.

그 뒤를 잠시의 틈을 두고 유창운의 일파들이 이끄는 군사들이 들이닥쳤다. 이젠 마지막으로 3군만 들어가면 황궁 안은 거대한 전쟁터를 방불케 할 것이다.

다만 이 와중에도 지나치게 조용한 것이 꺼림칙했지만, 유창운은 깊게 생각하지 않았다. 어차피 시작된 싸움, 어떤 결말이든 끝을 봐야 했기 때문이다.

그렇게 3군까지 모두 황궁 안으로 들어서자 궁문이 다시 한번 소리 없이 닫혔다. 그리고 그 순간이었다. 3군이 대열을 맞춰 양쪽으로 달려가고 어느 순간 그들이 멈췄을 때는 유창운의 군사를 포위한 거대한 원형의 형태를 갖추고 있었다.

"뭣들 하는 짓이냐?! 너희의 적은 황제다!"

"닥쳐라!"

창문관의 호통 소리에 맞받아치는 소리가 들려오고, 빙 둘러 에워싸고 있던 3군의 한쪽이 열리며 전투용 갑옷을 입은 두 무리가 쏟아져 나왔다. 바로 유창운이 자신의 손발이라 생각했던 금위대와 우승의 세력들이었다.

"서, 설마 금위대……. 익! 감히, 네놈들이 배신한 것이냐?!"

"멍청한 놈들! 우리는 황제 폐하께 충성을 바친 신하다! 역모를 꾀하는 네놈들을 도울 리가 있느냐?!"

"이익! 간신배들, 죽여 버린다!"

"큭큭, 글쎄. 잘될지 모르겠군."

낮은 웃음소리와 함께 금위대의 사이를 뚫고 나온 교령이 손을 번쩍 들어 올리자, 궁벽 위로 수십만의 군사들이 빼곡하게 자리를 채우며 일제히 유창운의 군사들을 향해 무기를 겨눴다.

그들의 양손에는 기름과 유황에 적셔진 천을 두른 화살이 쥐어져 있었다. 이미 만반의 준비를 마친 건 유창운이 아닌 환백이라는 걸. 불길함의 원인을 그제야 깨달은 유창운은 머리를 둔기로 세게 얻어맞은 듯한 충격으로 비틀거렸다.

불과 조금 전까지도 불안함은 있었어도 자신의 승리를 의심하지는 않았었다. 이번 싸움에 자신의 모든 것을 걸었기에 절대 의심해서는 안 되었기 때문이다. 헌데 고작 한 식경 만에 상황이 완전히 바뀌어 버리다니!

도저히 실감이 나질 않아 파리해진 입술로 눈을 부릅뜨고 죽은 듯이 움직이지 않는 유창운을 창문관이 애가 닳는 목소리로 재촉했다. 지금 상황은 불길한 정도가 아니었기에 어떻게든 유창운을 피신시키려고 한 것이다.

"주군, 먼저 피하십시오. 제가 길을 열어 드리겠습니다."

"늦었다."

"늦지 않았습니다. 목숨을 걸고라도 지켜 드릴 터이니, 지금이라도 피하십시오. 주군!"

입이 바싹 마르고 애가 타는 듯한 창문관의 말은 오래가지
않았다. 곧 유창운의 분노가 실린 시선이 향한 곳으로 돌아
가고 이내 두 눈을 커다랗게 떴다. 언제 왔는지 암영제와 묵
가를 양쪽으로 두고 환백이 똑바로 시선을 맞추며 웃고 있었
기 때문이다.

"이런, 오래 준비했을 텐데 아깝게 됐군."

수십만의 군사가 집결했다고는 믿을 수도 없을 만큼 숨 막
히는 침묵이 흐르는 가운데 환백이 즐거운 듯 입을 열었다.
멀리 떨어진 덕분에 환백의 말을 제대로 알아듣지는 못해도
유창운은 자신을 향한 비웃음이 확실할 거라는 건 뻔했기에
이를 바득바득 갈며 불같은 분노를 터트렸다.

"네놈을! 네놈을 진작 죽였어야 했다!"

"그렇게 나와야지 즐겁지. 부디 살아남으라고."

그러면서 환백이 손을 들어 올리자, 기다렸다는 듯 3군이
뒤로 후다닥 빠지고 성벽 위로 자리를 잡은 빼곡한 군사들이
일제히 화살촉에 감긴, 기름과 유황을 적신 천에 불을 붙이
고 유창운 쪽을 향해 시위를 당겼다.

그리고 다시 한 번 손을 들어 올리자 어두운 하늘을 대낮
같이 밝히며 불을 붙인 화살이 일제히 쏟아지고 있었다. 빗
발같이 쏟아지는 화살은 백발백중(百發百中)이었다.

"크아아악……!"

"주군! 주군을 보호해라!"

"사, 살려 줘!"

귀를 찢어 놓는 아득한 비명에 안타까움과 공포가 뒤섞인

창문관의 두 눈이 부릅떠지고, 벼락같은 일갈에 병사들이 유창운을 에워싸며 온몸으로 보호하려 했다. 그러나 무수히 쏟아지는 화살을 모두 막아 내기란 애초에 불가능한 것이었다.

순식간에 거대한 화염 덩어리가 타오르는 것처럼, 가벼운 갑옷을 뚫고 몸에 박힌 화살의 불은 처절한 몸부림에도 꺼지지 않은 채 더욱 불타올랐다. 여기저기 찢어지는 비명으로 황궁 안은 아수라장으로 변하고 있었다.

오직 죽음의 공포만이 생생할 정도로. 옷에 옮겨 붙은 불길을 끄지 못하고 타고 있는 머리카락을 쥐어뜯듯이 잡고 빠져나오는 병사의 몸이 미처 도망치기도 전에 에워싸고 있던 3군의 긴 창에 꿰뚫려 던져지면서 공포는 더욱더 가중되었다.

마치 우리 안에 죄인들을 몰아넣고 무자비하게 학살하듯이. 오랜 세월 준비한 사실이 허무할 정도로 상황은 길게 이어지지 않았다. 환백이 공격을 멈추라는 지시를 내렸을 때는 메케한 냄새가 코를 찌르고 있어 숨조차 쉬기 힘들 지경이었다.

"모조리 죽이고 승상은 살려서 데려와."

"존명!"

환백이 명령을 내림과 동시에 자리에서 벌떡 일어나자 그 옆으로 묵가와 암영제가 뒤따르며 빠르게 앞으로 튀어 나가고, 그 모습에 금위대와 우승의 세력, 그리고 3군들이 일제히 포위망을 좁히고 있었다.

"주군! 주군, 괜찮으십니까?!"

창문관이 병사들의 몸 밑에 깔린 유창운을 힘겹게 끌어내자 유창운이 온통 지저분한 몰골로 일어났다. 유창운이야 병사들이 몸을 던진 덕분에 다치지 않았지만, 창문관의 팔뚝과 다리에는 화살이 관통하여 박힌 바람에 온통 땀과 피로 뒤범벅이 된 흉측한 몰골을 하고 있었다.

"큭, 아직은 괜찮다."

"속히 이곳을 빠져나가야 합니다! 지금이 아니면 기회가 없습니다!"

유창운은 허탈하게 웃었다. 한 번의 공격으로 군사를 반 이상을 잃은 것이다. 하물며 배신한 세력까지 더해 황제 측의 군사가 압도적이다. 이런 상황에 과연 자신이 살아날 기회가 있을 리가 없었기 때문이다.

"하! 크큭…… 다 끝났어."

"포기하지 마십시오, 주군! 뭣들 하느냐! 정신 차리고 싸워라! 죽이지 않으면 네놈들이 죽는다! 한 놈이라도 더 죽여!"

좁혀지는 포위망에 공포에 떨던 병사들이 벼락같은 창문관의 호통 소리에 화들짝 놀라 창을 들어 올렸다. 이미 전의를 상실했지만 이대로 멍청하게 앉아서 죽을 수는 없었다.

살아남고자 하는 열망을 가득 담은 마지막 발악의 몸부림이었다. 그러나 그들이 이미 사신(死神)의 칼날 앞에 목을 들이밀고 있다는 사실은 변하지 않았다.

멈출 수 없기에 꺼져 가는 불씨에 불을 지피듯이 그렇게 싸움은 절정으로 치달아 갔다. 피에 젖은 창을 들고 이리처럼 사방을 훑어 가는 자들의 눈빛.

상대에 대한 적개심과 죽음을 결정하는 자의 오만함이 한 가닥 기대를 무참히 짓밟아 버린다. 오직 적아만이 구분되는 곳.

모든 가치는 혼돈 속에 잠들고, 죽어 가는 자의 안타까움은 절망 속에 꺼져 갈 뿐, 죽이는 자와 죽는 자만이 남은 곳이었다. 더 이상 그들은 무인도, 병사도, 백성도 아니었다.

단지 서로의 목줄을 물어뜯는 그들의 이빨 사이에는 상대의 살과 진득한 핏물이 흥건하게 맺혀 흐르건만, 누구 하나 그 상황 자체를 낯설게 받아들이지는 않았다.

이미 약속된 죽음을 좀 더 일찍 끌어낼 뿐, 당연한 절차처럼 약한 자는 사장되고 강한 자만이 살아남는 것이다. 그렇게 그들은 한데 뒤엉켜 오직 본능만이 존재하는 짐승이 된 것처럼 공인된 살인을 즐기고 있었다.

사신의 춤사위가 끝날 때까지. 처절하게 울려 퍼지던 비명이 완전히 끊어졌을 때, 장내는 시체와 피로 가득했다. 말 그대로 시산혈해였다.

유창운의 군사는 강했으나 환백은 더 강했고, 또한 그 수가 더 많았으며 더욱 집요했다. 그 결과 당연한 환백의 승리로 끝을 맺고 있었다.

"주군, 유창운을 생포했습니다. 혹 자살할지 몰라 재갈을 물렸습니다."

교령의 보고와 함께 암영제의 일원들에게 끌려와 자신의 앞에 무릎을 꿇은 유창운을 내려다보며 환백은 적안을 싸늘하게 빛내며 웃었다. 온통 핏물을 뒤집어쓴 듯한 환백은 마치 인간이 아닌 사신 같은 섬뜩한 모습을 하고 있었다.

"이런, 얼굴이 많이 상했군. 나는 말이야. 자네가 혹시라도 죽으면 어쩌나 걱정했었지."

"……."

"큭, 좋은 소식 하나 알려 주지. 아직 확실하지는 않지만……."

말끝을 흐리며 천천히 다가간 환백이 유창운의 귓가에 나직하게 속삭였다. 유자운이 회임을 했다고. 그 말에 벼락이라도 맞은 듯 두 눈을 부릅뜨며 경악하는 유창운을 내려다보며 환백은 즐거운 듯 크게 웃음을 터트렸다.

유창운의 애초 계획을 알고 있었기에 지금 심정이 어떠할지를 충분히 짐작할 수 있었기 때문이다. 한 치 앞도 모르는게 인생이라 했던가. 조금만 더 참았더라면 어쩌면 유창운의 계획대로 됐을지도 모를 일이었다.

헌데 그 사실을 모르고 유창운은 일을 벌였다. 자만에 빠져 함정인 줄도 모르고 스스로 걸어 들어온 꼴인 자신을 돌아보며 유창운은 망연자실 허탈한 눈을 감았다. 배신한 세력과 3군을 제외하더라도 유창운 자신의 개인 군사 6천.

유창운의 수족들이 부리던 개인 군사가 각각 적게는 3천에서 많게는 5천이었고, 자그마치 그 수는 5만에 가까웠다. 그리고 그들은 유창운을 제외하고 단 한 명도 생존하지 못했다. 환백은 처음부터 항복한다고 해도 살려 줄 생각이 없었던 것이다.

"시체들은 모조리 불태우고, 유창운을 비롯해 역모에 가담한 자들의 구족을 멸할 것이니 모조리 잡아들여라!"

"충……!"

환백의 명령이 떨어지자마자 병사들이 일제히 황궁을 나섰다. 오늘의 일로 5만에 가까운 인명이 변변한 저항 한 번

400

해 보지 못하고 대학살(大虐殺)을 당했다. 그러나 천살의 흉흉한 살기는 거기에서 그치지 않았다.

이번 일을 시작으로 한동안 황궁 안은 피비린내가 끊이지를 않았고, 훗날 거대한 전쟁과 이어지는 결과를 가져왔기 때문이었다. 오직 한 사람을 제외하고 아무도 모르게 혈광이 날이 갈수록 기괴하게 번뜩이며 대격변을 따른 겁난과 재앙이 거대한 대국을 덮쳐 오고 있었다.

❖

사흘 전 참혹한 대학살이 벌어졌던 곳에는 일천 명이 넘는 죄인들이 온몸을 결박당한 채 무릎을 꿇고 공포에 떨고 있었다. 핏덩이 아기부터 어린아이, 여인들과 사내들, 그리고 제대로 거동조차 하지 못하는 노인에 이르기까지.

그들은 한결같이 눈을 감고 있었다. 더 정확히는 눈을 어디로 둬야 할지 몰랐다. 대학살이 있었다는 걸 여실히 증명하는 흉측한 자국 위에 자신들이 있었기 때문이다. 바닥을 흥건히 적셨던 핏물이 쏟아지는 빗줄기에도 다 씻겨지지 않은 것이다.

"황제 폐하 납시오!"

환백의 등장에 죄인들이 더욱 공포에 사로잡혔다. 죽음이 가까워졌다는 것을 알기라도 하는 것인지, 숨 막힐 듯한 침묵을 깨고 아기의 울음소리가 흘러나왔지만, 누구 하나 그 소리에 귀를 기울일 수가 없었다.

그런 죄인들을 하나하나 돌아보며 자리에 앉은 환백의 입가가 비스듬히 올라갔다. 맨 앞줄에 단독으로 나와 있는 유창운과 그 뒤로 그와 관련된 이들. 그 옆으로 유창운의 수족들의 가족이 있었고, 그중 신궁에 있어야 할 남영옥도 있었다.

비단 금위대장군의 아들인 남영옥만이 아니었다. 신궁에 남아 있었던 대부분의 신녀와 신관이 잡혀 왔기 때문이다. 역모죄에 해당하는 동족(同族)인 구족의 죄를 묻다 보니 그 수 또한 엄청난 것이다.

구족은 직계와 방계, 처족에 이르기까지 모두 포함된다. 또한, 위의 세대도 포함되기에 이미 세상을 등진 조상들의 묘는 모두 파헤쳐져 시신의 뼈조차 남기지 않았고, 현재 생존하는 이들도 조금이라도 피가 섞여 있다면 모두 잡혀 왔다.

그러나 환백의 잔인한 명령은 거기에서 그치지 않았다. 피가 섞여 있지 않더라도 그 집안에 조금이라도 연관된 이들이라면 신분 고하를 막론하고 모조리 유명을 달리했으며, 이곳에 잡혀 온 이들을 빼고라도 그 수는 오천 명이 넘었다.

사흘 전에 이어 어마어마한 피바람을 일으키며 나라 전체를 들썩거리게 한 것이다. 그렇게 사라진 이들의 사유 재산은 모두 황궁보고 안에 무더기로 쌓였다. 그리고 오늘 또 한 차례 피의 폭풍이 기다리고 있었다.

"폐하, 모든 준비를 끝마쳤사옵니다."

새로이 형부상서에 오른 고진군의 말에 환백은 참담한 얼굴로 눈을 감고 있는 유창운을 보며 고개를 내저었다. 그런 환백의 얼굴 위로 한순간 웃음이 떠오르고, 잔인한 빛을 띤 채 더 짙어지고 있었다.

"곱게 죽일 수는 없지. 분수도 모르고 날뛴 대가가 어떻게 되돌아오는지, 제 놈 가족들의 고통을 똑똑히 지켜보게 해."

"명 받자옵니다!"

환백의 잔인한 명령이 떨어지고, 고진군은 유창운의 처와 두 명의 어린 첩, 다섯 명의 아들과 네 명의 딸, 그리고 여덟 명의 손자와 세 명의 손녀를 임시로 준비된 형틀에 단단히 묶었다. 유창운이 지켜보는 앞에서 고문하기 위함이었다.

"시작하라!"

고진군의 외침이 터져 나오자마자 미리 대기하고 있던 고문관들이 나서며 대자로 묶여 있는 이들의 입에 자살을 방지하기 위해 달군 쇳조각을 밀어 넣었다. 순간 터져 나오는 찢어지는 비명에 유창운의 몸이 경기라도 하는 듯 떨렸다.

두 눈은 경악해 부릅떠지고 자갈을 물은 입은 억눌린 비명을 토해 내며 가족들의 비참한 모습을 바라보고 있었다. 오랜 세월 함께해 온 처의 비명, 자신의 뒤를 이을 아들들과 딸들의 비명, 아직은 어린 손주들의 날카로운 비명까지.

제아무리 이기적이라 하나 유창운 또한 인간이기에 차마 똑바로 볼 수 없어 암담하게 일그러진 얼굴을 떨구었다. 그런 유창운의 눈에서 뜨거운 피눈물이 쏟아지고 있었다. 그러나 유창운의 과욕에 대한 대가는 이제 시작에 불과했다.

"흐윽…… 끄으으으……!"

형틀에 묶인 죄인들의 입고 있는 옷이 찢어져 나가고, 사지를 벌리고 있는 바람에 사내고 여자고 수많은 이들 앞에 치부를 고스란히 드러냈다. 순간 죄인들의 버둥거림이 더 심해졌지만, 그건 수치심 따위를 느껴서가 아니었다.

앞으로 또 어떤 고문이 가해질지 오직 끔찍한 공포에 달아나고자 부질없는 몸부림을 치는 것이다. 마음대로 죽을 수도 없고 혼절조차 하지 못하는 상황에서 죄인들은 고문관들의 끔찍한 고문을 죽지 않을 정도로만 견뎌 내야 했다.

가장 먼저 생으로 손톱 발톱을 모두 뽑아내고, 그 끝에 날카롭고 얇은 송곳을 박아 넣었다. 그 후에 사내는 항문에 여자들은 음부에 달군 쇠꼬챙이를 밀어 넣은 것도 모자라 그 상태에서 고문관들의 무지막지한 힘이 실린 채찍이 날아들었다.

채찍 끝에는 갈고리 같은 날카로운 흉기가 달려 있었고, 한 번 내리칠 때마다 살점이 떨어져 나가고 피가 터져 나오고 있었다. 그뿐만이 아니었다. 온몸이 너덜너덜해질 때까지 채찍을 맞고 기절이라도 하면 상처 부위에 소금을 뿌려 더 끔찍한 고통으로 깨웠다.

사람의 목숨이 얼마나 질긴지 그 상황에서도 할딱거리며 숨을 토해 내는 죄인들의 처참한 모습에 자신들의 차례를 기다리는 죄인은 태반이 구역질과 기절을 거듭하고 있었다. 그건 비단 죄인들뿐만이 아니었다.

지켜보는 대소신료와 병사들 또한 매한가지였기 때문이다. 오직 시종일관 즐거운 듯 입가에 웃음을 달고 있는 환백이나 무표정하게 지켜보는 묵가와 암영제. 그리고 처음과는 달리 오로지 환백만을 노려보는 유창운만이 달랐다.

"슬슬 마무리해."

지겹다는 투로 명령을 내리는 환백의 말에 마지막을 장식할 고문이 이어졌다. 이미 온몸이 멀쩡한 곳이 없는데도 더 할 것이 남았는지, 사내는 양물을 도려내고 여자는 가슴을 도려낸 후, 두 눈에 바늘을 찔러 넣는다.

그러고도 마지막 숨이 끊어지는 그 순간까지 불에 시뻘겋게 달군 쇠꼬챙이로 채찍이 벌려 놓은 상처 사이로 파고들며 온몸을 후벼 파는 것이다. 그로 인해 억눌린 비명은 끊이지 않았고, 몸에서 흘러나오는 핏물은 바닥을 흥건하게 만들었다.

공포가 극에 달할 수 있도록. 짧은 시간 안에 가장 잔인한 방법으로 죽이는 것이다. 그렇게 처참하게 죽음을 맞이하고도 모자라 살점은 도려내 짐승의 먹이로 던져 주었고, 머리카락은 불로 태웠으며 그 뼈는 가루로 다져 흔적조차 남기지 않았다.

그 일련의 처참한 죽음을 고스란히 지켜본 유창운의 고통은 말로 다할 수 없었다. 차라리 기절이라도 하고 싶었으나 환백이 그것을 지켜볼 리도 없거니와 유창운은 죽어서도 잊지 않겠다는 듯 끝끝내 정신을 잃지 않았다.

그런 유창운을 내려다보며 환백은 소름 끼치게 웃었다. 아마도 유창운이 기절이라도 했다면 싱거웠을 것이라는 생각에 피식 웃다가 이내 손가락을 까딱거렸다. 그 순간 유창운의 분노에 찬 눈이 다시 한 번 경악에 부릅떠지고 있었다.

"황제의 위에 올라섰다고 생각했겠지만, 네놈은 간웅(奸雄)도 뭣도 아니다. 단지 썩은 내를 풍기는 쓰레기지."

"으으으……!"

"이런, 그렇게 놀라는 이유를 모르겠군. 이왕지사 청소하는 거 깨끗하게 해야지. 안 그래? 그래도 이 정도면 많이 봐주는 거라고."

환백은 자신이 원하는 반응을 보이는 유창운을 보며 만족한 웃음을 드러냈지만, 유창운은 환백의 잔인함에 치를 떨며 피눈물을 흘렸다. 핏덩이에 지나지 않은 자신의 증손주들까지 환백의 손에 있었기 때문이다.

구족이니 살아남을 거라는 생각은 애초에 하지도 않았지만, 그래도 핏덩이에 지나지 않은 증손주들만큼은 편안하게 죽기를 바랐었다. 하지만 유창운의 그런 바람을 비웃기라도 하려는 듯 환백이 느릿하게 손을 들어 올렸다.

그걸 신호로 간수가 다급하게 다가와 강보에 싸인 갓난아기부터 아장아장 걸음을 옮길 듯한 작은 아이를 데리고 가고, 유창운의 바로 앞 바닥에 내려놓고야 일말의 망설임도 없이 그 위로 유황 기름을 들이붓고 있었다.

산 채로 태워 죽이는 소살형에 처하려는 것이다. 그나마 아기와 어린아이라 고문 없이 이 정도에 그친 것이었으나, 유창운의 처지로서는 그조차도 잔인하기는 매한가지였다. 그러나 자신이 무엇을 할 수 있단 말인가. 할 수 있는 건 아무것도 없었다.

단지 죽기 전까지 생생하게 눈에 담는 것이 전부로, 유창운은 억눌린 비명을 터트리며 바로 눈앞에서 산 채로 불구덩이에 빠진 증손주들의 처참하게 일그러져 가는 모습을 바라보았다. 그러다 끝내 정신을 놓고 말았다.

그런 유창운을 내려다보며 싸늘하게 웃는 환백의 얼굴 위로 잔혹함과 비정함이 고스란히 드러나고 있었다. 장내는 침묵했다. 숨을 쉬는 것조차 잊어버린 듯 지켜보는 모든 이들의 눈은 한결같은 공포를 담고 있었기 때문이다.

어린 황제, 세도가들이 그렇게도 우습게 생각하고 쥐고 흔들 수 있을 것으로 여겼던 황제의 드러난 진면목에 어느 누구도 똑바로 눈을 맞추는 이가 없었다. 오늘의 일로 남은 세력 또한 주춤하며 몸을 사릴 것은 자명한 일이었다.

그렇게 찰나간 멈춘 것도 잠시, 환백의 명령으로 유창운의 고문이 이어졌다. 지금까지는 본보기였다는 듯 유창운의 고문은 한마디로 끔찍했다. 앞서 했던 고문에 가장 잔인하다는 평이 자자한 고문이 다섯 가지를 더 첨가한 것이다.

그러나 더 경악한 건 혼절해 죽기 직전에 몰리면 궁의가 직접 치료를 하고, 그사이 다른 이들의 고문이 이어졌다는 점이다. 쉽게 죽이지 않겠다는 뜻대로 그렇게 유창운은 일천 명이 넘는 죄인들이 고문과 죽음을 맞이할 동안 지옥을 고스란히 경험하고 있었다.

마지막 눈알이 뽑히고 살점을 천천히 도려내 온전히 뼛조각조차 남지 않을 때가 되어서야 유창운은 안식을 찾은 것이다. 그 시간은 아침부터 시작됐던 형벌이 하루를 꼬박 지새울 동안 이어졌고, 황궁 안은 메케한 냄새와 비릿한 혈향이 끊이지 않았다.

"주군, 모두 끝났습니다. 들어가시지요."

"유자운은?"

"말씀하신 대로 비밀리에 본궁 심처(深處)에 두었습니다. 가 보시겠습니까?"

"궁의를 데려와."

유자운을 구금한 거처로 향하는 동안 당연하게 떠오르는 휘연의 얼굴에 환백의 미간에 깊게 주름이 졌다. 휘연이 원하기에 살려 주기는 했으나, 겉으로는 유자운이 자살한 것으로 처리했다.

그렇다고 회임 사실을 믿는 것도 아니었다. 정작 당사자인 유자운도 모르는 회임을 휘연이 알고 있다는 사실을 이해하지 못하는 것이다.

그럼에도 확인하려 하는 것은 환백 나름대로 휘연의 말을 순수하게 믿어 보자는 마음에서였다. 결코, 회임한 사실 자체는 중요한 게 아니기 때문이다.

오직 자신을 위해서. 이대로는 미쳐 버릴 것 같아 작은 구실이라도 필요했는지도 몰랐다. 어떻게든 이유를 찾으려는 자신을 돌아보며 환백은 쓴웃음을 지었다.

휘연과의 일에는 무엇 하나 자신의 뜻대로 풀리는 게 없었던 탓이다. 알면서도 환백은 진심으로 바라고 있었다. 어떤 연유로 알게 됐든, 휘연의 말이 사실이기를.

유자운이 회임한 게 사실이라면 적어도 환백은 말도 안 되는 변명을 붙여서라도 휘연을 믿을 생각이었다. 그렇게라도 하지 않으면 환백은 제정신을 유지하는 것도 힘들었다.

어떤 일에도 냉철했던 자신이 휘연과의 일에는 냉정함이

흐트러지는 건 고사하고 자신감이 떨어진 이유이기도 했다. 그러니 환백으로서도 어찌할 수 없는 일이었다.

"이곳입니다, 주군."

어느새 본궁 깊숙한 곳에 있는 심처에 도착한 환백이 찰나간 멈칫거리며 눈을 형형하게 빛낸 것도 잠시, 곧 문을 거칠게 열어젖히며 안으로 들어섰다. 그와 동시에 망연자실 앉아 있던 유자운이 화들짝 놀라 벌떡 일어났다.

나흘 전 유창운의 거사가 있던 날 밤 난데없이 들이닥친 묵가에 혼절을 한 채 납치당해 이곳으로 옮겨 왔으나, 누구하나 사정을 알려 주는 이가 없어 지금까지 자신이 살아 있는 이유도 몰랐던 유자운으로서는 환백의 등장은 경악하게 만들기에는 충분했다.

무엇보다 환백이 살아 있다는 건 유창운이 패했다는 걸 의미한다. 그 말은 곧 역모죄에 해당하고, 자신 또한 거기에 포함되는 것이다. 평소 환백이 자신에게 마음이 있었던 것도 아니고 자신을 살려 둘 이유가 없지 않은가.

처음에는 혹시 유창운이 거사에 성공해, 그래도 손녀라고 목숨은 붙여 둔다고 생각했지만, 그런 생각은 잠시에 지나지 않았다. 유창운의 피도, 눈물도 없는 냉정함을 유자운 자신이 더 잘 알고 있었기 때문이다.

그렇다면 무엇 때문인가. 이미 승패가 갈렸다면 그동안 자신이 독을 먹여 온 것까지도 드러났을 터인데, 이렇듯 살아 숨 쉬며 환백을 마주하고 있다는 사실에 유자운은 정신이 아득해지는 것만 같았다. 순수한 공포였다.

목숨을 포기한 지 오래이면서도 유자운이 부들부들 떨려 오는 몸을 추스르지 못하고 털썩 바닥으로 주저앉자, 우뚝 멈춰 선 환백의 몸에서 살벌한 기가 뿜어져 나왔다. 깊게 주름이 진 미간에 환백의 분노가 고스란히 드러나고 있었다.

"내가 너를 살려 둔 이유가 궁금하겠지?"

당연했다. 무엇 때문에 자신을 살려 준 건지는 몰라도 유자운은 엄습해 오는 공포에 제대로 말을 잇지 못했다. 단지 짐작할 수 있는 거라고는 설사 자신이 살아남는다고 해도 결코 평탄하지만은 아닐 거라는 사실이었다.

어쩌면 가장 잔인하게 죽이기 위해서일지도 모른다는 생각에 유자운은 입술을 질끈 깨물고 몸을 잔뜩 움츠렸다. 그런 유자운을 바라보는 적안이 살기를 띠었다. 그 시선이 닿는 모든 것들을 얼려 버릴 듯이 냉랭한 눈동자에 유자운은 공포와도 같은 전율을 느낄 수밖에 없었다.

"곧 알 수 있겠지. 진맥해."

"명 받자옵니다."

알 수 없는 말을 중얼거리며 뒤에 서 있는 궁의에게 명을 내리자, 궁의가 주저앉은 유자운을 조심스럽게 일으켜 의자에 앉혔다. 갑작스러운 상황에 유자운이 흠칫거리며 궁의와 환백을 번갈아 봤다. 이 상황이 이해가 가지 않은 것이다.

"맥을 짚을 것이옵니다. 심기를 편히 하십시오."

"맥이라니. 무슨……."

당황스러운 마음에 묻는 유자운의 말은, 곧 나직하게 흘러나오는 환백의 목소리에 묻히고 말았다.

"교령, 가서 황후를 데려와."

"존명."

교령이 사라지고, 유자운은 멍하니 환백을 올려다봤다. 황후라니? 살아난 건 고사하고 진맥을 하는 이유는 무엇이며 황후는 왜 데려오라는 것인지. 유자운은 예측조차 할 수 없는 이 상황이 불안하면서도 차마 묻지는 못했다.

입을 떼서 묻기에는 환백의 몸에서 흘러나오는 살기가 숨이 막힐 정도라 유자운은 목이 콱 막혀 오는 답답함과 떨리는 몸을 유지하는 것조차 사실상 버거웠기 때문이다. 그런 유자운의 궁금증을 안다는 듯 환백이 입가를 비틀며 말문을 열었다.

"황후가 너를 구명해 달라더군."

"……왜……."

"글쎄. 너 또한 황후에게는 원수나 매한가지일 텐데. 왜 너 같은 걸 살리려는 거지? 큭, 아마도…… 네년이 무슨 수를 쓴 것이겠지."

환백은 진심으로 그리 생각했다. 아니, 그렇게 결론짓고 싶었다. 이 모든 게 유자운 때문이라고. 유자운이 휘연에게 더러운 술수를 부린 것이라. 어느새 그렇게 결론 내리고 있었다.

"아직 멀었나?"

"폐하, 그것이. 잠시만 더 기다려 주시옵소서. 잡힐 듯 말 듯 해서……."

"쯧, 서둘러라."

환백의 재촉에 궁의가 식은땀을 흘리며 안절부절못했다. 안 그래도 숨 막히는 상황에서 유자운 또한 몸을 불안정하게 떨고 있는 통에 제대로 된 맥을 짚어 내지 못하고 있었기 때문이다. 비단 그뿐만이 아니었다.

무언가 잡힐 듯 말 듯 잡히지 않은 초조함에 궁의가 깊게 심호흡을 하고 다시 한 번 집중했다. 그렇게 얼마나 지났을까. 밖에서 인기척이 들림과 동시에 조심스럽게 문을 열고 휘연이 들어섰다.

천천히 몸을 돌려 휘연을 바라보는 환백의 눈동자가 무언가 불안하게 흔들리고 있었다. 휘연을 마주한 순간부터 다시금 이는 혼란에 당장에라도 달려가 안고 싶은 마음을 환백은 필사적으로 억눌렀다.

그런 환백을 아는지 모르는지, 살짝 고개를 숙인 후 휘연이 천천히 다가와 유자운을 내려다보자 환백의 미간이 순식간에 구겨졌다. 하지만 그것도 잠시, 휘연의 올곧은 시선이 자신에게로 향하자 작게 움찔거리던 환백이 잔뜩 갈라진 목소리로 말했다.

"네가…… 원하는 대로 살려 줬다."

十章
비애(悲哀)

무거운 침묵이 흐르는 가운데 유자운을 진맥하던 궁의의
이마 위로 맺힌 식은땀이 흘러내렸다. 시간이 흐를수록 무거
운 침묵은 칼날이 되어 되돌아오고 유자운 또한 날카로운 기
운 앞에 몸의 떨림이 더 심해졌기 때문이다.

이렇게 해서는 제대로 된 맥을 짚어 내지 못할 것은 자명
한 일. 아무런 소득 없이 이각여가 지나가자 휘연이 나지막
이 한숨을 내쉬며 한 발 앞으로 나섰다. 그 소리 없는 차분한
움직임에 환백의 시선이 휘연에게로 돌려졌다.

"궁의, 맥을 잡기가 어렵다면 복진법으로 짚으세요. 위치
는 단전의 하단입니다."

휘연의 말에 궁의의 두 눈이 경악하며 휘둥그레 떠졌다.
휘연의 말했던 위치 때문이다. 복진법이라 하면 단전을 중심

으로 복부가 모두 해당하는 것이나, 딱 꼬집어 단전의 하단을 말한다는 건 하나뿐이기 때문이다.

초기 단계인 회임 여부를 알아볼 수 있는 좀 더 확실한 방법. 애초에 진맥하라는 명을 이행한 것으로, 역모 죄인이 회임을 했을 거라고는 생각지도 못한 이유이기도 했다. 그러나 비단 그것 때문에 경악한 것은 아니었다.

"하, 하오나 마마, 소인이 어찌……."

마치 못 들을 걸 들었다는 듯 궁의는 부들부들 떨며 바닥에 고개를 조아렸다. 손목의 진맥조차 태상황 때 겨우 받아들여져 시행되고 있는 상황에 여전히 금기시된 아녀자의 단전 밑을 만진다는 건 터무니없지 않은가.

설사 그 상대가 죄인이라 해도 매한가지였다. 하물며 역모죄로 죽었어야 할 유자운이 버젓이 살아남아 이렇듯 본궁에 머물고 있다는 사실만으로도 상황 파악을 제대로 하지 못한 궁의로서는 쉽사리 행동에 옮기지 못하고 있었다.

여차하면 이 자리에서 목이 떨어져 나간다고 해도 할 말이 없는 것이다. 그런 궁의의 망설임을 이해한다는 듯 미미하게 고개를 끄덕인 휘연이 옷자락 사이로 살짝 주먹을 끌어 쥐며 나직하게 호흡을 가다듬고 천천히 환백을 돌아봤다.

"폐하, 궁의가 복진법을 시행할 수 있도록 윤허(允許)하여 주시옵소서."

휘연의 청에 잠시 잠깐 침묵을 지키던 환백이 궁의를 향해 무거운 입을 열어 답했다. 어쩌면 지금 이 순간 가장 초조한 사람은 환백 자신이리라. 그 사실에 환백은 소리 없이 쓴웃음을 삼켰다.

"시행하라."

"명 받자옵니다."

환백의 명이 떨어지자 크게 숨을 삼킨 궁의가 유자운을 돌아보며 찰나간 머뭇거렸다. 어찌 불러야 할지 난감한 것이다. 그건 유자운 또한 매한가지였다.

이 상황을 어떻게 받아들여야 할지 당황스러웠기 때문이다. 복진법이 뭔지 알아챘으나 그것을 왜 자신에게 시행한단 말인가.

죽어야 마땅할 자신이 살아 있는 그 순간부터 모든 것이 이해가 되지 않았다. 그런 유자운과 궁의를 보며 휘연이 차분하게 말문을 열었다.

"자렴, 궁의가 복진법을 짚을 것입니다. 침상에 바로 눕고 심기를 편히 하십시오. 몸을 불안히 하면 진맥이 어려운 법입니다."

"무엇…… 때문이옵니까?"

천천히 고개를 들어 휘연의 시선과 마주한 유자운이 어렵사리 입을 열어 혼란스럽게 하는 물음을 던졌다. 환백의 말대로 자신 또한 휘연에게 있어 원수보다 못한 존재가 아닌가.

휘연이 자신을 살릴 하등의 이유가 없었기 때문이다. 헌데 다른 사람도 아닌 휘연이 자신을 구명했다고 한다. 그리고 이제는 모두가 지켜보는 앞에서 진맥까지 짚었다.

지금 이 순간에도 유자운은 자신의 회임 여부를 가린다는 걸 전혀 눈치채지 못하고 있었던 것이다. 더 정확히는 유자운의 심기가 불안정해 제대로 된 사고를 생각할 수 없었던 이유이기도 했다.

그래서인지 환백의 따가운 눈총을 받으면서도 유자운은 막연한 물음을 던질 수밖에 없었다. 그러나 휘연은 대답하지 않았다. 그저 씁쓸한 듯 쓴웃음을 삼키면서도 더할 나위 없이 잔잔하게 응시할 뿐이었다.

그 모습에 유자운이 몇 차례에 걸쳐 입을 달싹거리다가 결국은 입을 굳게 다물고 비틀거리며 일어나 침상에 누운 채 가만히 눈을 감았다. 이유가 무엇이든 어차피 자신은 죽을 것이다.

그 사실만큼은 변함없다고 생각했다. 희망을 품기에는 자신의 죄가 무거웠기에 유자운은 모든 것을 포기했다. 어쩌면 처음부터 예상한 일이라 더 쉽게 받아들인 것인지도 몰랐다.

"후우, 시작하겠습니다."

침상 둘레로 얇은 휘장이 쳐지고, 잠시간 옷자락이 부스럭거리는 소리 외에는 방 안은 다시금 침묵만이 돌았다. 처음과 달리 유자운의 몸은 떨리지 않았고, 궁의 또한 얇은 휘장 덕분에 환백의 날카로운 시선에서 벗어날 수 있어 쉽게 집중할 수 있었다.

그렇게 얼마의 시간이 흐르는 동안 휘연이 시종일관 차분한 표정을 유지하는 반면 환백은 점점 더 초조함을 숨기지 못하고 주먹을 쥐었다가 펴기를 반복했다. 휘연의 말이 사실이기를 누구보다 환백이 원하고 있었던 것이다.

자신이 생각했던 터무니없는 오해만 아니면 된다. 환백은 그런 생각을 하는 자신을 돌아보며 치를 떨면서도, 이 이상 휘연에게 잔인해지고 싶지 않았기 때문이다. 그런 환백의 바람은 침묵이 흐른 지 다시 일각이 지나 이룰 수 있었다.

"폐하! 회임이옵니다."

궁의의 말에 반응은 제각각이었다. 정작 회임한 사실도 모르고 있었던 당사자인 유자운은 경악했고, 휘연은 가만히 눈을 감았으며 환백은 막힌 숨을 토해 내듯 안도한 것이다.

"폐하, 자렴황비가 회임을 한 이상은 그에 마땅한 대처가 따라야 할 것으로 사료되옵니다. 윤허하여 주시옵소서."

휘연이 자렴황비의 칭호를 그대로 사용하고는 있었으나 현재 유자운의 위치는 아무것도 아니었다. 단지 휘연의 청을 들어주기로 한 이상 살려 준 것뿐이지, 회임했다고 해서 달라지는 건 없었기 때문이다.

시중들 내관 한 명을 들이는 것도 환백의 윤허가 떨어지지 않으면 그 무엇도 욕심낼 수 없는 게 지금 유자운의 처지였다. 그것을 알기에 휘연은 궁의에게 지시를 내리기에 앞서 이렇듯 환백에게 청을 넣는 것이다.

그런 휘연을 바라보며 환백은 미간을 찌푸렸다. 자신이 원하는 대로 됐음에도 휘연이 나서 유자운을 챙기는 사실이 마음에 안 드는 것이다. 설사 그 일이 황후로서 당연히 해야 하는 일임에도 환백은 속이 뒤틀렸다.

"마음대로 해라!"

짜증이 치미는 듯 끝내 소리를 버럭 지르고 방을 나가 버리는 환백의 뒷모습에 휘연이 나지막이 한숨을 내쉬고 궁의를 돌아봤다.

"궁의, 오늘의 일은 비밀에 부치고, 궁의가 직접 몸을 보할 탕제를 준비하고 성심을 다해 자렴황비를 살펴야 합니다."

"명 받자옵니다, 황후마마."

궁의가 고개를 깊이 숙이고 물러나자 휘연은 휘장 사이로 멍하니 앉아 있는 유자운을 보고는 다시 조용히 말문을 열었다.

"유한, 곁에 있습니까?"

"예, 마마. 하명하시옵소서."

유한이 모습을 드러내며 휘연 앞에 한쪽 무릎을 굽히고 고개를 숙였다.

"내서부(內庶部)에서 입이 무거운 내관 두 명과 산파 한 명을 유한이 직접 데리고 오세요. 그리고 교령에게 일러 암영제 일원 한 명도 보내는 게 좋겠습니다."

"존명."

유한까지 모습을 감추자 휘연과 유자운 두 사람만이 남았다. 여전히 충격에서 헤어 나오지 못하는 유자운을 힐끔 바라보며 휘연이 천천히 다가가 휘장을 거둬 내자 그제야 유자운의 멍한 시선이 조금씩 초점을 찾아가고 있었다.

그러나 누구 하나 쉽사리 먼저 말을 꺼내지는 못했다. 휘연은 모든 것을 알면서도 말하지 못하는 게 그 이유였고, 유자운은 기이하게 뒤틀린 자신의 운명에 기가 막힐 노릇이라 그저 입술만을 질끈 깨물고 있었기 때문이다.

더불어 이 사실도 모른 채 섣불리 일을 벌여 죽음을 자초한 유창운의 오만하던 얼굴을 떠올리자 유자운은 쓴웃음 끝에 실소까지 흘러나올 지경이었다. 그렇게 얼마간 침묵이 흘렀을까. 잔뜩 잠긴 유자운이 먼저 침묵을 깨고 입을 열었다.

"왜입니까? 왜 나 같은 걸 살린 것입니까?"

천천히 고개를 들어 시선을 맞추며 힘없이 묻는 물음에 휘연은 쉽게 대답하지 못했다.

"회임한 것 때문에? 나 자신도 모르고 있었는데 당신이 어찌 알고? 말해 보세요! 무엇 때문에 나를 살린 것입니까?! 대체…… 왜?"

의문을 입에 담을수록 혼란과 충격은 더해만 가는지, 유자운의 초췌한 표정은 더할 나위 없이 참담하게 일그러졌다. 그럼에도 휘연은 아무런 말 없이 침묵을 지켰다. 흥분한 지금은 무슨 말이든 들리지 않을 것은 자명했기 때문이다.

그런 휘연의 태도에 일그러진 얼굴로 괴롭게 소리를 쥐어짜던 유자운의 눈에 서서히 눈물이 맺히고, 이내 막힘없이 볼을 타고 흘러내리고 있었다. 마치 몸 안의 수분을 모두 내보내기라도 하려는 듯. 유자운은 한참이나 어깨를 들썩이며 울었다.

"살고 싶지 않아. 이렇게 비참하게는 살고 싶지 않아! 그 인간의 핏줄 따위! 사실은, 사실은 원하지 않았어. 단 한 번도 원한 적 없어. 흑흑, 차라리 죽게 내버려 두지. 왜! 왜 살린 거야?!"

"……살려야 했습니다."

울분을 토해 내듯 소리를 지르던 유자운이 맥을 끊고 흘러나오는 차분한 목소리에 멈칫거리며 흐릿한 눈을 들어 휘연을 올려다봤다. 그런 유자운을 보며 휘연은 나지막이 한숨을 내쉬고 말을 덧붙였다.

"그대 또한 모진 운명을 타고났으나 아직 해야 할 일이 있지 않습니까? 그러니 살아남으세요. 천리(天理)에 어긋나는 일을 해서는 아니 됩니다."

"왜? 당신이 무슨 이유로? 이런다고 내가 감사할 것 같아? 웃기지 마! 당신이 미워. 왜 나를 살린 거야? 왜 한시도 편하게 두지 않는 거냐고! 겨우 아이 때문에? 이런 아이 필요 없어! 천리? 하! 그런 게 다 무슨 소용이야. 그런 게 있기나 해?"

"……."

"없어. 그런 건 없다고! 있었다면 적어도…… 숨은 쉴 수 있게 해 줬어야지. 크큭, 모두가 죽었는데, 모든 것이 다 사라지고 나만 남았는데 이게 운명이라고? 이런 게 운명이야? 이게 내 운명이라면 나 또한 죽었어야지! 원수의 아이 따위를 가질 게 아니라, 나 또한 해방해 줬어야지. 그래야 하잖아. 그래야…… 하! 흐윽…… 이게 뭐야. 이런 걸 원한 적은 없었는데……."

복잡함을 고스란히 담고 비명처럼, 절규처럼 소리를 지르다가도 아주 가늘고 심하게 떨리는 목소리로 횡설수설하는 유자운의 모습은 결코 정상이 아니었다.

자신이 무엇을 말하고 있는지도 모르는 것같이. 넋을 잃고 부들부들 떨던 유자운이 늘어놓는 말은 마치 피를 토하는 것같이 지금껏 자신을 억눌러 온 무게를 모두 담아내고 있었다.

절망과 허무, 좌절과 분노, 고통과 슬픔으로 가득 찬 비명.

그리고 그것은 절규로 변해 휘연의 가슴을 헤집었다. 눈앞에 유자운은 한 나라의 황비로서 아이를 가진 어미가 아닌, 한낱 작은 소녀에 불과했다.

암담한 절망과 고통이 뒤섞인 절절한 울음소리가 마치 천 갈래 만 갈래로 찢겨져 가슴속에서 피를 뚝뚝 흘리는 것 같은 유자운을 보며 휘연은 눈을 질끈 감고 가슴께 옷자락을 움켜쥐었다.

찰나간 숨을 쉴 수가 없었다. 유자운이 느끼는 고통을 휘연도 고스란히 느끼고 있었던 것이다. 그러나 비단 유자운 때문만은 아니었다.

이 모질고 거대한 운명의 틀 안에 속해 있는 이라면 그 무게만 다를 뿐, 모두가 느껴야 할 고통이기 때문이다. 그 사실을 자신만은 너무도 잘 알기에 휘연이 받는 고통의 범위는 남달랐다.

무엇보다 그 또한 자미성을 타고난 자신의 소임이자 짊어지고 가야 할 업(業)이었다. 그래서인지 휘연은 쉽게 흘릴 수 있는 눈물 대신 씁쓸한 웃음을 흘렸다.

고통스럽다고 해서 피할 수도 없지 않은가. 설사 도망친다고 해도 자신의 작은 한 몸 하나 편히 둘 곳이 없는 것을.

새삼 약해질 수 없기에 휘연은 나지막하게 호흡을 가다듬으며 유자운의 손을 마주 잡았다. 그런 휘연의 얼굴 위로 아픈 듯 슬픈 듯, 짐작하기 어려운 미소가 떠오르고 있었다.

"이제부터라도 자신의 인생을 살도록 노력하세요. 그대에게는 아직 기회가 있습니다."

"내…… 인생?"

"예. 타인에 의해 결정되는 인생이 아닌, 스스로 만들어 가는 인생을 사세요. 욕심을 버리면 마음 또한 편안해지는 법입니다."

불안하게 들끓었던 마음을 편안하게 하는 옥음이 부드럽게 흘러나오고 손에서 느껴지는 따뜻한 온기에 유자운의 커다랗게 떠졌던 눈이 천천히 제자리를 찾아가고 어느새 조용한 슬픔의 응어리 같은 것이 맺혀 들고 있었다.

지금껏 자신의 의지라고는 없이 오직 유창운을 위해 살아온 유자운에게 있어 휘연의 말은 높고 견고하게 쌓아 둔 벽을 허물어트리는 결과를 가져온 것이다. 타인이 아닌 자신의 인생을 스스로 만들어 간다.

그 말은 유자운을 두렵게도 만들고 허무하게도 했으며 죽어 버린 희망의 불씨를 당기는 말이기도 했기 때문이다. 그렇게 지쳐 정신을 잃을 때까지. 유자운은 가슴속에 맺힌 모든 응어리를 모조리 쏟아 내려는 듯 울고 또 울었다.

"후우, 자네들에게 당부할 말이 있네."

"하명하시옵소서, 황후마마."

지쳐 잠이 든 유자운을 침상에 눕히고 휘장까지 쳐 놓고 방을 나온 휘연이 대기하고 있었던 듯 고개를 조아리는 내관들과 산파를 꼼꼼하게 살펴보고야 미미하게 고개를 끄덕였다.

"그대들이 지켜야 할 것은 두 가지네. 자렴황비가 이곳에 있다는 사실을 절대 입 밖에 꺼내서는 안 되며, 자렴황비를 모시는 일에 있어 추호도 소홀히 해서는 아니 될 것이네. 알겠는가?"

"명심하겠사옵니다."

부드러우면서도 단호한 음성에 살짝 움츠러든 산파와 내
관들이 머리를 깊게 조아리자 휘연이 힐끔 방문을 바라보며
조금은 씁쓸한 목소리로 말을 이었다.

"편안히 해 주게나. 가까이 있는 그대들이라도 위로가 되
어 주면 그녀도 마음이 조금은 편할 것이야."

그 말을 끝으로 휘연이 아소와 무영을 데리고 자리를 뜨
고, 그런 휘연의 뒷모습에 남은 이들은 한동안 멍하니 정신
을 차리지 못하고 그 자리에 못 박힌 듯 서 있었다. 소문과는
전혀 달랐기 때문이다.

사내라 하면 병적으로 싫어하는 황제의 반려로 황후 취급
은 고사하고 제대로 된 인간 취급도 받지 못하는 존재. 생긴
것 또한 추해 얼굴을 드러내는 것조차 허락받지 못한 이름뿐
인 그림자 황후.

그뿐만이 아니었다. 무거운 형벌까지 받지 않았는가. 그렇
다 보니 근래 두 사람을 두고 언제인가부터 조심스럽게 떠도
는 소문이 있었지만, 실상은 그 소문을 곧이곧대로 믿는 사
람은 아무도 없었다.

황후인 휘연의 위치가 그렇듯 더 이상 떨어지려야 떨어질
수도 없는 바닥인 것이다. 그러나 오늘 본 휘연의 모습은 상
상했던 것과는 너무도 달랐다. 사내라고는 상상도 할 수 없
는 모습이 그랬다.

비록 면사로 가려져 있었으나 숨길 수 없는 단아한 기품은

자연스러운 위엄과 함께 흘러나왔고, 걸음걸이는 한 점 흐트러지지 않고 바르다. 무엇보다 마음을 울리는 옥음은 절대 사내가 가질 수 없는 것이었다.

"황후마마, 폐하께서 기다리고 계시옵니다."

유한의 안내로 복잡한 금장전 자신의 처소 앞에 당도했을 때 휘연을 맞이한 건 초조한 얼굴로 반색하는 시종장이었다. 유자운의 처소를 나와 곧바로 이곳에서 휘연을 기다린 것이다. 그렇다면 한 시진은 족히 기다렸다는 말이다.

휘연은 절로 터져 나오려는 한숨을 속으로 삼켰다. 또다시 환백의 심기를 어지럽힌 것으로 자신에게 돌아올 고통이 무엇인지 휘연은 생각만으로도 두려웠다. 그렇다고 피할 수도 없는 것을. 휘연은 애써 불안을 감추고 심기를 바로 했다.

❖

문을 열고 들어간 휘연은 방 한가운데 탁자에 앉아 있는 환백의 곁으로 조용히 다가갔다. 곧바로 다그칠 거라는 휘연의 생각과는 달리 두 사람 사이로 잠시 침묵이 흘렀다. 어색한 공기가 두 사람 사이를 감싼 뒤 작은 목소리가 울렸다.

"앉아라."

화를 품지도 그렇다고 짜증이 배어나지도 않은 그 목소리에 휘연이 짐짓 놀란 듯 숙이고 있던 고개를 들었다. 그런 휘연을 환백은 진지한 눈으로 바라보고 있었다. 무언가 할 말이 있는 듯 달싹거리던 입은 몇 번이나 같은 일을 반복할 뿐 한참이나 열리지 않았다.

그렇게 두 사람 사이로 흐르는 어색한 침묵에 숨이 막힐 지경까지 이르러서야 환백의 입술이 살짝 비틀리며 그 사이로 나지막한 한숨이 흘러나오고 있었다. 그리고 그 작은 한숨 소리에도 움찔거리며 잔뜩 긴장을 드러내는 휘연을 보며 환백은 쓰게 웃을 수밖에 없었다.

"너를 기다리는 동안, 많은 생각을 했다. 너에 대해서……."

한참의 침묵 끝에 흘러나온 뜻밖의 말에 휘연이 당황스러운 얼굴로 시선을 맞췄다. 그러나 당황스러움은 오래가지 않았다. 많은 생각을 했다고는 하나 무언가 할 말을 고르려는 듯이. 정리되지 않은 혼란을 고스란히 담고 불안하게 흔들리는 환백의 눈빛이 무엇을 말하고자 하는지를 짐작한 것이다.

"나는 네가…… 어렵다."

말을 고르고 골라 잠시의 틈을 두고 환백은 그렇게 말했다. 어려웠다. 불과 얼마 전까지만 해도 생각할 가치도 없었던 이가 이제는 자신을 쥐고 흔드는 것이다.

그 사실을 인정할 수 없어 짜증이 치밀어 오르면서도 한편으로는 싫지 않았다. 그런 자신을 되돌아보며 환백은 어김없이 실소를 흘릴 수밖에 없었다.

곧바로 이곳으로 왔을 때만 해도 뒤따라오지 않은 휘연에게 살기가 치밀지 않았는가. 자신의 뜻대로 움직여지지 않은 것은 필요 없다 여기고 치울 생각마저 했었다.

생각할수록 가치가 없었기에. 자신의 계획에 무엇 하나 도움이 되는 것도 아니고 마음을 더 굳건히 해야 할 이때에 혼란만 주는 휘연은 사라지거나, 그도 아니면 자신의 눈앞에서 치우는 것이 옳았기 때문이다.

아무리 생각해도 그게 최선의 방법이었다. 그러나 그 같은 결론은 고작해야 한 식경을 넘지 않았다. 휘연이 눈앞에서 사라지고 없다는 생각만으로도 숨이 턱 막히는 건 고사하고 생각만으로도 암담한 것이다.

휘연이 사라진다. 그건 곧 환백 자신이 무너지는 결과라는 걸 다시 한 번 깨달을 수밖에 없었다. 그와 동시에 놓치기 싫은 본능과 함께 잃지 않을 방도를 강구해야 했다. 그렇게 환백은 휘연이 오기를 기다리는 동안 많은 생각을 하고 확실한 결론에 도달할 수 있었다.

"나는 네가 어렵다. 너를 어찌 대해야 할지도 모르겠고, 너를 생각하면 화가 나고 불안하다."

환백은 살포시 미간을 찌푸리며 잠시간 말을 멈췄다가 다시 조용히 이어 갔다.

"분명히 처음에는 네가 끔찍하게 싫었는데, 어느 순간부터 달라지더군. 너를 보면 혼란스럽고 화가 나다가도 너를 안을 때면 기분이 좋아져. 거짓말처럼 혼란이 사라지고 그 순간만큼은 내가 진정으로 살아 있다고 여겼다."

표정변화 없이 가만히 듣고만 있는 휘연을 보며 영롱하게 빛을 발하는 적안이 불안하게 흔들렸다. 그러나 환백은 말을 멈추지 않았다. 마치 지금이 아니면 안 된다는 듯이. 그렇게 환백은 자신의 혼란스러운 마음 한편으로 얻어낸 결론을 모두 드러내고 있었다.

"왜 그런 것인지, 생각해 보니 하나밖에 없더군."

자조하듯 씁쓸한 중얼거림 끝에 시선을 맞춰오는 환백의 두 눈에 서서히 단호함이 서린다. 더 이상 혼란에 허둥지둥거리며 휘연을 상처 입히고 싶지 않은 환백의 의지였다. 그러자면 확실한 자신의 마음을 전하고 휘연의 마음 또한 알아야만 했다.

"……휘연."

생각지도 못한 부름에 휘연의 몸이 흠칫 떨렸다. 환백이 자신의 이름을 부를 것이라고는 생각지도 못했던 탓이다. 그런 휘연을 보며 환백은 어느새 단호함이 사라지고 침울한 얼굴로 쓰게 웃었다. 당연한 반응이라는 걸 알기 때문이다.

상대가 받을 상처 따위는 안중에도 두지 않고 무심하게 쏟아 냈던 말. 아니, 알면서도 더더욱 상처 입히고자 급급했었다. 처음 만난 그 순간부터 지금까지 휘연을 대하며 내뱉었던 말들을 떠올릴수록 후회가 되어 되돌아온 것이다.

"휘연, 서문휘연이라 했지. 처음 불러보는군."

처음이었다. 이름 하나로 심장이 묘하게 두근거릴 수 있다는 것도. 색다른 기분에 환백은 몇 번이고 입안에서 웅얼거리듯 이름만을 중얼거리다가 다시 차분하게 말을 이었다.

"휘연, 나로서는 뭘 해야 할지 모르겠다. 내가 알고 있는 거라고는 내 자리를 지키는 것뿐이다. 그 외에는 배운 적도 없고, 누군가 내게 알려 준 적도 없다. 나를 지키기 위해서는 상대를 이용하고 죽이는 방법밖에 모르지. 죽이는 건 간단하고 쉬운 일인데, 너만은 다르다. 너를 죽일 수도 없고, 이 이상 잔인해지고 싶지도 않아. 그 이유가 무엇인지 생각한 끝에 한 가지 결론이 나오더군. 내가 너를……너를 내 마음에 품었다."

환백의 말끝에 휘연은 눈을 질끈 감았다. 환백이 타고난 운명이 모질기에 환경이 어떠했을 거라는 것 또한 충분히 짐작할 수 있었다. 설사 그게 아니더라도 태후의 말을 떠올려 보는 것만으로도 쉽게 알 수 있는 일이었다.

인간의 기본적인 감정인 희로애락(喜怒哀樂)을 알지 못하고 오직 한 가지 살심만을 키운 채 각박하게 살아 왔을 것이다. 그걸 어찌 모르겠는가. 다른 사람은 몰라도 상극이자 운명으로 얽힌 휘연만은 너무도 잘 알고 있었기 때문이다.

그럼에도 휘연은 아무런 말도 하지 못했다. 아니, 차마 할 수가 없다는 것이 더 맞는 말이었다. 뭐라고 한단 말인가. 차라리 아무것도 몰랐다면 쉽게 받아들이고 대답할 수 있다지만, 지금 휘연의 처지로서는 그조차도 참담하기만 했다.

기뻐해야 할 마땅한 일에 오롯이 기뻐하지 못하고, 이런 말을 하기까지 얼마나 많은 고민을 거듭했을지 알면서도 받아들이지 못하는 바에야 또다시 상처만 될 것이다. 그래서인지 그 어떤 대답도 하지 못하는 휘연을 보며 환백은 초조한 얼굴을 일그러뜨렸다.

"왜……왜 답이 없는 거지? 내게 답을, 내가 불안하지 않게 확실한 답을 해 주면 좋겠군."

항상 불안했다. 처음 휘연이 자신에게 혼란을 줄 때부터, 휘연을 갖고 싶고 안으면서도 가슴 한편이 허허로운 기분이었다. 마치 보이지 않고 잡히지 않은 공기를 한순간에 틀어 쥐고 있다고 착각한 것 같이.

자신의 품 안에 있을 때 느꼈던 만족감이 돌아서면 허무할 정도로 쉽게 사라졌었다. 그리고 자신은 또다시 혼란을 거듭했었다. 휘연을 볼 때면 언제 어느 순간 사라질지도 모른다는 불안하고 초조한 느낌을 떨치지 못한 것이다.

"저번에 내가 했던 말을 걱정하는 거라면, 그럴 일은 없다. 버리지 않아. 질릴 일도 없어. 네가 원한다면 무엇이든 해 주겠다. 재물을 원한다면 재물을 주고, 황후로서 권한도 세워 주겠다. 그러니 내게 약속해라. 내 곁에서 나만을 보겠다고. 그렇게만 하면 네가 원하는 건 모두 해 주겠다."

환백은 말을 하면서도 초조함을 숨기지 못했다. 휘연이 자신의 것임에도 혹여 자신을 거부할지 몰라 다급하게 변명을 늘어놓듯 말했지만, 이제 갓 인간으로서 다른 감정을 배워가는 환백으로서는 이 이상의 표현은 할 수 없었다.

아니, 그 외에는 하는 방법을 몰랐다. 잘못을 비는 간단한 방법조차 몰랐기에 지금까지 경멸하고 잔인하게 대한 보답으로 무엇이든 해 주고 싶은 것이다.

그렇게만 하면 휘연도 자신을 온전히 바라봐줄 것으로 생각했다. 자신의 곁에서 자신만을 본다면 더는 상실감도 허허로운 마음도 느끼지 않으리라. 또한, 그게 당연하다 여겼다.

하지만 자신의 말에도 대답 없는 휘연을 바라보며 환백은 점점 더 초조해지다 못해 울 듯한 얼굴로 주먹을 끌어 쥐었다. 모든 것을 해 준다고 했음에도 전혀 기뻐하지 않는다.

오히려 듣지 않으려는 듯 눈을 감고 있지 않은가. 그 모습에 환백은 섭섭하고 안타까우면서도 화가 치밀었다. 이 이상뭘 어떻게 해야 하는지 모르는 것이다.

왜 대답을 하지 않은 것인지, 자신의 것임에도 왜 자신을봐 주지 않는 것인지. 온기를 찾는 자신을 따뜻하게 감싸줄것 같으면서도 안아 주지 않는다.

순종적이면서도 누구보다 더 냉정한 것 같은 휘연을 보며환백은 불안감의 정체를 어렴풋이 알 수 있었다. 같은 공간에 있되 결코 같은 마음이 아니라는 사실을.

같은 곳을 보기를 바라는 자신과는 달리 일정한 선을 긋고이 이상 다가오지 않으며 다가가는 것마저 거부한다. 그 사실에 환백이 망연한 자기 상실감 속에서 바닥 모를 절망감만짓씹고 있을 때였다.

"폐하, 한 가지만 여쭤도 되겠는지요?"

꺼질 듯이 작은 목소리였으나 환백은 똑똑히 들을 수 있었다. 자신의 물음에 답을 해 줄지도 모른다는 기대감에 환백은 자신도 모르게 잔뜩 긴장을 드리운 채 고개를 끄덕였다.

"폐하께서 원하시는 목표가 무엇입니까?"

자신이 원하는 답이 아닌 엉뚱한 물음에 살포시 미간을 찌푸리던 환백이 올곧게 시선을 맞춰오는 휘연을 보며 잠시의틈을 두고 답했다.

"내 자리를 지키는 것이다. 누구도 다시는 황권을 업신여기지 않게, 내게 도전할 엄두도 못 내게, 내 자리를 확고히하는 것이다."

조금 전 자신의 감정을 밝힐 때와는 달리 단호하리만치 자신 있게 답하는 환백을 보며 휘연은 목 안으로 씁쓸함을 삼키고 말했다.

"이루실 것입니다. 폐하께서는 반드시 그리하실 수 있을 것이옵니다. 그리고 저 또한 폐하께서 목표를 이루시는 그날까지 함께할 것입니다."

"그게 무슨 말이지? 그날까지라니? 너 설마……내 목표를 이룬 후에는 떠날 생각을 하고 있는 건 아니겠지?"

함께 한다는 사실에 찰나간 기쁜 것도 잠시 묘한 위화감이 느껴지는 말에 환백이 표정을 굳히며 다급하게 되물었다. 마냥 좋게만 받아들이기에는 무언가가 틀어진 느낌을 지울 수가 없었기 때문이다.

그런 환백을 보며 휘연은 나지막이 한숨을 내쉬었다. 어떻게 설명한단 말인가. 입 밖에 꺼내는 것조차 허락되지 않은 것을. 할 수만 있다면 휘연 또한 환백만큼이나 솔직히 모든 것을 털어 놓고 싶었다.

어리석게 고통을 자초할 필요 없이 하다못해 은애하는 마음만이라도 전해지기를 바라다가도 그리해서는 안 되기에 마음을 접기를 반복하는 것이다. 말 못할 심정을 필사적으로 억누르는 것만으로도 휘연은 버거웠다.

"무슨 뜻이냐? 나를 떠나겠다는 말이냐?"

"……폐하."

"너는 내 것이다. 오직 나만이 너를 가질 수 있단 말이다! 그런데 나를 떠날 생각을 해? 도대체 왜?!"

대답 없는 휘연을 보며 자신의 의심이 맞아떨어졌다고 생각한 환백이 성큼 다가와 휘연의 어깨를 잡고 거칠게 다그쳤다. 그게 아니라고. 떠나지 않는다는 단 한 마디만 들으면 되었다. 그런데 왜 대답하지 못하는 것인가.

"확실하게 말해. 나를 떠날 생각이냐?"

"폐하, 인연이 다하는 날까지는 폐하 곁에 있을 것이옵니다."

모호한 말이다. 그럼에도 환백은 알게 모르게 안도했다. 인연이 무엇인지, 그런 게 있는지 조차 믿지 않았지만 환백은 오직 한 가지만을 머릿속에 새겼다. 그렇게라도 하지 않으면 자신의 이성이 남아나지 않을 것 같았기 때문이다.

"그 말은 내 곁에 있겠다는 말이군. 그렇지? 내 곁에서 나만을 본다는 것이겠지? 아니, 내 마음과 같은지를 묻는 것이다. 나와 같은 마음인가? 아니면…… 다른 것인가?"

화가 한풀 꺾인 채 조심스럽게 묻는 환백을 보며 휘연은 자신의 모습을 떠올렸다. 신탁을 받고 궁에 들었던 첫날 꿈에서 보았던 자신의 초라했던 모습.

그 모습을 보면서 천제가 했던 말이 무엇이라는 걸 알게 된 것이다. 자신이 소임을 다했을 때 찾아올 추하디추한 모습. 그런 자신을 과연 끝까지 봐 줄 것인가.

과연 그 마음이 변하지 않을 것인지. 자문하듯 스스로에게 던진 물음에 휘연은 뱃속에서부터 쓴 물이 올라올 것만 같았다. 터무니없는 욕심에 지나지 않은 것이다.

그 모습을 보고 어찌 곁에 둔단 말인가. 그건 곧 황제인 환백에게 해가 돌아갈 것은 자명한 일. 휘연은 정해진 결말을 되돌릴 만한 힘이 없었다. 또한, 그리해서도 안 되는 일이었다.

"폐하, 곁에만 있게 해 주시옵소서. 그리만 해 주셔도 더는 바라는 것이 없사옵니다."

"그건 끝내 내게 마음을 주지 않겠다는 뜻인가? 그게 너의 뜻이냐 물었다!"

다시금 노기(怒氣)를 담아 소리치는 환백을 보면서도 휘연은 쓰린 마음을 감추고 비교적 담담하게 말했다. 이 말이 환백의 상처를 들쑤신다고 해도 훗날 받을 배신의 상처보다는 크지 않으리라.

"부디 마음을 거두어 주시옵소서."

"내가…… 부탁해도? 나를 봐 달라고 애원해도, 그 마음이 변함없는 것인가?"

갈구하는 듯한 환백의 시선을 피하며 휘연은 더 이상 답하지 않았다. 처분을 기다린다는 듯 눈을 감는 휘연을 보며 환백은 암담한 충격에 휩싸였다. 마치 자신과 휘연 사이에 높디높은 빙벽이 가로막고 있는 것 같이.

답답하고 초라하고 화가 치민다. 차라리 모습이라도 보이지 않으면 돌아서기라도 하련만, 뻔히 눈앞에 두고도 조금의 틈도 보이지 않는 거대하고 높은 빙벽이 눈앞에 끝없이 펼쳐져 감히 손을 내밀 수조차 없는 기분이었다.

무리를 해서 가까이 다가가니 한기에 몸이 떨리고 초조함에 손을 내밀어 만지려니 온몸이 시리고 아프다. 도저히 다가갈 수 없다는 걸 보여 주듯이. 애원해도 소용없다는 듯이. 휘연의 마음은 열릴 기미가 보이지 않았다.

"그런가."

환백은 힘없이 앉으며 씁쓸하게 중얼거렸다.

"그래, 그랬어. 너를 볼 때면 언제나 불안했지."

다시 조용히 중얼거리던 환백은 천천히 눈을 감았다. 모든 건 끝났다. 기회는 없다. 이게 누구의 잘못인지도 알고 있었다. 지금까지 자신이 했던 행동만 되돌아봐도 알 수 있는 일이기 때문이다.

그것을 왜 모를까. 휘연이 자신을 두려워하고 같은 마음을 품지 않는 것도 어쩌면 당연한 것이리라. 그렇다 보니 이해하지 못하는 바도 아니었다. 알고 있음에도 환백은 휘연이 야속했다.

처음으로 품은 상대다 보니 더 그런 것이다. 자신도 인간이라는 것을. 휘연을 향한 마음을 확인하며 처음으로 깨달을 수 있었다. 그러나 겨우 깨달은 마음을 거두라 한다.

어떤 희망도 없이. 이것을 어찌 받아들여야 할지 환백은 암담한 절망 속에 빠져드는 기분이었다. 그렇다고 이제 와서 놓아줄 수도 없는 노릇이 아닌가.

바로 손을 뻗으면 닿을 곳에 있는 것을. 허망하게 바라보기만 할 수는 없었다. 자신의 곁에 있겠다고 했으니 마음을 가질 수 없다면 몸이라도 가지면 된다.

그것마저 거부한다면 갈기갈기 찢어버릴 것이다. 자신이 가질 수 없다면 다른 이도 가질 수 없도록. 상처받은 자는 잔인해진다고 하던가. 지금 환백은 자신의 분노와 고통밖엔 보이지 않았다.

애초에 자신은 그런 인간이었다. 새삼 달라질 것도 없었고 한참 만에 눈을 뜬 환백은 여전히 눈을 감고 있는 휘연을 말없이 바라보았다.

조금의 흔들림 없는 그 모습에 찌르는 듯한 통증이 다시 가슴을 스쳤다. 괜찮다. 이 정도는 참을 수 있다. 얼마든지 참아낼 수 있다. 환백은 그렇게 자신을 다독이며 자리에서 일어섰다.

그러고는 휘연의 앞으로 다가가 물끄러미 내려다보았다. 단아하고 부드러운 선이 눈을 사로잡는다. 살포시 미간을 찌푸린 환백이 고집스럽게 다물고 있는 붉은 입술을 손가락으로 쓸었다.

그 감각에 휘연이 흠칫 놀라며 비로소 눈을 뜨고 올려다보자 그 행동에 못내 쓰린 마음을 감추고 환백이 당장에라도 내리칠 듯이 주먹을 단단히 그러쥐었다. 그와 동시에 휘연의 손목을 잡아끌고 가며 침상으로 던지다시피 쓰러트린 채 거칠게 옷을 벗어젖혔다.

"마음을 거두라 했지? 그럴 생각이다. 다시는 너에게 그 어떤 마음도 품지 않을 것이다. 그러니 너도 아무것도 기대하지 마라. 그저 네가 말한 대로 인연이 다할 때까지 내게 몸이나 열면 돼."

소름이 끼칠 정도로 낮은 목소리에는 안타까움이 담겨 있었지만, 그보다 더 깊은 분노가 깔려 흘러나왔다. 급하게 휘연의 옷을 벗기기 시작한 환백의 손이 복잡하게 끈이 매여져 있어 잘 벗겨지지 않는 얇은 천 조각들을 짜증난다는 듯 갈기갈기 찢어 놓았다.

그 모습에 휘연은 순간 환백을 처음 만났던 순간이 떠올랐다. 순백의 머리카락, 영롱하게 빛나는 게 아닌 오직 끔찍한 살기만을 담아 붉고 선명한 피를 머금은 듯 타오르던 눈동자.

아름다운 외모와 사람의 두려움을 끌어내는 잔혹한 시선. 환백을 처음 본 순간 느꼈던 두려운 공포와 어찌할 수 없는 강렬한 감정의 흐름이 그날을 선명하게 떠올리게 한다.

전율과도 같은 기억에 휘연이 숨을 멈추었다. 그런 휘연을 내려다보며 환백이 잡아 벌린 다리 사이로 파고들며 다짐이라도 하듯 속삭였다.

"걱정하지 마라. 인연이 다하면 내 손으로 죽여주지. 너는 죽어서도 내 곁에 머물러야 한다. 만약 그전에 내게서 도망친다면, 사지를 찢어발기고 몸뚱어리만 남겨 두더라도 절대 너를 놔주지 않아. 이건 모두…… 네가 자초한 것이다."

❖

완연한 겨울의 한파가 한층 더 스산함을 드리울 때 정작 기묘한 침묵이 감도는 황궁을 빼고는 황도부터 시작된 소문은 무성하게 흘러 대국 곳곳으로 퍼져 나갔다. 달포 전에 있었던 반란의 결과로 인한 소문이었다.

유창운과 그 일파의 몰살. 그리고 그와 연계된 이들까지. 소문이라는 게 으레 그렇듯이 점점 더 부풀려져 쉬쉬하며 퍼져 나가고 반색을 하며 쌍수 들고 환영하는 이들이 있는 반면 환백의 잔인함에 두려움을 느낀 이들도 있었다.

그렇게 상반된 분위기 속에서 새로운 인물들로 비워진 자리를 채우고 황궁은 차츰 안정을 찾아가는 것 같았다. 하지만 그건 겉으로 드러난 일각에 지나지 않았다. 그 내면은 또 다른 먹잇감을 두고 치열한 결전이 펼쳐지고 있었기 때문이다.

"어찌하실 생각이십니까? 이제 슬슬 가지치기를 해도 될 것 같습니다만?"

"그렇습니다. 몸을 사리고 있는 이때에 쳐내지 않으면 기회가 없을지도 모릅니다."

"성급하게 생각하지 마시오. 아직 폐하의 마음을 모르지 않소이까?"

"그건 그렇지만, 마냥 이대로 시간만 끌다가 의인황비(擬仁皇妃)가 덜컥 회임이라도 했다가는 기회마저 잃을지 모를 일이 아니오? 아니 그렇습니까?"

어사중승(御史中丞) 왕전군의 말에 우문성중과 그 일파의 얼굴이 종잇장 구겨지듯 일그러졌다. 최대의 적이었던 유창운을 제거했다고는 하나 아직은 갈 길이 멀고 완벽하게 세력을 구축한 것도 아니기 때문이다.

무엇보다 왕전군의 말마따나 의인황비가 회임이라도 한다면 겨우 틀을 잡아 가는 세력이 어떤 식으로 변화가 찾아올지도 모를 일이었다. 설사 그게 아니더라도 세력을 온전히 틀어쥐기 위해서라도 우승을 제거하는 게 옳았다.

그 사실을 누구보다 잘 알고 있으면서도 우문성중이 주저하는 데에는 분명한 이유가 있었다. 어리고 세력이 전혀 없어 쉽게 손안에 쥐고 흔들 수 있다고 판단했던 환백의 치밀함과 공포를 잊을 수가 없었던 것이다.

"우선 폐하의 의중부터 알아봐야겠네."

"모르시겠습니까? 쉽게 의중을 내비칠 분이 아니십니다. 자칫하다가는 우리가 역으로 당할 수도 있습니다."

"제 생각도 그렇습니다. 승상을 제거한 지 벌써 달포가 지났지 않습니까? 이때까지 우승 측에 힘을 실어 주지 않고 있다는 건, 어쩌면 폐하의 생각도 우리와 같을지도 모릅니다."

"그래도 조심해서 나쁠 건 없지. 폐하께서는 드러낸 것보다 감춘 것이 더 많네. 심계가 무섭도록 깊단 말일세."

우문성중이 걱정하는 바가 무엇인지는 알고 있으나 지나치게 몸을 사리는 것 같아 무리의 얼굴에는 적잖은 불만이 드러나고 있었다. 기회를 놓쳐 역으로 당하는 것보다는 선수를 치는 게 백 번 생각해도 옳은 것이다.

하물며 유창운을 제거한 후 우승 측에는 아무런 힘도 실어 주지 않은 반면, 우문성중에게 내린 감찰 권한은 그대로이다. 그건 곧 환백이 우승보다는 우문성중의 손을 들어줄 거라는 건 뻔한 사실이기 때문이다.

"다시 한 번 생각해 주십시오. 미룰 일이 아닙니다. 이미 증거까지 완벽하게 갖추고 있지 않습니까?"

"그렇습니다. 증거를 들이밀면 폐하께서도 넘어가시지 않을 것입니다."

"몸을 사리는 것도 좋지만, 지금이 아니면 기회가 없습니다. 보름 전부터 우승 측의 움직임이 눈에 띄게 빨라지고 있다는 것도 아시지 않습니까? 자주 폐하와 독대를 하는 것도 그렇고 지금쯤 우승 또한 우리를 제거하기 위해 모종의 계획을 세우고 있음이 불 보듯 뻔한 일입니다."

차분하게 작금의 사태를 설명하는 시어사(侍御史) 구진해의 말에 미간을 구기는 우문성중을 뺀 나머지가 고개를 끄덕이며 수긍하고 나섰다.

지난 보름간 우승이 시도 때도 없이 독대를 청했다는 걸 우문성중 또한 알고 있는 사실이었다. 구진해의 말대로 그 내용 또한 뻔히 짐작할 수 있었지만, 우문성중은 이상하게 선뜻 내키지가 않았다.

터무니없는 불안에 지나지 않을 수도 있으나 겪으면 겪을수록 환백이 어려운 건 고사하고 무언가 찜찜한 감을 떨칠 수가 없었기 때문이다. 그게 무엇인지는 우문성중도 알지 못했다.

다만 섣불리 나섰다가 자신 또한 유창운의 꼴이 될 가능성도 배제할 수 없는 것이다. 그래서인지 갈팡질팡 중심을 잡지 못하고 낮은 침음성만 뱉던 우문성중이 곧 흘러나오는 왕전군의 말에 의문을 표했다.

"그게 아니더라도 분위기가 이상하게 흘러가고 있습니다."

"이상하다니?"

"징병제(徵兵制) 말입니다. 난데없이 군사를 모은다는 건 무엇을 의미하겠습니까?"

"설마, 전쟁을 염두에 두고 있단 말이오?"

"아니면 좋겠지만. 후우, 강제성을 띄는 것도 그렇고 아무래도 전쟁이 일어날 것 같습니다."

생각지도 않은 전쟁이라는 말에 여기저기 탄식하는 소리가 터져 나왔다. 불과 사흘 전에 내린 황명이다. 16세에 접어드는 나이부터 30세까지 사내라면 무조건하고 징병의 대상이었다.

또한, 백성 귀족 할 것 없이 한 병사가 도망가면 온 집안에 책임을 묻는다는 엄격한 법령이 제정되기도 했다. 단순히 환백의 세력을 늘리기 위해서 내린 황명은 아니라는 걸 조금만 생각해 보면 충분히 짐작할 수 있는 것이다.

"생각을 굳히십시오. 만약 이대로 전쟁이라도 터진다면 그때는 기회조차 사라질 것입니다."

"그렇게 하십시오. 지금이야 혜원황비께서 회임을 해 걱정이 없다지만, 그 이후도 생각해야 하지 않겠습니까?"

혹시라도 혜원황비가 황자가 아닌 황녀를 출산할 때를 대비하자는 뜻이었다.

"만약을 위해서입니다."

"후우, 그렇군. 자네들 의견은 잘 알겠네. 내 폐하께 그동안 모은 증거물을 올리도록 하지."

한참을 심사숙고 끝에 드디어 결정을 내린 우문성중의 말에 모두의 얼굴에 화색이 돌았다. 전쟁이 터지기 전에 우승의 세력을 완전히 제거해 버리면 더 이상 자신들의 앞날에 거리낄 것은 없다고 판단한 것이다.

현재 환백의 세력이 치고 들어오고 있다고는 해도 대부분이 세도가에도 들지 못하는 하층 귀족 집안이고 나이도 어리거나 젊은 층이라 이들의 눈에는 별 볼 일이 없다고 생각한 이유이기도 했다.

"어차피 결정한 거라면 더 이상 미룰 것 없이 지금 만나봐야겠네."

"하면, 저희는 이대로 퇴궁해 연락을 기다리고 있겠습니다."

"그렇게들 하게나."

우문성중이 무리와 헤어져 본궁에 있는 환백의 집무실로 향할 때 사태의 추이를 비밀리에 지켜보고 있던 암영제의 일원이 곧바로 황궁을 나가 우승 하우유권에게 환백의 명을 전달하고자 움직였다.

환백에게 있어 두 사람 또한 유창운과 마찬가지로 제거 대상에 지나지 않다는 걸, 그 시일이 코앞에 닥쳤다는 사실까지도. 굳은 결심을 하고 환백의 앞에 당도한 우문성중도 나름대로 살아남고자 계획을 실행하고 있는 하우유권도 알지 못했다.

"이게 다 사실인가?"

"신이 어찌 감히 폐하께 거짓을 아뢰오리까. 소신이 직접 몇 번이고 조사를 거쳐 확실하게 알아낸 사실이옵니다."

"괘씸한!"

우문성중이 올린 보고에 환백의 얼굴에 감추지 못한 살기가 떠올랐다. 그 모습에 움찔거리며 잔뜩 고개를 숙이는 우문성중을 보며 환백이 슬그머니 입가를 올리다가 빠르게 표정을 갈무리했다.

"감히 내게 대항하려 한단 말이지."

"폐하, 우승은 명백히 역모를 꾀하고 있지 않사옵니까? 이 대로 묵과해서는 아니 될 것이옵니다."

"흐음, 그거야 그렇지만. 쯧, 문제가 있군."

"문제라 하옵시면……."

"피를 본 지 고작 달포가 흘렀네. 여기서 또다시 피를 본다 면 백성들이 나를 뭐로 생각하겠나? 자칫 폭군 소리를 들을 수도 있네. 제거하는 거야 어렵지 않으나 당장 결정은 못 하 겠군."

제대로 된 황제라면 백성을 먼저 생각해야지, 라는 말을 넌지시 흘리며 마뜩잖은 반응을 보이는 환백의 태도에 우문 성중이 초조한 얼굴로 다급하게 말을 이었다.

"폐하, 굳이 폐하께서 직접 나서지 않아도 해결할 수 있사 옵니다."

"내 손에 피를 묻히지 않고 해결한단 말인가?"

"그러하옵니다. 소신에게 기회만 주신다면 폐하께 누를 끼 치지 않고 소신이 해결을 보겠사옵니다."

그 말은 곧 환백이 눈을 감아 주면 우문성중이 알아서 우 승의 세력을 쳐내겠다는 말이었다. 물론, 환백 또한 그리할 참이었으나 쉽게 답하지 않고 한참의 고민을 거듭해 우문성 중의 초조함이 극에 달했을 때에야 마지못해 허락한다는 듯 말했다.

"흐음, 비설이 황태자를 출산하기 전에 정리를 해 두는 것 도 나쁘지 않겠군. 좋다. 열흘의 말미를 주지. 단, 나는 아무 것도 관여하지 않을 것이네."

442

"아! 황은에 감읍하옵니다. 소신, 결코 실망을 안겨 드리지 않겠사옵니다, 폐하."

비설과 황태자까지 들먹이며 하는 말에 우문성중은 마음속에서 떨치지 못하던 알 수 없는 묘한 불안감마저 말끔히 씻어 내며 한껏 들뜬 표정으로 물러났다.

무엇보다 그때까지도 우문성중을 대하는 환백의 눈길에 깊은 신뢰가 담겨 있었기 때문이다. 적어도 자신만큼은 환백의 적이 아니라는 믿음에 우문성중은 한 치도 의심하지 못했다.

그러나 근거 없는 우문성중의 믿음은 문이 닫힘과 동시에 신뢰를 뒤집어쓴 가면은 한낱 먼지처럼 깨어지며 사라지고 없었다. 오히려 비틀린 환백의 비웃음만이 그 자리를 차지하고 있었다.

그렇게 우문성중이 돌아가고 반시진이 지나 우승 하우유권이 환백의 부름을 받고 집무실로 찾아왔다. 그런 하우유권을 향해 환백이 은은한 살기를 흘리며 우문성중이 올린 보고를 내밀었다.

"폐하! 이, 이것은 모함이옵니다! 부디 신을 믿어 주시옵소서!"

"증거가 이렇듯 완벽한데 모함이라 하는가? 내 그대를 믿었건만, 이렇듯 뒤통수를 칠 줄은 생각도 못했군."

짐짓 씹어 뱉듯이 노기를 담아 낮게 읊조리는 환백의 목소리에 하우유권이 다급하게 무릎을 꿇고 머리를 조아렸다.

"폐하! 신은 폐하를 거스를 생각은 추호도 없사옵니다. 이것은 어사대부가 신을 제거하고자 술수를 벌이는 것이옵니다. 부디 통촉하여 주시옵소서!"

"술수라. 이게 거짓이란 말인가?"

"그렇사옵니다. 폐하께서도 아시지 않사옵니까? 어사대부야말로 권세를 믿고 사리사욕을 탐하고 있사옵니다. 이는 만천하가 알고 있는 사실이온데 신이 역모를 꾀하다니요. 신은 어사대부만큼 권력을 갖추고 있지도 않사옵니다. 부디 깊이 헤아리시어 옳고 그름을 바르게 판단하여 주시옵소서!"

"흐음, 가만 생각해 보니 그도 그렇군. 요즘 어사대부가 심심찮게 권력을 남용하고 있다는 보고를 들은 것 같기도 하고……."

슬쩍 말꼬리를 흘리며 생각에 잠긴 듯한 환백을 올려다보며 하우유권이 기회는 이때다 싶어 빠르게 말을 이었다. 이대로 있다가는 자신만 죽어나는 것이다.

"폐하! 어사대부의 죄상의 증거라면 신 또한 가지고 있사옵니다. 소신에게 맡겨 주신다면 그 죄상을 낱낱이 밝혀 시시비비(是是非非)를 명확히 하겠사옵니다."

"믿어 달라는 건가?"

"폐하, 신은 오직 폐하께 충심을 다할 뿐이옵니다. 통촉하여 주시옵소서!"

말을 마침과 동시에 쿵…… 소리가 나도록 바닥에 머리를 찧는 하우유권을 내려다보며 환백이 비틀린 웃음을 지었다.

"좋다. 내 마지막으로 기회를 주지. 열흘이다. 눈을 감아 줄 터이니 그 안에 할 수 있는 한 어사대부의 세력을 줄여라."

"황은에 감읍하옵니다, 폐하!"

"만약, 제대로 일을 처리한다면 완진을 봐서라도 이번 일은 넘어가도록 하지. 두 번 다시 실망시키지 마라."

"각골명심하겠사옵니다."

하우유권이 한시름 들은 표정으로 집무실을 나서고 문이 닫히자마자 우문성중을 떠올리며 빠드득…… 이를 갈았다. 유창운이 제거된 이상 자신까지 처리할 거라는 건 예상하고 있었지만, 생각보다 더 빨리 마수를 뻗친 것이다.

그러나 그 사이 자신 또한 환백에게 독대를 청해 여러 가지 포섭을 깔아 놓은 상태였다. 그 결과 환백이 자신에게 기회를 주지 않았는가. 물론, 그 이면에는 겁도 없이 날뛴 우문성중의 행보도 적잖이 도움 되는 것도 사실이었다.

"이렇게 된 이상, 끝을 봐야겠지. 염호."

혼잣말로 음산하게 중얼거린 끝에 부른 이름에 앞머리를 치렁치렁 내린 사내 하나가 순식간에 하우유권의 옆에 모습을 드러냈다.

"살수들은 차질 없이 준비하고 있겠지?"

"명만 내리시면 바로 처리할 수 있습니다."

"좋아. 오늘 밤부터다. 열흘 안에 어사대부를 제외하고 말끔하게 정리해."

"존명."

염호라 불리는 사내가 다시 모습을 감추고 하우유권이 빠르게 걸음을 옮겨 의인황비의 처소인 영휘궁(瑛徽宮)으로 향했다. 그 모습을 고스란히 지켜보고 있던 암영제의 보고로 환백은 만족스러운 듯 미소 지었다.

"멍청이들."

"한 번에 처리하는 게 더 빠르지 않습니까?"

"큭큭, 두 놈은 굳이 내 손을 빌릴 것도 없다. 아직 제대로 된 군사를 양성하지 못한 이상은 흉흉한 소문을 퍼트릴 필요는 없지. 두 놈이 알아서 양패구상(兩敗俱傷)하면 나는 그 이득만 취하면 그만이다. 그때까지는 지켜보도록 하고, 마지막날 암영제는 저놈들이 처리하지 못한 마무리를 짓도록 해."

"존명."

열흘. 피바람을 일으킨 지 달포가 지났지만, 열흘의 기한을 앞두고 또 한 번의 피바람을 예고하는 말이었다. 그런 환백의 얼굴 위로 진득한 웃음이 떠오르다가 이내 살포시 미간을 찌푸리며 나지막이 한숨을 내쉬었다.

모든 것이 계획대로 한 치도 어긋남 없이 이뤄지는 가운데 유일하게 자신의 뜻대로 되지 않은 단 한 사람인 휘연을 생각할 때면 환백은 초조함을 감추지 못했다. 휘연의 일에는 무엇 하나 의지대로 하지 못하는 것이다.

"후우……."

어찌해야 한단 말인가. 대체 어떻게 해야 이 분노가 풀릴지. 생각하면 할수록 화가 치밀다가도 어느새 죽을 것처럼 아프고, 그보다 더 초조하게 애가 타다가도 휘연의 얼굴을 마주할 때면 안타까운 기분마저 느낀다.

그러나 정작 당사자는 자신을 거부하지 않는가. 타인에게 마음으로부터 우러나온 호의를 보인다는 게 처음이라 어색했고, 어떻게 말을 건네야 하는 건지도 몰라 힘들긴 했어도 혼란스러운 마음을 나름대로 숨기지 않고 표현했었다.

그 이면에는 지금껏 해 주지 못한 미안한 마음도 있어 원하는 건 뭐든 들어주고 싶었기 때문이다. 적어도 그렇게 해 주면 어차피 휘연은 다른 누구도 아닌 자신의 것이기에 그 마음 또한 자신과 같을 것으로 생각했다.

하지만 결과는 참담했다. 받아들이지 않겠다는 듯. 일말의 기회조차 없이 마음을 거두라 했다. 그 순간을 지금도 잊지 못하고 있다. 막막하고 암담하고 쓰리고 찢어져 생으로 갈라 지는 것 같은 그 참담한 기분을.

나름대로 잘 대해 주고자 노력한 것이 우스울 정도로. 그 저 자신의 곁에서 자신만을 보고 있어 주길. 그리고 자신을 향해 웃어 주기만 바란 것이 전부였지만, 돌아온 것은 배신 보다 더한 쓰라림이었다.

그럼에도 자신은 어땠는가. 하루도 거르지 않고 찾아갔다. 매일 밤 그 여린 몸을 안고 쾌락에 젖어가고 혹시라도 자신 을 향해 웃어 주지 않을까, 작은 희망을 품었다가도 매번 씁 쓸하게 돌아서야 했다.

스스로 뱉은 말이 있어 살가운 대화 한 번 나누지 못함에 도 혹여나 자신을 거부하지나 않는지, 전전긍긍 눈치를 보는 자신을 돌아볼 때면 환백은 허탈함에 실소를 흘릴 수밖에 없 었다.

"큭, 미쳤군."

환백은 그렇게 자조했다. 미친 짓이다. 자신은 지금 미쳐 가고 있다. 사내라면 치를 떨던 자신이 이젠 그 사내가 없으 면 죽을 것 같아 매달리고 있다니. 여전히 자신에게는 하등 의 쓸모도 없는 인간인 것을.

지금이라도 자신을 거부하고 어지럽히기만 하는 휘연의 존재를 없애 버리는 게 맞는 일임에도 환백은 어느 순간부터 그런 생각 자체를 안 하는 것이다. 그리고 그런 자신의 행태에 환백의 씁쓸함은 더해 가고 있었다.

2권에서 계속